Édouard BLED
Directeur honoraire de collège à Paris

Odette BLED
Institutrice honoraire à Paris

Lauréats de l'Académie française

BLED

CM2 / 6e

Orthographe **Conjugaison**

Grammaire **Vocabulaire**

Nouvelle édition 1998
assurée par Daniel Berlion
Inspecteur de l'Éducation nationale

Suivi éditorial : **Bertrand Louët.**
Création de la maquette et de la couverture : **Pascal Plottier.**
Réalisation technique en PAO : **Typo-Virgule.**

ISBN 2-01-116117-7

43, quai de Grenelle, 75905 Paris Cedex 15

Il en est de l'orthographe comme de bien d'autres disciplines, surtout lorsqu'il s'agit des commencements : si nous voulons atteindre l'objectif fixé, avec ce que cela implique d'efforts patients, persévérants et ordonnés, il faut procéder en adoptant une démarche qui va du simple au complexe ; comme le disaient Édouard et Odette Bled « hâtons-nous lentement ! ». Certes, cette manière de procéder n'est pas la seule mais dans le cas spécifique de l'orthographe, c'est elle qui — très pragmatiquement — donne les meilleurs résultats pour une majorité d'élèves.

C'est cette démarche qui fut adoptée par É. et O. Bled dans tous leurs ouvrages ; nous avons tenu à conserver cette ligne de conduite qui a assuré le succès de la collection. La rigueur, l'exhaustivité, la clarté de la présentation, la formidable somme d'exercices (près de 900 pour cet ouvrage !) que l'élève doit aborder avec méthode et détermination, clé de ses progrès, nous en avons fait notre miel et tous les utilisateurs du *Bled* retrouveront ces qualités qui structurent un enseignement difficile pour le maître et long pour l'élève.

Alors pourquoi une refonte puisque la permanence de ces valeurs n'échappe à personne ?

En cinquante ans, les conditions d'enseignement ont changé, la didactique orthographique a mis en évidence certains faits — ils n'avaient, pour la plupart, pas échappé à É. et O. Bled (les procédés de nominalisation ou de substitution sur l'axe paradigmatique par exemple) — qui permettent de mieux soutenir l'effort de l'élève ; aussi avons-nous introduit une cohérence nouvelle en fonction des programmes d'enseignement. L'accent a été mis sur les difficultés figurant explicitement dans ces programmes même si des extensions seront systématiquement proposées car, sur de nombreux points, certains élèves sont à même de poursuivre leurs apprentissages à partir des bases qui leur sont données.
En somme, nous avons voulu offrir à l'élève le plus en difficulté un ouvrage qui lui permette de reprendre confiance, et, à l'élève le plus avancé dans ses apprentissages, une possibilité de perfectionner son orthographe.

Restait, bien sûr, le problème du vocabulaire. Les transformations, voire les bouleversements de notre vie quotidienne ont été tels depuis quelques années que tout en respectant, ici ou là, la nostalgie d'un monde rural et stable encore cher à certains, nous avons choisi de poursuivre résolument ce qui avait déjà été amorcé et de placer l'élève devant des situations qu'il rencontrera au cours de sa vie scolaire. La télévision, les cassettes vidéo, les moyens de transport, les modes alimentaires, les avancées technologiques, les voyages, le sport, bref tous les centres d'intérêt d'un enfant d'aujourd'hui, servent de support aux exemples.

La première partie de cet ouvrage permet à l'élève d'observer les mots et, à partir des classements qu'il effectuera, de construire des séries analogiques qui lui permettront l'intégration de nouveaux savoirs au cours de sa scolarité … et de sa vie ! car c'est sur des bases solides que se constituent les meilleurs apprentissages.
Quant aux mots invariables qui appartiennent sans conteste au vocabulaire des élèves puisqu'ils représentent une part importante de leurs écrits, leur étude sera poursuivie selon les mêmes principes que ceux mis en œuvre dans le premier ouvrage de la collection : rencontres fréquentes, mise en évidence des analogies et réemplois dans des situations variées.

Pour l'orthographe grammaticale, nous suivons de près la progression de l'école élémentaire. L'élève sera, sans cesse, appelé à réfléchir et à rechercher la nature des mots. En effet, sans identification précise de celle-ci, il n'est pas possible d'appliquer correctement les règles qui président aux différents accords de la phrase.
Enfin, au fur et à mesure que les connaissances grammaticales se précisent, nous proposons des procédés et des exercices simples pour que soient évitées les erreurs fâcheuses dues aux homonymies.

L'étude de la conjugaison a une grande importance parce que le verbe est le mot essentiel de la proposition. L'élève doit se familiariser avec ses formes multiples, tant pour acquérir une bonne orthographe que pour construire des phrases correctes.
Comme il est indispensable de conduire l'étude de la conjugaison avec méthode, nous étudions les verbes en -er et en -ir aux temps principaux de l'indicatif : le présent, l'imparfait, le futur simple et le passé composé ; le passé simple sera réservé aux élèves les plus avancés dans leurs apprentissages.
Mais nombre de verbes parmi les plus usités ont des conjugaisons qui paraissent irrégulières. Néanmoins, il est impératif, puisque l'élève devra les employer tout au long de ses écrits, qu'ils soient étudiés avec le plus grand soin.
Les autres modes — conditionnel, subjonctif et impératif —, que l'élève rencontre au cours de ses lectures, feront l'objet d'une première approche, l'étude systématique étant réservée aux niveaux supérieurs.

Presque toutes les leçons s'achèvent par des séries de mots présentant des analogies phonétiques ou graphiques ; il est ainsi plus facile de reconnaître leur orthographe. Ces mots appartiennent au vocabulaire d'aujourd'hui.

À travers l'apprentissage de l'orthographe, c'est en fait la maîtrise de la langue que nous visons ; si l'élève est à l'école de la rigueur et de la correction, il sera progressivement conduit à être plus attentif à tous les problèmes que pose une expression personnelle, puisque c'est bien évidemment l'objectif ultime : **mettre l'orthographe au service de l'expression de l'élève**. C'est pourquoi nous avons placè, aussi souvent qu'il était possible, des exercices qui visent un réinvestissement, en situation d'écriture, des acquisitions orthographiques.

DANIEL BERLION

Sommaire

Sommaire

3e partie : Conjugaison ... page 145

Index et annexes ... 215

Alphabet phonétique

consonnes	voyelles
[b] de bal	[a] de patte
[d] de dent	[ɑ] de pâte
[f] de foire	[ɑ̃] de clan
[g] de gomme	[e] de dé
[k] de clé	[ɛ] de belle
[l] de lien	[ɛ̃] de lin
[m] de mer	[ə] de demain
[n] de nage	[i] de gris
[ɲ] de brugnon	[o] de gros
[p] de porte	[ɔ] de corps
[ʀ] de rire	[ɔ̃] de long
[s] de sang	[œ] de leur
[ʃ] de chien	[œ̃] de brun
[t] de train	[ø] de deux
[v] de voile	[u] de fou
[z] de zèbre	[y] de pur
[ʒ] de jeune	

semi-voyelles
(ou semi-consonnes)

[j] de fille
[ɥ] de huit
[w] de oui

Orthographe

Consonne simple et accent

bâtir	un détail	la mère
battre	une dette	la terre

RÈGLE

On ne double jamais la consonne qui suit une voyelle accentuée :
bâtir, un détail, la mère.

Exceptions : châssis et les mots de sa famille.

Remarques :

1. Comme il est souvent difficile de savoir s'il faut mettre un accent ou doubler la consonne, il est prudent de consulter un dictionnaire.

2. L'accent circonflexe tient souvent la place d'un **s**, que l'on retrouve dans des mots de la même famille :
l'hôpital → hospitalier.

é	è	ê	â	ô
le bébé	l'allègement	une bête	l'appât	la côte
le bétail	le bègue	blêmir	le châle	drôle
décider	la fève	la chênaie	la grâce	enrôler
l'épouvantail	la crème	emmêler	lâche	l'hôpital
étudier	la crinière	être	la pâte	le pôle
établir	la frontière	la fête	tâcher	le trône
l'état	le mètre	honnête	**î**	**û**
fiévreux	le modèle	le prêtre	abîmer	la croûte
le métier	le pèlerin	la quête	la boîte	jeûner
la précipitation	le poème	la tempête	la chaîne	mûrir
le récitant	la sève	la tête	le faîte	la voûte

EXERCICES

1 Écris un verbe de la famille de ces noms.

Ex. : la pêche → pêcher.

la voûte	la boîte	l'intérêt	l'enquête	la décision
le traîneau	le rôle	l'appât	la côte	le prêt
la grâce	la bête	la fête	la quête	la chaîne

2 Complète ces mots.

Le rémouleur affû...e les couteaux. — Le jeune é...ève aligne des bâ...onnets pour former une dizaine. — Le hé...isson et le crapaud sont fort utiles parce qu'ils mangent des insectes. — Encordé, l'alpiniste franchit le pré...ipice. — Les policiers arrê...ent le malfaiteur.

3 Complète ces mots.

La barque s'é…oigne des ré…ifs. — Vous lirez tous les dé…ails de l'affaire dans le journal. — Nous avons lu des livres inté…e…ants. — Le fond des océans est creusé d'abî…es insondables. — Les personnes â…ées ont souvent de l'expé…ience. — Les histoires de fantô…es font frémir les enfants même s'ils n'y croient pas trop.

4 Complète ces mots.

La tortue se hâ…e lentement et a…ivera avant le lièvre. — Le jardinier ouvre ses châ…is et arrose ses semis. — En Afrique du Nord, les sauterelles dé…iment les récoltes. — On a dé…erné le prix Nobel à ce grand savant. — Le platine, l'or, l'argent sont des métaux pré…ieux. — Souvent les gouroux prô…ent le renoncement aux biens ma…ériels pour leurs fidè…es, pas pour eux-mê…es !

5 Complète ces mots.

Les fruits mûrs se dé…achent de l'arbre. — J'ai dé…idé de voyager en auto-stop. — La pauvre petite chèvre tire sur sa chaî…e et regarde vers la montagne ; elle ne sait pas que le loup l'a…end. — La conquê…e de l'Ouest américain a servi de pré…exte au tournage de nombreux films. — Les piqû…es de guê…e sont toujours douloureuses. — Isabelle est persuadée qu'elle sera une grande actrice depuis qu'elle a obtenu un petit rô…e dans ce feuilleton.

6 Donne un mot de la même famille qui contient un s.

Ex. : côte → accoster.

l'arrêt	le bâton	la fête	le vêtement	l'ancêtre
la forêt	l'hôpital	la bête	le goût	la croûte

7 Rédige trois phrases dans lesquelles tu emploieras un mot comportant un accent aigu.

8 Rédige trois phrases dans lesquelles tu emploieras un mot comportant un accent grave.

9 Rédige trois phrases dans lesquelles tu emploieras un mot comportant un accent circonflexe.

10 Rédige un court texte dans lequel tu emploieras des mots comportant des accents.

11 Vocabulaire à retenir

la flûte — le bâton — le château — le bateau — le gîte — l'abîme
la cime — la quête — l'enquête — le câble — le crâne

Consonne simple ou double

l'acclamation — la proclamation — l'oncle
l'échoppe — la chope — le pompier
la butte — la chute — la sorte
le succès — la sucette — la source

RÈGLES

1. La consonne qui suit une voyelle non accentuée peut être simple ou double selon l'usage et la prononciation :

   la chute, la butte — la sucette, le succès.

2. Une consonne double ne peut jamais suivre une consonne, sauf à l'imparfait du subjonctif des verbes **tenir** et **venir** et de leurs composés (maintenir, revenir, etc.) :

   l'oncle, le pompier, la sorte, la source, l'absence

   que je tinsse, que tu tinsses — que je vinsse, que tu vinsses.

consonne double		consonne simple		
aggraver	l'attention	alourdir	la date	l'antipode
alléger	l'occasion	apercevoir	la route	le concours
apparaître	souffler	la chute	utile	verser

EXERCICES

12 **Complète ces mots. Consulte un dictionnaire.**

f ou ff : l'a...ection — l'in...ection — l'agra...e — la ga...e — le sou...le — la pantou...le — le con...luent — l'a...luent — la cara...e — la ra...ale.
t ou tt : l'ar...iste — l'an...ilope — l'a...elier — l'a...elage — pré...endre — en...endre — le ba...ement — le bâ...iment — l'a...ente — l'en...ente.
c ou cc : con...ourir — a...ourir — dis...ourir — la dis...orde — l'a...ord — la con...orde — l'a...roc — ré...lamer — a...lamer — le re...ord.

13 **Complète ces mots. Consulte un dictionnaire.**

r ou rr : le lie...e — le fou...age — le géné...ique — le souve...ain.
p ou pp : l'a...étit — l'a...éritif — a...ercevoir — a...uyer — a...eler.

14 **Conjugue au passé simple et à l'imparfait du subjonctif.**

se souvenir d'une date — se tenir sur ses gardes.

15 **Vocabulaire à retenir**

le souffle, le souffleur, la soufflerie, essouffler, un soufflé

un l ou deux l   un t ou deux t

des yeux étincelants, une étincelle   le clocheton, la clochette

RÈGLE

Pour savoir s'il faut doubler ou non le l ou le t qui suit la lettre **e**, on peut prononcer le mot à haute voix.
Si l'on a le son [ə], la consonne n'est pas doublée, si l'on a le son [ɛ], la consonne peut être doublée :

étincelant [ə] → un seul l   l'étincelle [ɛ] → deux l
le clocheton [ə] → un seul t   la clochette [ɛ] → deux t.

Mais comme il peut y avoir un accent sur le **e**, il est prudent de consulter un dictionnaire.

Remarque : On applique le même procédé pour les autres consonnes, mais le cas est plus rare :

dangereux [ə] → un seul r   le terrain [ɛ] → deux r.
nous prenons [ə] → un seul n   ils prennent [ɛ] → deux n.

EXERCICES

16 Écris un nom de la même famille que ces noms dans lequel il n'y aura qu'un l ou qu'un t. *Ex.* : la chamelle → le chamelier.
l'hôtellerie   la noisette   la mamelle   l'échelle   la chancellerie

17 Écris les verbes à la 3e personne du singulier du présent et de l'imparfait de l'indicatif, puis donne un nom de la même famille dans lequel il y aura un ou deux l, un ou deux t.
Ex. : renouveler son abonnement → il renouvelle son abonnement ; il renouvelait son abonnement ; le renouvellement.
ressemeler des chaussures — ruisseler de sueur — empaqueter les cadeaux — appeler son correspondant — jeter des regards furtifs — haleter en fin de course.

18 Complète ces noms. Consulte un dictionnaire.
La bûche pétille et lance des étince...es. — Dans le noir, le hibou a des yeux étince...ants. — Les parents de Laure sont des artisans bate...iers. — Sur la cheminée, il y a deux vieux chande...iers en étain. — Les bougies ont remplacé les fumeuses chande...es. — Ce napperon est en dente...e.

19 Vocabulaire à retenir

l'hôtelier — le coutelas — l'échelon — le noisetier — le mamelon
la vaisselle — la cervelle — la chandelle — la dentelle — la chapelle

4e leçon

Le tréma

le maïs, la coïncidence, une voix aiguë, un capharnaüm

RÈGLES

1. On place un tréma sur une voyelle (**i**, **e** et rarement **u**) pour indiquer qu'elle ne se prononce pas avec celle qui la précède :

le ma-ïs   la co-ïncidence   la m**ai**son   le c**oi**n

2. Lorsque l'on doit prononcer [gy] le groupe de lettres **gue** ou **gui**, il faut placer un tréma sur le **e** ou sur le **i** :

ambigu-ë   l'ambigu-ï-té   la di**gue**   la **gui**tare.

ï, ë, ü				
l'aïeul	le caïd	la ciguë	le glaïeul	la mosaïque
les aïeux	le caïman	la coïncidence	haïr	la naïveté
l'ambiguïté	le canoë	l'égoïsme	l'héroïsme	l'ouïe
l'archaïsme	le capharnaüm	l'exiguïté	laïciser	le païen
la baïonnette	caraïbe	la faïence	le maïs	

EXERCICES

20 Écris les adjectifs de la famille de ces mots, puis emploie-les avec un nom masculin pluriel et avec un nom féminin pluriel.

Ex. : la naïveté → naïf ; des clients naïfs, des clientes naïves.

aiguiser	l'héroïsme	la haine	l'archaïsme	le trapèze
l'exiguïté	l'égoïsme	l'ambiguïté	laïciser	la coïncidence

21 Complète les mots. (Tu peux consulter un dictionnaire.)

La cigu… est une plante qu'il ne faut pas confondre avec le cerfeuil car c'est un poison ! — Un bouquet de gla…euls sur une table apporte une touche du plus bel effet. — Sur les étagères du va…sselier sont disposées de magnifiques assiettes en fa…ence. — Les mosa…ques découvertes dans les ruines de Pompéi sont dans un état de conservation remarquable. — Le ca…man que l'on nomme aussi alligator, est une espèce de crocodile qui vit dans les fleuves d'Amérique. — Une égo…ne est une scie à main. — Leïla a une chance inou…e, elle verra le spectacle dans d'excellentes conditions. — Les poulets de Bresse sont uniquement nourris avec du ma…s.

22 Vocabulaire à retenir

le maïs — haïr — naïf — héroïque — égoïste — l'exiguïté — le canoë
la faïence — l'ouïe — un païen — le glaïeul

m devant m, b, p

emmagasiner la jambe l'ampoule

RÈGLE

Devant les lettres **m**, **b**, **p**, il faut écrire m au lieu de **n** :
emmagasiner, la jambe, l'ampoule.

Exceptions :

un bo**n**bon, une bo**n**bonne, une bo**n**bonnière, l'embo**n**point, néa**n**moins.

mm	mb		mp	
emmêler	ambulant	la framboise	ample	exempt
emménager	la bombe	gambader	le compas	la hampe
emmurer	emballer	le membre	compter	la lampe
immangeable	l'embarras	le plomb	empiler	le pompon

EXERCICES

23 **Donne le contraire de ces mots.**

patient — mangeable — mortel — parfait — pitoyable — déménager — pénétrable — modéré — mobile — buvable — propre — capable — connu.

24 **Donne le verbe qui correspond à ces expressions.**

Ex. : Mettre dans un sac → ensacher.

mettre dans un maillot — mettre sur une broche — mettre dans sa poche — mettre dans une grange — mettre en paquet — monter dans une barque — orner d'un ruban — couvrir de pierres — rendre laid — rendre beau.

25 **Complète et donne un mot de la même famille.**

Ex. : le co...bat → le combat, un combattant.

un e...pire	do...pter	l'o...brage	e...co...brer	un co...pagnon
co...pter	le ja...bon	le ca...peur	ra...per	le no...bre

26 **Complète par m ou n.**

Les la...pes, les la...ternes, les la...pions, tout était allumé en ce soir de fête. — Les chats, e...fermés dans la maison depuis le matin, sont i...patients de sortir. — Mon ami s'alourdit d'un fort e...bo...point ; néa...moins, il est actif. — Un co...co...bre est un gros cornichon. — On dit qu'Henri IV a été assassiné à la suite d'un co...plot.

27 **Vocabulaire à retenir**

compter, le comptable, le compteur — la lampe, le lampadaire, le lampion

La lettre x

la boxe   le silex   l'exactitude   l'exception

RÈGLES

1. La lettre x se prononce souvent [ks] : la boxe, le silex, le taxi.

2. Dans les mots commençant par ex-, le x se prononce [gz] s'il est suivi d'une voyelle ou d'un **h** : l'ex**a**ctitude, ex**i**ger, l'ex**h**ortation.

3. Il faut mettre un **c** après ex- si le x doit être prononcé [k] : ex**c**ellent, l'ex**c**eption.

4. La lettre x se prononce parfois [s] ou [z] : dix, six, le sixième.

Remarque : La lettre x est parfois muette, notamment si elle marque le pluriel : le houx, les journaux.

x = [ks]			ex = [gz]	exc = [ks]
l'apoplexie bissextile convexe	la dextérité l'équinoxe extravagant	inextricable le sphinx toxique	exigeant l'exiguïté exister	l'excès exciter l'excursion

EXERCICES

28 Écris ces noms au pluriel.
le taux — la voix — la noix — l'époux — le choix — la faux — la perdrix.

29 Écris un nom de la famille de ces verbes. *Ex.* : exercer → l'exercice.
expulser — exister — exécuter — excepter — extraire — expliquer — exiler — exciter — exceller — excuser — expérimenter — exalter.

30 Place un c après le x s'il y a lieu.
ex...act — l'ex...ès — ex...iger — ex...hiber — l'ex...eption — ex...entrer — ex...lamer — ex...ellent — ex...éder — l'ex...amen — ex...agérer.

31 Complète ces mots.
Le boucher découpe la viande avec une de...térité sans pareille. — Les marées d'équino...e sont très fortes. — Ce nouveau matériau est très fle...ible. — L'e...plorateur se fraie un chemin à travers la jungle ine...tricable. — À Versailles, la chambre à coucher du roi est d'un lu...e inouï.

32 Vocabulaire à retenir

l'expédition, l'expulsion, la proximité, l'annexe — l'examen, l'existence, l'exigence, exotique, l'exil — excellent, exciter, l'exception, l'excuse

La lettre y

un **cy**clone une **gly**cine un **sym**bole

RÈGLE

Entre deux consonnes, la lettre y a la valeur de la lettre **i** :
un **cy**clone, une **gly**cine, un **sym**bole.

y = [i]				yn/ym = [ɛ̃]
le baryton	la dynastie	martyriser	le rythme	la cymbale
le cataclysme	l'encyclopédie	la myrtille	le style	la nymphe
la crypte	le gypse	le papyrus	la syllabe	la synthèse
le cycle	l'hymne	le polygone	la symétrie	le symptôme
le cygne	le labyrinthe	la pyramide	le zéphyr	le thym

EXERCICES

33 Écris les adjectifs dérivés, puis emploie-les avec des noms.

Ex. : le cylindre → cylindrique ; un rouleau cylindrique.

la lyre — l'Olympe — le symbole — la symétrie — l'hypocrisie
le mystère — la paralysie — le tyran — la mythologie — l'encyclopédie

34 Complète ces noms par y ou i. Consulte un dictionnaire.

la t...mbale — le s...gne — le c...clone — le p...lône — le r...thme
la c...mbale — le c...gne — la c...terne — la p...le — la r...me

35 Complète ces mots.

La gl...cine encadre la porte de la maison de Lamartine. — Le c...clone a provoqué un véritable catacl...sme. — Des m...riades de flocons de neige tombent du ciel gris. — Le chat s'approche h...pocritement de l'oiseau. — Le serpent p...thon broie ses proies entre ses anneaux. — J'ai planté un p...ton pour accrocher le tableau. — Les feuilles d'eucal...ptus servent à faire des infusions. — L'ox...gène active les combustions. — Le zéph...r est un vent léger. — Allons dans la montagne cueillir des m...rtilles. — Les n...mphes, d'après la m...thologie, étaient les divinités des fleuves, des bois, des fontaines. — Le l...nx s'apparente au chat sauvage.

36 Emploie trois mots de la famille de cycle dans trois phrases.

37 Vocabulaire à retenir

le mystère — le mythe — le pylône — le python (le serpent)
le type — le tyran — le tympan — le typhon

8e leçon

La lettre z

le gazon   le bazar   du riz

RÈGLES

1. Entre deux voyelles, la lettre **z** et la lettre **s** se prononcent de la même façon : [z] :

le bazar [z]   le gazon [z]
le hasard [z]   le blason [z]

Il est parfois difficile de savoir si ce son s'écrit **s** ou **z**. En cas de doute, il est prudent de consulter un dictionnaire.

2. En fin de mot, le z peut être muet :

le riz, le rez-de-chaussée, le raz de marée.

Le **e** qui précède un **z** muet en fin de mot se prononce [ε] :

le nez, vous cherchez, assez, chez.

Le son [z] écrit z				
l'alizé	la dizaine	gazouiller	la topaze	zéro
l'amazone	l'eczéma	l'horizon	le trapèze	la zibeline
l'azote	l'enzyme	la luzerne	treize	le zigzag
l'azur	le gaz	le mélèze	le zèbre	zigzaguer
le bazar	la gaze	onze	le zèle	le zinc
bizarre	la gazette	la razzia	le zénith	le zodiaque
le bonze	la gazelle	la pizza	le zéphyr	la zone
le colza	le gazon	seize	le zeste	le zouave
z muet				
assez	cherchez	chez	le nez	le riz

EXERCICES

38 Écris un mot de la même famille que ces mots.

le gaz	seize	la zone	l'horizon	treize
le zèle	onze	le riz	le lézard	le zézaiemen
le zèbre	le zinc	le zoo	le bazar	le bronze
bizarre	le zénith	l'azur	la gaze	le gazon

39 Complète par s ou z. Tu peux consulter un dictionnaire.

un va...e	le ha...ard	la ga...elle	la liai...on	le mélè...e
la topa...e	le maga...ine	la guéri...on	le diapa...on	le malai...e
l'a...ur	bi...arre	l'ali...é	la lu...erne	le trapè...e
l'u...ure	un i...ard	bali...er	la ca...erne	une thè...e

40 Conjugue à l'imparfait de l'indicatif.

ronzer au soleil — zigzaguer sur le trottoir — zapper devant sa télévision.

41 Complète les mots. (Tu peux utiliser un dictionnaire.)

'air est un mélange d'a…ote et d'oxygène. — Autrefois, les femmes montaient à cheval en ama…one. — La Côte d'A…ur jouit d'un climat particulièrement agréable. — Théophraste Renaudot fonda, en 1631, le premier ournal français : la *Ga…ette*. — La Camargue produit beaucoup de ri… , nais pas autant que les pays a…iatiques.

42 Complète les mots. (Tu peux utiliser un dictionnaire.)

a ga…elle n'a que la fuite pour échapper aux carnassiers de la savane. — e mélè…e est un conifère qui ressemble à l'épicéa. — La topa…e est une ierre précieuse de couleur jaune. — Le navigateur aperçoit une voile à 'hori…on. — Madame Hoquet utili…e une tondeu…e électrique et obtient n ga…on qui fait l'admiration de ses voi…ins. — Philippe met un …este le citron dans son jus d'orange.

43 Complète les mots. (Tu peux utiliser un dictionnaire.)

)ans le frais matin, vous entende… le ga…ouillis des oiseaux. — Le ron…e est un alliage de cuivre, d'étain et de …inc. — À l'approche des ètes de Noël, les vitrines du ba…ar attirent les regards des enfants. — Le …èbre est un herbivore africain ; on peut en apercevoir dans beaucoup de …oos. — Pour se présenter au bureau d'embauche, monsieur Chapuis a mis n spendide bla…er bleu. — C'est la si…ième fois que Tony voit ce film, l est bla…é. — En ce début janvier, c'est une véritable ra…ia sur les soldes !

44 Complète les mots. (Tu peux utiliser un dictionnaire.)

a …ibeline est un petit mammifère dont la fourrure est très estimée. — Avec les graines de col…a, on produit de l'huile. — À l'équateur, le soleil st au …énith le 21 mars et le 23 septembre. — Les ra… de marée ont des ffets dévastateurs. — Le petit sentier …ig…ague dans la prairie. — Certaines personnes prennent un malin plai…ir à semer la …i…anie au sein l'un groupe.

45 Rédige trois phrases dans lesquelles tu emploieras un mot comportant un z.

46 Rédige un court texte dans lequel tu emploieras au moins un nom, un adjectif et un verbe comportant un z.

47 Vocabulaire à retenir

le lézard — le bazar — l'horizon — le gazon — treize — seize — onze
la zone — le zèle — le zoo — le zèbre — le zénith — zéro — un zeste

9e leçon

La cédille

un Français   une balançoire   un reçu

RÈGLES

1. Il faut placer une cédille sous le **c** pour conserver le son [s] devant **a**, **o**, **u** : un Français, une balançoire, un reçu.
2. Devant **e** et **i**, le **c** ne prend jamais de cédille : ici, cédille.

ç				
agaçant	la façade	la gerçure	le poinçon	le soupçon
un aperçu	le forçat	l'hameçon	le provençal	le suçoir
déçu	le garçon	la leçon	la rançon	le traçage

EXERCICES

48 Écris les verbes à la 1re personne du singulier et du pluriel de l'imparfait de l'indicatif.
grincer des dents — rincer la vaisselle — remplacer les piles — tracer un cercle

49 Écris un nom, dans lequel il y aura un ç, dérivé de ces mots.
gercer — la glace — apercevoir — la limace — la pince — poncer — la face — le tronc — commercer — forcer — recevoir — lacer — se fiancer

50 Écris un adjectif, dans lequel il y aura un ç, dérivé de ces mots.
effacer — soupçonner — remplacer — grimacer — percer — la Provence

51 Écris le verbe dérivé de chacun de ces noms.
la rançon — la façon — le maçon — le soupçon — l'amorçage.

52 Complète par c ou ç.
la le...on — les fian...ailles — effa...able — dé...u — la re...ette — le fian...é — l'effa...ement — un tron...on — la balan...oire.

53 Complète par c ou ç.
Un joueur est blessé ; son rempla...ant entre immédiatement sur le terrain. — Les Proven...aux dansent la farandole. — Le sauteur à la perche nous a donné un aper...u de ses possibilités : il vient de passer une barre à six mètres. — L'accusé a dissipé les soup...ons qui pesaient sur lui.

54 Vocabulaire à retenir
la leçon, le maçon, le glaçon, un garçon — un remplaçant, menaçant

10e leçon 

Le son [s] écrit sc

la science   la piscine   scier

RÈGLE

Le son [s] s'écrit parfois sc : la science, la piscine, scier.

En cas de doute, il est prudent de consulter un dictionnaire.

sc				
acquiescer	discerner	incandescent	le scélérat	la scierie
l'adolescence	le faisceau	irascible	sceller	scinder
la conscience	fasciner	osciller	sceptique	scintiller
convalescent	fluorescent	la pisciculture	le sceptre	le scion
desceller	s'immiscer	le plébiscite	sciemment	susceptible
descendre	imputrescible	ressusciter	la science	susciter

EXERCICES

55 Écris un nom de la famille de ces mots.

Ex. : l'adolescent → l'adolescence.

descendre   sceller   osciller   discerner   convalescent
l'ascension   incandescent   susceptible   fasciner   la piscine

56 Conjugue aux trois personnes du singulier de l'imparfait de l'indicatif.

acquiescer d'un hochement de tête — susciter la pitié — discerner avec bon sens — discipliner ses réactions — s'immiscer dans les affaires d'autrui.

57 Complète les mots. (Tu peux consulter un dictionnaire.)

Le convale…ent se promène au soleil. — Les nageurs s'entraînent dans la pi…ine en vue des Jeux olympiques. — Ce devoir est plein de rémini…ences historiques. — La nuit, les yeux du chat sont phosphore…ents. — La recrude…ence du froid a provoqué le gel du lac. — Le balancier de l'horloge o…ille inlassablement. — On dit que la di…ipline est la force principale des armées. — L'a…enseur est en panne ; les locataires montent par l'escalier. — Tous les résultats sont consignés dans un petit fa…icule.

58 Vocabulaire à retenir

la science — la scène — le scénario — une sciatique — la scie
la piscine — le fascicule — la discipline — la descente

11e leçon

Le son [s] écrit avec un t

balbutier   la patience   les initiales   la fraction

RÈGLES

1. Le son [s] s'écrit parfois avec un t : balbutier, la patience, les initiales.
2. Beaucoup de noms terminés par le son [sjɔ̃] s'écrivent -tion : la fraction, la nation, la récréation.

t prononcé [s]			-tion [sjɔ̃]	
la calvitie	l'idiotie	partiel	l'adoption	l'incrustation
confidentiel	impartial	pénitentiaire	la déception	l'irruption
la démocratie	l'initiative	la péripétie	la description	les munitions
la diplomatie	insatiable	le pétiole	l'éruption	l'option
la facétie	partial	providentiel	l'exhortation	la sensation

EXERCICES

59 Écris les adjectifs qualificatifs de la famille de ces noms.
Ex. : l'ambition → ambitieux.
la patience   la prétention   la condition   la confidence   la superstitio
la tradition   la providence   la minutie   la sensation   la présidence

60 Écris les verbes dérivés de ces noms. *Ex.* : l'addition → additionne
la mention — la station — la ration — la fraction — la condition — la per fection — la sanction — l'action — l'ovation — la section.

61 Conjugue au présent de l'indicatif.
s'initier au jeu de dés — patienter une minute — se frictionner les jambe

62 Complète les mots.
Je fais mettre mes ini...iales sur mon portefeuille. — La petite sœur de Cathy balbu...ie quelques mots. — L'ini...iative est une qualité quand ell est raisonnée. — Après notre matinée de ski, nous avons fait un repas sub stan...iel. — Le clown fait irrup...ion sur la piste, renverse un seau d'eau et fait rire l'assistance par ses facé...ies. — Le pharma...ien vend aussi de produits de beauté. — Le mécani...ien démonte minu...ieusement l moteur. — Les pluies torren...ielles ont endommagé les cultures.

63 Vocabulaire à retenir
l'acrobatie — le quotient — les initiales — balbutier — la patience
la récréation — la punition — la sanction — l'ambition — la révolution

Le son [f] écrit ph

un phare un phoque un dauphin

RÈGLE

Le son [f] s'écrit parfois ph : un phare, un phoque, un dauphin.

l'amphithéâtre	le camphre	le microphone	le phénomène	le sémaphore
l'amphore	diaphane	le nénuphar	le philanthrope	la sphère
aphone	le diaphragme	l'œsophage	le philatéliste	le sphinx
l'apostrophe	la diphtérie	l'orphelin	le philosophe	le sténographe
l'asphyxie	l'éléphant	le pamphlet	la phonétique	la strophe
l'atmosphère	l'emphase	la périphérie	le phosphore	la symphonie
l'atrophie	éphémère	la phalange	la phrase	le télégraphe
l'autographe	l'épitaphe	le pharaon	le prophète	le triomphe
le bibliophile	l'euphonie	le pharynx	le raphia	le typhon
le blasphème	l'hémisphère	le phénix	le saphir	le typographe

EXERCICES

64 Emploie, avec un nom, les adjectifs dérivés de ces mots.

Ex. : la catastrophe → des résultats catastrophiques.

le phénomène photographier l'orthographe la pharmacie triompher
téléphoner la symphonie le télégraphe la radiophonie la sphère

65 Écris les verbes dérivés de ces noms.

Ex. : la métamorphose → métamorphoser

l'asphyxie l'atrophie le triomphe le blasphème l'apostrophe
la photocopie le prophète la philosophie l'orthographe la photographie

66 Complète ces mots.

La calligra...ie, c'est l'art de tracer de magnifiques lettres ; les Chinois y excellent. — La renommée de ce chanteur sera-t-elle é...émère ? — Le ...are guide les navigateurs la nuit. — Le globe terrestre est partagé en deux hémis...ères par l'équateur. — Les nénu...ars fleurissent l'étang. — Le ...os...ore et le sou...re entrent dans la fabrication des allumettes. — Les insectes subissent des métamor...oses. — Au début d'une ...rase, on place une majuscule. — Martin adore les séances d'éducation ...ysique. — Le dimanche, on trouve di...icilement une ...armacie ouverte.

67 Vocabulaire à retenir

la photographie, une photocopie, le photographe — la calligraphie — la pharmacie — physique — la catastrophe — le téléphone — le dauphin

13e leçon

Le son [j] : ill ou y

le maillon le rayon

RÈGLES

1. Quand le son [j] s'écrit ill, la lettre **i** est inséparable des deux **l** et n'est pas liée avec le son de la voyelle qui précède :
le ma-illon, la défa-illance.

2. Le son [j] peut aussi s'écrire avec un y ; dans ce cas, le y a généralement la valeur de deux **i**, dont le premier est lié avec la voyelle qui précède et le second avec la voyelle qui suit :
le rayon → rai-ion ; le moyen → moi-ien.

Remarques :

1. Il ne faut pas confondre les verbes terminés par **-eiller** ou **-ailler** avec les verbes en **-ayer**. On évite la confusion soit en conjuguant les verbes au présent de l'indicatif, soit en recherchant un mot de la même famille :
sommeiller → je sommeille, le sommeil
balayer → je balaie, le balai.

2. Dans les noms, le son [j], écrit **ill**, est rarement suivi d'un **i**.
Exceptions : le quincaillier, le groseillier, le joaillier.

3. **ill** ne se prononce pas toujours [j] : la v**ill**e, tranqu**ill**e, un m**ill**ier, un m**ill**ésime, un m**ill**imètre.

ill			y	
le bataillon	écailler	la paillette	le citoyen	moyen
le bouillon	le gaillard	piailler	le crayon	la noyade
brailler	le haillon	le poulailler	le foyer	le noyau
le caillot	le maillot	ravitailler	la frayeur	la rayure
le caillou	le médaillon	saillant	le gruyère	le tuyau
la crémaillère	la paillasse	le tirailleur	le loyer	le voyage
détailler	le paillasson	la vaillance	mitoyen	la voyelle

EXERCICES

68 **Écris l'infinitif des verbes en** -yer **de la famille de ces noms, puis écris-les aux trois personnes du pluriel du présent de l'indicatif.**

Ex. : la fête → festoyer ; nous festoyons, vous festoyez, ils festoient.

le remblai	le balai	la raie	la foudre	l'essai
la paie	l'ennui	le flambeau	le renvoi	l'appu

69 Écris les adjectifs qualificatifs dérivés de ces noms (ils s'écrivent avec un y). Emploie-les avec un nom. *Ex.* : l'ennui → un air ennuyeux.
la joie — l'attrait — le roi — la pitié — la soie — l'effroi — la loi.

70 Écris les adjectifs verbaux dérivés de ces verbes. Emploie-les avec un nom pluriel. *Ex.* : nettoyer → des produits nettoyants.

effrayer	bruire	croire	foudroyer	payer
fuir	flamboyer	prévoir	ondoyer	voir

71 Écris ces verbes à la 2e personne du singulier du présent de l'indicatif, puis le nom homonyme.
Ex. : détailler → tu détailles, le détail.

batailler	mitrailler	éveiller	appareiller	brouiller
travailler	tailler	conseiller	rouiller	tenailler

72 Complète par y ou par ill. (Tu peux consulter un dictionnaire.)
La Bretagne est fleurie de bru...ères roses. — Aujourd'hui, un poula...er peut compter des milliers de poules, qui ne sortent pas souvent ! — Le zèbre a un pelage blanc aux ra...ures noires, ou l'inverse ! — Nos voisins ont terminé leur maison, ils pendent la créma...ère pour fêter l'événement. — La future maman prépare la la...ette de son enfant. — L'entraîneur suit les efforts de l'athlète d'un regard bienve...ant. — Les comédiens sont vêtus de ha...ons. — Pour y placer tous ses achats, monsieur Cousin soulève le ha...on arrière de sa voiture. — Le cuisinier éca...ait des poissons.

73 Complète par y ou par ill. (Tu peux consulter un dictionnaire.)
Les mots sont formés de vo...elles et de consonnes. — Le mo...eu de la roue droite grince. — Une nouvelle réglementation sur les tu...aux d'échappement est en vigueur. — Des m...iers d'étoiles brillent dans le ciel. — Pour passer dans la classe supérieure, il faut obtenir la mo...enne dans toutes les matières. — Ce joa...ier fait des bijoux originaux. — Il ne faut pas casser les no...aux avec ses dents. — On ne doit jamais laisser ses clés sous le pa...asson ; tous les voleurs connaissent la cachette.

74 Conjugue à la 1re personne du singulier et du pluriel au présent de l'indicatif.

balayer les miettes	sommeiller à l'ombre	surveiller la cuisson
essayer un pantalon	sautiller sur place	rayer le meuble
fouiller dans le tiroir	déblayer la neige	trier des documents
payer ses achats	conseiller ses amis	crier sa joie

75 Vocabulaire à retenir

rayer, s'enrayer, le rayon, la rayure, rayonner, le rayonnage
le rail, dérailler, le déraillement, l'autorail

14e leçon

Le son [k] : qu, c, ch, k, ck

le quotient   le déclic   le chrysanthème   le képi   le ticket

RÈGLE

Le son [k] s'écrit de plusieurs manières :

le quotient, le déclic, le chrysanthème, le képi, le ticket.

Remarque : On peut penser à un mot de la même famille dont on connaît l'orthographe (un quadrilatère → quatre), mais, en cas de doute, il est prudent de consulter un dictionnaire car il y a des exceptions (fabriquer → le fabricant).

qu		c	ch	k / ck
l'antiquaire	le perroquet	le basilic	archaïque	l'ankylose
l'aquarium	le piquant	chic	l'archange	l'anorak
le baquet	pourquoi	le choc	l'archéologie	le bifteck
le bilboquet	le quadrilatère	le déclic	le chaos	le coke
le bouquet	le quadrille	l'échec	le chlore	le hockey
le coq	le quai	le fennec	la chlorophylle	le jockey
l'éloquence	la qualité	le hamac	le chœur	le joker
l'équerre	la quantité	laïc	le choléra	le kabyle
fréquenter	quarante	le manioc	le cholestérol	kaki
le hoquet	le quart	le pic	la chorale	le kangourou
le laquais	le quartier	public	le chrétien	le kaolin
le maroquin	la quiche	le talc	le chrome	le karaté
narquois	le quincaillier	le tic	chronique	la kermesse
le paquet	la quinte	le trafic	la chronologie	le kimono
le parquet	quinze	le viaduc	la chrysalide	le kiosque

EXERCICES

76 Écris un mot de la même famille.

Ex. : fréquenter → la fréquentation.

équarrir   le quincaillier   la technique   le chronomètre
la qualité   le maroquin   la chronique   la chorégraphie
le parquet   le public   l'archéologie   le chlore

77 Écris les verbes de la famille de ces mots et conjugue-les aux trois personnes du singulier du présent de l'indicatif.

Ex. : l'orchestre → orchestrer ; j'orchestre, tu orchestres, elle orchestre.

le hoquet   le paquet   le tic   la fréquentation
la piqûre   le chrome   la remarque   le parc
le trafic   l'étiquette   le talc   le stock

78 Complète ces mots dans lesquels on entend le son [k].

Cette drôle d'histoire ne man...e pas de pi...ant. — Jérôme prend grand soin de son anora... neuf. — L'anti...aire vend des tableaux et un sto... de bibelots anciens. — Le joueur de tennis tient fermement sa ra...ette. — À la mi-temps, les joueurs changent de ...amp. — Les musiciens ont pris place dans le ...iosque ; le ...oncert va débuter.

79 Complète ces mots dans lesquels on entend le son [k].

Le ...rysanthème est une fleur d'automne. — L'ar...éologue a découvert un tombeau anti...e. — L'immobilité an...ylose les membres. — Le ...atholicisme et le protestantisme sont des religions ...rétiennes. — Charly est malheureux ; une sciati... le cloue au lit alors que ses amis s...ient à longueur de journée. — Monsieur Dubreton se fait beaucoup de souci pour son taux de ...olestérol ; son médecin l'a mis au régime et lui a interdit de manger du ro...efort.

80 Complète ces mots dans lesquels on entend le son [k].

La culture des or...idées est un art qui passionne quelques amateurs. — Les ...ipro...os sont souvent fort amusants. — Coincé au milieu du trafi... , l'automobiliste actionne son ...laxon. — L'é...o répète les cris des enfants dans la montagne. — Le papillon sort de sa ...rysalide. — Le jo...ey a gagné la course du tiercé ; les parieurs présentent leur ti...et au guichet. — À la ...afétéria, on a le choix entre un bifte... et de la blan...ette de veau.

81 Complète ces mots dans lesquels on entend le son [k].

Autrefois les ban...ettes des trains étaient recouvertes de moles...ine. — La Nouvelle-Calédonie est l'un des plus gros producteur de ni...el du monde. — C'est la ...lorophylle qui donne aux végétaux leur couleur verte. — Devinez quel est le plat préféré de ...ristine ? La ...iche lorraine bien sûr puisqu'elle est née à Nancy ! — Il est possible de tracer un angle droit sans é...erre, utilisez un ...ompas et une règle, tout simplement.

82 Rédige trois phrases comportant chacune l'un des mots suivants : la chronique, le chronomètre, l'archéologue.

83 Rédige trois phrases comportant chacune l'un des mots suivants : fréquenter, trafiquer, piquer.

84 Rédige un court texte dans lequel tu emploieras plusieurs mots comportant le son [k].

85 Vocabulaire à retenir

le ski — l'anorak — le ticket — le hockey — le stock — le bifteck
l'orchestre — la chorale — chrétien — la chronique — le chronomètre

Le son [k] : c ou qu — le fabricant, la fabrique
Le son [g] : g ou gu — vigoureux, la vigueur

RÈGLES

1. Les verbes terminés par **-quer** ou **-guer** conservent le u dans toute leur conjugaison :
nous fabriqu**ons**, il fabriqu**a** — nous navigu**ons**, il navigu**a**.

2. Dans les autres mots, devant **a** et **o**, on écrit dans la plupart des cas c ou g au lieu de qu ou gu :
la fabric**ation**, un pic**otement** — la navig**ation**, vig**oureux**.

3. Attention, il y a des exceptions :
la qu**alité**, critiqu**able**, attaqu**able**, un trafiqu**ant**.

4. Devant **e** et **i**, il faut placer un **u** après le **g** pour conserver le son [g] :
la vigu**eur**, la gu**itare**.

ca	co	exceptions	ga	go
la convocation	le compte	attaquable	le langage	le dragon
la démarcation	conduire	critiquable	la cargaison	le golf
la dislocation	le corps	piquant	le cigare	la gondole
l'éducation	le discours	la qualité	la divagation	gothique
l'embarcation	décoller	la quantité	égal	ligoter
l'embuscade	le flocon	le quartier	élégant	la montgolfière
l'indication	la mélancolie	remarquable	fatigant	négocier
la muscade	la pacotille	le trafiquant	gambader	octogonal
praticable	picoter	liquoreux	la prodigalité	la pagode
la suffocation	roucouler	quotidien	infatigable	le pédagogue

EXERCICES

86 Emploie avec un nom les adjectifs dérivés de ces noms.

Ex. : la vigueur → un corps vigoureux.

l'Amérique — le Mexique — la musique — la république — Monaco
l'Armorique — l'Afrique — le tropique — la rigueur — la langueur

87 Écris un nom, dans lequel il y aura ga ou ca, dérivé de ces verbes.

Ex. : suffoquer → la suffocation.

éduquer — naviguer — prodiguer — tanguer — reléguer
carguer — revendiquer — indiquer — débarquer — embarquer

88 **Complète les mots suivants, s'il y a lieu.**

le lang...age	l'élag...eur	fatig...ant	li...oreux	rug...eux
la rug...osité	infatig...able	l'élag...age	le zing...eur	inatta...able
lig...oter	l'é...erre	la lig...ature	expli...able	criti...able

89 **Complète ces mots.**

La Seine est un fleuve navi...able. — Par gros temps, la navi...ation est difficile pour les petites embar...ations. — Le navire accoste au débar...adère. — Cet hiver, nous subissons un froid ri...oureux ; les flo...ons tombent sans dis...ontinuer. — Les gendarmes sont en embus...ade ; ils attendent les trafi...ants d'objets d'art. — L'expli...ation est claire et précise, chacun a ...ompris. — Il fait une chaleur suffo...ante. — Ces terres sont fertilisées par l'irri...ation.

90 **Complète ces mots.**

La prodi...alité est le contraire de l'avarice. — Les histoires de dra...on impressionnent toujours les enfants. — Le bateau rapporte une car...aison de café de Côte d'Ivoire. — L'or est inatta...able par les acides. — Le hérisson dresse ses pi...ants lorsqu'il a peur. — L'a...acia a une é...orce ru...euse. — Ce ...oureur de marathon est infati...able. — Le jardinier procède à l'éla...age des tilleuls. — Le cheval est vi...oureux. — Si vous prenez les cahiers en grande ...antité, vous bénéficierez d'un prix avanta...eux.

91 **Complète ces mots.**

En Grèce, le péda...o...e était l'esclave chargé de conduire l'élève de son maître à l'école. Il lui portait son ...artable et, à l'o...asion, lui faisait réciter ses leçons. — En Chine, monsieur Clavel a photographié de magnifiques pa...odes. — Savez-vous d'où vient le nom des chariots de supermarché, les ...addies ? du ...olf ! — Pour reproduire sa ...arte de géographie, Joris utilise un ...adrillage ; il trouve que c'est plus prati...e. — Pour fermer son ...arton, Paulo cherche un élasti...e. — Madame Dreyfus porte un tailleur é...ossais : quel chi... !

92 **Complète ces mots.**

Étienne se prépare un délicieux co...tail de jus de fruits. — Pour monsieur Carrez, le petit déjeuner ...otidien, c'est un repas sacré. — Sur les places de certaines villes, on aperçoit encore des ...iosques à musi...e, mais il y a bien longtemps qu'il n'y a plus d'or...estre ! — Avez-vous déjà dégusté des ...enelles de brochet avec une sauce relevée de noix de mus...ade ? Goûtez et vous m'en direz des nouvelles !

93 **Vocabulaire à retenir**

le dragon — la gondole — la cargaison — la navigation — l'irrigation
la quantité — la qualité — le quartier — le piquant — le trafiquant

16e leçon

Le son [ʒ] : geo, gea

nous nageons   aménageable

RÈGLE

Devant les voyelles **o** et **a**, il faut mettre un e après le g pour obtenir le son [ʒ] : nous nageons, aménageable.

geo			gea	
le badigeon	le geôlier	la mangeoire	le geai	l'orangeade
le bourgeois	Georges	le pigeon	l'intransigeance	outrageant
l'esturgeon	la jugeote	la rougeole	la mangeaille	la vengeance

EXERCICES

94 Conjugue à la 3e personne du singulier et à la 1re personne du pluriel de l'imparfait de l'indicatif.

jauger la valeur des adversaires — se venger des affronts subis — partager son casse-croûte — changer de stylo — aménager sa chambre.

95 Écris l'adjectif, comportant gea ou geo, dérivé de ces mots.

Ex. : arranger → arrangeant.

échanger — assiéger — Tours — obliger — déranger — diriger — changer — affliger — encourager — engager — partager — loger — Strasbourg.

96 Écris un mot, comportant gea ou geo, de la famille de ces mots.

l'orange — le village — le bourg — rouge — manger.

97 Complète, s'il y a lieu, ces mots.

bourg...onner — le plong...oir — la g...orgée — boug...onner — la prolong...ation — le g...ôlier — la bourg...ade.

98 Complète, s'il y a lieu, ces mots.

Les premiers bourg...ons pointent au bout des branches. — À la brocante de Verosvres, nous avons déniché de vieux boug...oirs. — Nous avons bu une orang...ade bien fraîche. — Dans l'aquarium, le poisson agite ses nag...oires multicolores. — Les piqûres d'orties provoquent des démang...aisons. — La roug...ole est une maladie contagieuse.

99 Vocabulaire à retenir

le plongeon, le bourgeon, le pigeon
la nageoire, le bougeoir, le plongeoir, la mangeoire

Mots commençant par la lettre h

l'hélice, les hôtels, s'habiller   la hache, les hangars, se hisser

RÈGLES

1. Seuls l'usage et la consultation du dictionnaire permettent de savoir si un mot commence par la lettre h.

2. Pour certains mots, on fait une liaison avec le mot qui les précède, ou on place une apostrophe ; le h est alors **muet** :
   l'hélice, les‿hélices ; l'hôtel, les‿hôtels ; s'habiller.

3. Pour d'autres mots, il n'y a ni liaison ni apostrophe ; le h est alors aspiré :
   le hangar, les / hangars ; la hache, les / haches ; se hisser.

h muet			h aspiré	
l'habileté	l'héritage	l'horloge	la haie	le héron
habiller	héréditaire	l'horoscope	la haine	hideux
habituer	l'hermine	l'horreur	hacher	la hiérarchie
l'habitation	hermétique	horripiler	le hachis	le hochet
l'haleine	l'héroïne	l'horticulteur	hagard	le homard
l'hallucination	hésiter	l'hospice	le hâle	la honte
l'haltère	l'hippopotame	l'hostilité	le hall	le hoquet
hebdomadaire	l'hirondelle	l'huître	le handicap	le hors-bord
l'hameçon	l'hommage	l'humanité	la hauteur	la hotte
l'harmonie	l'homme	humble	hennir	la houle
héberger	l'homonyme	humecter	le hérisson	la housse
l'hectare	honnête	l'humeur	une hernie	le hurlement
l'hécatombe	l'honneur	l'humidité	le héros	la hutte

EXERCICES

100 **Emploie les adjectifs dérivés de ces mots avec un nom.**

Ex. : harmoniser → des sons harmonieux.

l'héroïne   l'hostilité   l'hiver   l'habitude   l'humilité
l'horizon   l'huile   l'habitation   l'homme   l'horreur

101 **Complète les noms.**

La vieille ...orloge astronomique de la cathédrale de Strasbourg émerveille encore les touristes. — Le poisson a mordu à l'...ameçon. — L'...orticulteur soigne ses ...ortensias. — La fin du film tenait les spectateurs en ...aleine. — L'...ippopotame est un mammifère qui vit dans les fleuves et les mares d'Afrique. — L'...ermine donne une fourrure précieuse.

102 **Complète les noms, s'il y a lieu.**

La tempête a endommagé l'...élice du paquebot. — L'...octogone est un polygone de huit côtés, l'...exagone n'en a que six. — Les ...irondelles nous quittent à l'automne. — Pour se maintenir en forme, madame Verchère soulève tous les jours des ...altères. — La terre est partagée en deux ...émisphères.

103 **Complète les mots, s'il y a lieu.**

Les montagnards ont ...ébergé des alpinistes. — L'île Saint-Louis, à Paris, est riche de vieux ...ôtels ...istoriques. — Le soleil incendie l'...orizon. — Le Touareg ...umecte les lèvres du bédouin rescapé du désert. — Les ...antennes de télévision sont progressivement remplacées par des paraboles.

104 **Complète les mots.**

La Marseillaise est l'...ymne national français. — Cette vieille maison n'est plus ...abitée depuis longtemps. — Nous revenons chez nous par le chemin ...abituel. — L'...umble demeure est entourée d'un jardin bien entretenu. — Le menuisier du quartier est un ...abile artisan.

105 **Écris sept phrases dans lesquelles tu emploieras un dérivé de ces mots.**

Ex. : habiter → Le nombre d'habitants est en augmentation.
habituer — habiller — hippique — l'hôpital — l'honneur — l'horreur — l'hôtel.

106 **Complète ces mots, s'il y a lieu.**

Monsieur Ramone a oublié d'inscrire sa date de naissance sur le questionnaire, c'est une ...omission involontaire. — L'...omicide par imprudence est moins sévèrement réprimé que celui qui serait intentionnel. — Après trois jours et trois nuits passés au fond du gouffre, le spéléologue est sorti ...agard mais ...eureux d'être encore vivant. — L'...agaric champêtre est communément appelé champignon de couche.

107 **Complète ces mots, s'il y a lieu.**

Un seul candidat a réussi l'examen du permis de conduire : quelle ...écatombe. — L'...écartement des voies de chemin de fer chinoises est différent de celui des pays voisins ; il faut changer les wagons quand on franchit la frontière. — L'avion de Rome est en retard, M. Tanzilli ...arpente les couloirs de l'aéroport en attendant son cousin. — Lorsqu'il se livre à son plaisir favori, la pêche sous-marine, monsieur Cardinet prépare avec soin ses ...arpons.

108 **Vocabulaire à retenir**

l'homme, l'hommage — l'homonyme — l'honneur, honnête, honorable
le héros, l'héroïne, héroïque, l'héroïsme

Le h muet intercalé

le théâtre le cahot

RÈGLE

Certains mots s'écrivent avec un **h** muet à l'intérieur du mot. Il faut savoir les écrire : le théâtre, le cahot.

h muet intercalé				
l'adhésion	le bohémien	exhaler	le philanthrope	le souhait
l'améthyste	le bonheur	exhorter	posthume	la sympathie
l'amphithéâtre	le bonhomme	l'incohérence	prohiber	le théâtre
l'anthologie	le cahot	la jacinthe	répréhensible	la théière
l'anthracite	la cohérence	le luthier	rhabiller	le théorème
l'antipathie	compréhensible	le malheur	le rhinocéros	la thèse
l'apothéose	le dahlia	le menhir	le rhododendron	le thon
appréhender	ébahir	le panthéon	la rhubarbe	le thym
l'athlète	envahir	la panthère	le rhumatisme	trahir
la bibliothèque	l'éther	pathétique	le rhume	la véhémence

EXERCICES

109 Emploie, avec un nom, les adjectifs dérivés de ces noms.
Ex. : un athlète → une épreuve athlétique.
une méthode — le rythme — l'apathie — la théorie — le thorax.

110 Emploie chacun de ces mots dans une courte phrase.
Ex. : authentique → La signature au bas de cette lettre est authentique.
un labyrinthe — le luthier — pathétique — le menhir — adhérer — l'inhalation — exhiber — prohiber — la plinthe — l'hypothèse — la théière.

111 Complète ces mots, s'il y a lieu.
Le lourd vé...icule s'embourbe dans le chemin détrempé. — Le t...ym accompagne le laurier dans les bouquets garnis. — En automne, les da...lias parent nos jardins de vives couleurs. — L'opéra se termine en apot...éose. — Les arbres dépouillés dressent leur sil...ouette dans le ciel gris. — L'aort...e est la plus grosse art...ère du corps humain. — Les at...lètes vainqueurs reçoivent un accueil ent...ousiaste. — Les rois de France étaient sacrés en la cat...édrale got...ique de Reims.

112 Vocabulaire à retenir

l'exhibition — l'enthousiasme — le brouhaha — la silhouette
la plinthe — l'authenticité — le labyrinthe — une cathédrale gothique

19e leçon

Le e muet intercalé

l'aboiement du chien   le dénuement du Sahel

RÈGLE

La plupart des noms dérivant des verbes en **-ier**, **-ouer**, **-uer** et **-yer** garde le e de l'infinitif. Ce e est muet, il ne faut pas l'oublier à l'écrit :

aboy**er** → l'aboiement   dén**uer** → le dénuement.

Attention : on écrit le **châtiment**, bien qu'il soit dérivé du verbe **châtier**.

dérivés de verbes			
en -ier	**en -ouer**	**en -uer**	**en -yer**
le balbutiement	le dénouement	le dénuement	le bégaiement
le maniement	l'enrouement	l'éternuement	le chatoiement
le pépiement	le renflouement	le remuement	le flamboiement
la scierie	la rouerie	la tuerie	le zézaiement

EXERCICES

113 **Écris le nom dérivé contenant un e muet.**

apitoyer — s'engouer — éternuer — déployer — rudoyer — tuer — scier.

114 **Écris le nom dérivé, dans lequel il y a un e muet, de chacun de ces verbes ; ajoute un complément à ce nom.**

licencier — dévouer — pépier — dénuer — renflouer — louvoyer — dénouer.

115 **Écris ces verbes au futur simple (3e personne du singulier), puis le nom dérivé dans lequel il y a un e muet.**

manier — remercier — balbutier — défrayer.

116 **Complète, s'il y a lieu, ces mots.**

L'apprenti s'exerce au mani...ment des outils. — Le rapatri...ment des déportés fut une épreuve supplémentaire pour ces malheureux. — Cicéron, le grand orateur romain, était, dit-on, affligé de bégai...ment. — Les skieurs de fond prirent le chalet isolé comme point de ralli...ment. — « Crime et châti...ment » est le titre d'un célèbre roman russe.

117 **Vocabulaire à retenir**

le paiement — le remerciement — le dévouement — le dénuement
l'aboiement — le rapatriement — le ralliement — l'éternuement

Le p muet intercalé

La sculpture représente un dompteur avec un lion.

RÈGLES

Certains mots s'écrivent avec un p muet devant le **t** :
la sculp**t**ure, un domp**t**eur.

p muet intercalé				
le baptême	l'acompte	dompter	exempter	sculpter
baptiser	le comptoir	le dompteur	prompt	le sculpteur
le compte	le décompte	indompté	promptement	la sculpture
compter	l'escompte	indomptable	la promptitude	sept
décompter	le comptable	exempt	impromptu	septième

EXERCICES

118 Conjugue les verbes au présent et à l'imparfait de l'indicatif.
dompter les fauves — compter des billets — sculpter un panneau.

119 Complète les mots.
Les vendeurs attendent les clients derrière le com...toir. — M. Cerna verse un acom...te et paiera le reste en plusieurs mensualités. — Le dom...teur entre dans la cage des fauves. — Le candidat vif d'esprit répond prom...tement à la question posée.

120 Complète les mots.
L'élève malade est exem...té de piscine. — Le maître nageur réagit avec prom...titude et ramène sur la plage le surfeur imprudent. — Le scul...teur a terminé une statue. — Le futur aviateur reçoit le ba...tême de l'air. — La gamme comprend se...t notes. — *Si* est la se...tième note de la gamme.

121 Écris six phrases dans lesquelles tu emploieras un dérivé de ces mots.
sculpter — compter — dompter — prompt — exempt — baptiser.

122 Écris un texte dans lequel tu emploieras ces trois séries de mots ayant un p muet et trois mots ayant un h muet.
le dompteur, dompter — le sculpteur, sculpter — le comptable, le compte.

123 Vocabulaire à retenir
le baptême — compter — dompter — exempt — prompt — sculpter

21e leçon

La lettre finale d'un mot

le tronc (un tronçon) le rang (ranger) le plomb (le plombier)

RÈGLE

Pour trouver la lettre finale d'un mot, on peut essayer de former le féminin ou de chercher un des dérivés du mot, dans lequel on entend la lettre : le tronc → un tron**ç**on le rang → ran**g**er
le plomb → le plom**b**ier.

Attention : comme il y a des exceptions à ce principe, il est prudent de consulter un dictionnaire :
abri**t**er (un abri) — une brin**d**ille (un brin) — favori**s**er (favori).

EXERCICES

124 **Écris le féminin de ces noms.**

le lauréat — le candidat — le montagnard — le marchand — le client.

125 **Écris les adjectifs au féminin.**

un drapeau blanc ; une robe ... — un gros ballon ; une ... balle — un grand jour ; une ... journée — un gentil garçon ; une ... fille — un trait droit ; une ligne ... — un visage laid ; une figure ... — un colis lourd ; une caisse ... .

126 **À l'aide d'un dérivé, justifie la dernière lettre de ces noms.**

Ex. : le gant → un gantelet, *ou* ganté, *ou* la ganterie.
le retard — le champ — l'estomac — le mât — la toux — le brigand — le trépas — l'accord — le mandat — l'appât — le poignard — le fracas.

127 **À l'aide d'un dérivé, justifie la dernière lettre de ces noms.**

le cahot — le galop — le sport — le débit — le hasard — l'échafaud — le poing — le pavois — le bavard — le lard — le sursaut — l'accroc — le pied.

128 **Complète les mots.**

Le placar... est fermé avec un cadena... . — Le passage le plus difficile est en surplom... ; nous prenons des précautions. — Le maçon passe le sable au tami... . — Le toi... est recouvert d'ardoise. — L'avant-centre marqua le bu... de la victoire à la dernière minute du match. — L'abu... du tabac ruine la santé. — Les lapereaux prennent leurs éba... dans la clairière.

129 **Vocabulaire à retenir**

le salut, les salutations — l'appât, appâter — le tricot, tricoter
l'accord, accorder — l'échafaud, l'échafaudage

Noms et adjectifs en -eur, -eure

le jongleur la fleur la fraîcheur la sœur
un étage supérieur une qualité supérieure

RÈGLES

1. Les noms qui se terminent par le son [œR] s'écrivent -eur ou parfois -œur : le jongleur, la fleur, la sœur.

Exceptions : le **beurre**, la dem**eure**, l'**heure**, un **leurre**, un **heurt**.

2. Les adjectifs qui se terminent par le son [œR] prennent un e au féminin : un étage supérieur, une qualité supérieure.

noms en -eur				noms en -œur
	féminins		masculins	féminins
l'ampleur	la grandeur	la senteur	l'ascenseur	les mœurs
la candeur	la liqueur	la splendeur	le bonheur	la rancœur
la ferveur	l'odeur	la tiédeur	le malheur	la sœur

EXERCICES

130 Écris les noms en -eur exprimant la même qualité que ces adjectifs. *Ex.* : blanc → la blancheur.
laid — grand — ardent — lent — rigoureux — doux — froid — furieux.

131 Complète ces noms.
À l'issue de cinq sets très disputés, les joueu... sont en sueu... ; une douche sera la bienvenue. — La pâleu... de son visage trahit l'émotion de Léonie. — Aujourd'hui, les cultivateu... n'ont plus de chevaux ; ils n'utilisent que des tract... pour effectuer les travaux agricoles. — L'apicult... prend des précautions lorsqu'il s'approche des ruches.

132 Accorde les adjectifs entre parenthèses.
Le match est remis à une date (ultérieur). — Les (meilleur) réponses seront, bien entendu, retenues en priorité. — L'ornementation (extérieur) de ce monument date du XIVe siècle. — La (majeur) partie de la récolte d'olives est exportée vers les pays d'Europe. — Les portes (intérieur) de ce local ne sont pas protégées par des serrures.

133 Vocabulaire à retenir

le chœur, la chorale, un choriste
le cœur, écœurer, l'écœurement, à contrecœur

23e leçon

Noms en -eau, au, aut, aud, aux

le drapeau l'étau le défaut le crapaud la faux

RÈGLES

1. La plupart des noms qui se terminent par le son [o] s'écrivent -eau : le drapeau, le bureau, le château, le manteau.
2. Mais il y a d'autres terminaisons : **-au**, **-aut**, **-aud**, **-aux** : l'étau, le défaut, le crapaud, la faux.

Aussi est-il préférable de vérifier l'orthographe dans un dictionnaire.

noms en -eau				
l'agneau	le couteau	le lambeau	le pinceau	le rouleau
l'arbrisseau	l'écheveau	le lapereau	le plateau	le souriceau
le bandeau	l'escabeau	le lionceau	le poireau	le taureau
le blaireau	le flambeau	le maquereau	le préau	le tombeau
le cerceau	le fléau	le morceau	le radeau	le tombereau
le chameau	le fourneau	le naseau	le réseau	le traîneau
le ciseau	le hameau	le panneau	le roseau	le trousseau
noms en -au		**en -aud**	**en -aut**	**en -aux**
l'étau	le noyau	le badaud	l'artichaut	la faux
le landau	le tuyau	l'échafaud	le héraut	la chaux

EXERCICES

134 Complète ces noms terminés par le son [o].

Autrefois, les blés étaient coupés à la f... et battus au flé... . — Marc branche les tuy... d'arrosage. — Il faut connaître ses déf... et savoir les corriger. — Le pâtissier fait un gât... au chocolat. — Le trapéziste passe dans plusieurs cerc... . — Les phares percent la nuit de leur faisc... lumineux. — Pour ces détails, tu utiliseras un pinc... très fin. — Les campeurs ont allumé un petit réch... à gaz. — Le spéléologue s'engage dans un étroit boy... .

135 Justifie, par un mot de la même famille, la dernière lettre de ces noms. *Ex.* : le saut → sauter, le sautoir, sautiller.

l'échafaud — le défaut — le réchaud — le haut — un sursaut.

136 Vocabulaire à retenir

l'anneau, le carreau, le caveau, le chapeau, le corbeau
le tuyau, le boyau, le joyau, le noyau
le haut, le défaut, le saut, l'assaut

Noms en -ot, -os, -op, -oc, -o

le sabot le dos le galop le croc le lavabo

RÈGLES

1. Beaucoup de noms qui se terminent par le son [o] s'écrivent -ot, -os ou -o : le sabot, le dos, le lavabo.
2. Quelques noms s'écrivent -oc, -op : le croc, le galop.
3. Il est parfois possible de trouver la terminaison à l'aide d'un mot de la même famille : un sab**ot** → un sab**ot**ier le d**os** → le d**oss**ier.
Il est préférable, en cas de doute, de consulter un dictionnaire.

noms en -ot		noms en -os	noms en -o	noms en -op
le chariot	le hublot	le chaos	le cacao	le galop
le coquelicot	l'îlot	le clos	le casino	le sirop
l'escargot	le manchot	le dos	le domino	**noms en -oc**
le goulot	le paquebot	le propos	l'écho	l'accroc
le haricot	le robot	le repos	le numéro	l'escroc

EXERCICES

137 **Justifie, par un mot de la même famille, la dernière lettre de ces noms.**
un cahot — un cachot — un grelot — un canot — un galop — un propos — un maillot — un tricot — un flot — un complot — un camelot — un rabot — un calot — un rôt — un pivot — un sanglot — un repos — un paletot — un robot.

138 **Complète ces noms.**
Les coquelic... sont des fleurs des champs. — Un cheval au gal... fait résonner les grel... de son collier au ryhme de ses sab... . — L'enfant a fait un accr... à son tric... . — En regardant par le hubl..., je vois que le paqueb... entre au port. — L'éch... prolonge la voix du chanteur. — L'artiste joue au pian... des morc... difficiles. — Ce monument s'élève à la mémoire des hér... de la Résistance. — Le vieil avare cache ses ling... d'or au fond du jardin. — L'Indien attrape le cheval sauvage au lass... . — Au Japon, les femmes portent des kimon... de soie. — Je remplis un br... d'eau.

139 **Vocabulaire à retenir**

le gigot, le coquelicot, le cahot, le paquebot, le chariot, le lingot
le lavabo, le numéro, le piano, le studio, un zéro

25e leçon

Noms en -ie, -it, -is, -il, -i

la mairie, la mie, la pluie le bandit, l'avis, le persil, l'apprenti

RÈGLES

1. Les noms féminins qui se terminent par le son [i] s'écrivent -ie :
la mairie, la mie, la pluie.

Exceptions : la souris, la brebis, la perdrix, la fourmi, la nuit.

2. Pour les noms masculins, les terminaisons sont nombreuses et il est prudent de consulter un dictionnaire : le bandit, l'avis, le persil, l'apprenti.

noms féminins en -ie				
la bizarrerie	la coquetterie	l'hypocrisie	la plaisanterie	la sortie
la bonhomie	l'espièglerie	la mélancolie	la prairie	la sympathie
la broderie	la fantaisie	la myopie	la raillerie	la tragédie
la calvitie	l'harmonie	l'ortie	la soierie	la tyrannie

EXERCICES

140 À l'aide d'un dérivé, justifie l'orthographe de ces noms.
Ex. : le bruit → le bruitage.
le permis — le tapis — l'outil — le commis — l'avis — le fusil — le dépit — le débit — le paradis.

141 Complète ces noms.
La poul... grince, il faudra la graisser. — La calomn... est l'arme des méchants et des lâches. — La librair... est fermée le dimanche. — Je vais chercher une fiche d'état civil à la mair... . — Les plaisanter... les plus courtes sont les meilleures. — Le maçon passe du sable au tam... . — Les paroles s'envolent, les écr... restent. — Pendant ses nu... d'insomn... , monsieur Brousset lit. — Nous profitons d'une éclairc... pour sortir. — La suprémat... de l'équipe nantaise est évidente ; la victoire est en vue.

142 À l'aide d'un mot de la même famille, justifie la lettre t de ces noms. *Ex.* : l'acrobatie → l'acrobate.
la minutie — la prophétie — la démocratie — l'inertie.

143 Indique le nom du magasin où l'on vend ces marchandises.
le poisson — le pain — la viande — des bijoux — des livres — des gâteaux.

144 Vocabulaire à retenir
la scierie, l'acrobatie, l'éclaircie — le tapis, le vernis, le fusil, le persil

Noms en -et, -aie

le guichet la monnaie

RÈGLES

1. La plupart des noms masculins qui se terminent par le son [ɛ] s'écrivent -et : le billet, le carnet, le guichet, le briquet.

Attention, car il y a d'autres terminaisons :
le l**ait**, le succ**ès**, le qu**ai**, le pon**ey**.

2. Les noms féminins qui se terminent par le son [ɛ] s'écrivent -aie (ils sont peu nombreux et la plupart désignent un lieu planté d'arbres d'une même espèce) : la monnaie, la plaie ; la châtaigneraie, la chênaie.

Exceptions : la p**aix**, la for**êt**.

noms masculins en -et				noms féminins en -aie	
un alphabet un beignet	un carnet un coffret	un lacet un œillet	un piquet un reflet	une craie une haie	une raie une futaie
noms masculins					
en -ai un geai un quai	**en -ais** un engrais un marais	**en -ait** un bienfait un portrait	**en -ès** un abcès un cyprès	**en -ect** un aspect un suspect	**en -ey** un jockey un poney

EXERCICES

145 **Justifie l'orthographe de ces noms en cherchant un dérivé.**
Ex. : le lait → la laiterie.
un biais — le respect — un extrait — un excès — un engrais — le guet.

146 **Complète ces noms.**
L'alphab... français compte vingt-six lettres. — Un ge... voulait se parer des plumes d'un paon : quelle vanité ! — Le jock... ajuste le harn... de son cheval. — À vos souh... ! — Ce magasin fait des rab... sur tous les canapés. — Au coup de siffl... , tous les joueurs s'arrêtèrent. — Les skieurs achètent leur forf... avant de prendre le télésiège.

147 **Donne le nom d'un lieu planté d'oliviers, de chênes, de roses, d'osiers, de palmiers.**

148 **Vocabulaire à retenir**

un sifflet, un guichet, un œillet — un souhait, un fait, un portrait, un forfait

27e leçon

Noms masculins en -er, -é

le déjeuner le quartier le café l'employé

RÈGLES

Les noms masculins qui se terminent par le son [e] s'écrivent souvent -er, mais un certain nombre s'écrivent avec un -é :

le déjeuner, le quartier — le café, l'employé.

Remarque : Parmi les noms en [e] (é), quelques-uns dérivent de participes passés et s'écrivent -é : employer → un employé.

noms en -er			noms en -é		
un abricotier	un financier	un osier	un canapé	un curé	un gré
un balancier	un goûter	un prunier	un clergé	un défilé	un marché
un cahier	un herbier	un quincaillier	un comité	un duché	un pavé

EXERCICES

149 **Écris au masculin, puis au féminin, les noms en -é correspondant à ces verbes.**
habituer — se réfugier — associer — initier — blesser — allier — déléguer.

150 **Écris au singulier, puis au pluriel, les noms en -é correspondant à ces verbes.**
exposer — énoncer — pointiller — défiler — traiter — brûler — tracer.

151 **Complète les noms.**
Les éleveurs conduisent leurs bêtes au march... de Charolles. — Un orang... sous le ciel irlandais, on ne le verra jamais. — Le quincailli... vend des outils et du matériel pour bricoler. — Le scaphandri... explore l'épave d'un vieux navire espagnol. — Les châteaux forts étaient entourés de foss... . — Les invit... sont assis dans les fauteuils et sur le canap... . — Le vanni... assouplit l'osi... pour en faire des pani... .

152 **Écris au masculin le nom de six métiers en -er ; écris ensuite le féminin de ces noms.** *Ex.* : le boucher, la bouchère.

153 **Écris le nom de six arbres fruitiers en -er.**

154 **Vocabulaire à retenir**

le maraîcher, le métier, un panier, le trésorier, le charcutier
le marché, le thé, le café, le degré, le fossé, le canapé

Noms féminins en -ée

la randonnée la cheminée

RÈGLE

Les noms féminins terminés par le son [e] s'écrivent le plus souvent -ée, sauf **la clé** (qui peut aussi s'écrire **la clef**) : une randonnée, la cheminée.
Exceptions : la clé et la plupart des noms qui se terminent par le son [te] ou [tje] : **la cité, l'amitié.**

noms féminins en -ée					
une allée	une croisée	une entrée	une giroflée	une orée	une renommée
une assemblée	une denrée	une équipée	une huée	une pensée	une rosée
une bouffée	une destinée	une fée	une idée	une pincée	une saignée
une brassée	une durée	une flambée	une marée	une plongée	une tombée
une chevauchée	une embardée	une fournée	une odyssée	une poignée	une tournée
une chicorée	une enjambée	une fricassée	une orchidée	une poussée	une traînée

EXERCICES

155 **Complète ces noms et ajoute un complément.**
Ex. : une matin… → une matinée d'automne.
une bouff… — une soir… — la rentr… — une chemin… — la pur… .

156 **Complète ces noms féminins.**
Le naufragé s'accroche à la bou… de sauvetage. — La pelle mécanique creuse une tranch… où l'on posera un câble téléphonique. — Autrefois, les villageois se réunissaient à la veill… et chacun chantait. — Le parrain et la marraine offrent des drag… lors du baptême de leur filleul. — Le navire rentre au port après une travers… sans incident. — Les campeurs s'installent à l'or… du petit bois. — L'orchid… est une fleur merveilleuse mais fragile. — On n'entre pas dans une mosqu… sans quitter ses chaussures.

157 **Écris un nom de la famille de ces noms exprimant le contenu ; ajoute un complément.** *Ex.* : une pince → une pincée de sel.

une gorge	une cuiller	un bras	un four	une chambre
un poing	une maison	un nid	une table	une bouche

158 **Vocabulaire à retenir**

la chaussée — la traversée — la soirée — la mosquée — l'araignée
la gorgée — la rangée — la plongée — la dragée

Noms féminins en -té et en -tié

la qualité la moitié la santé l'amitié

RÈGLE

Les noms féminins qui se terminent par le son [te] ou [tje] s'écrivent généralement sans **e** : la qualité, la moitié.

Exceptions :

- les noms exprimant le contenu d'une chose :
  la brouett**ée** (le contenu d'une brouette).
- les noms usuels suivants :
  la dict**ée**, la jet**ée**, la mont**ée**, la pât**ée**, la port**ée**.

noms en -té					noms en -tié
l'adversité	la diversité	l'hostilité	la naïveté	la réalité	l'amitié
l'antiquité	la familiarité	l'humanité	la nécessité	la royauté	l'inimitié
l'anxiété	la fermeté	l'humidité	la nouveauté	la saleté	la moitié
l'aspérité	la fierté	l'humilité	la propriété	la société	la pitié
la beauté	la fraternité	l'immensité	la qualité	la solennité	
la brièveté	la gaieté	l'indemnité	la quantité	la sonorité	

EXERCICES

159 **Écris un nom de la famille de ces noms, exprimant le contenu (ou la quantité) et ajoute un complément.**
Ex. : une pelle → une pelletée de terre.

une assiette une charrette une brouette une cuve
un plat un pot une poêle une aiguille

160 **Remplace l'adjectif qualificatif par le nom de qualité correspondant.** *Ex.* : un mur solide → la solidité d'un mur.

une histoire banale un ami généreux le voyageur intrépide
un pari absurde l'heure grave le torrent impétueux
un combat brutal la belle fleur une plume légère
une cloche sonore le paon majestueux un artisan habile

161 **Remplace l'adjectif qualificatif par le nom de qualité correspondant.**

l'eau limpide le verre fragile un accueil cordial
la terre féconde un linge humide un parfum subtil
le chien fidèle le maître sévère le tigre féroce
la vendeuse aimable une explication claire un gymnaste agile

162 **Complète ces noms féminins.**

Les sociét... de musique vont bientôt défiler dans les rues de Montceau. — Les nids sont souvent bâtis aux extrémit... des branches. — Des vagues énormes se brisaient sur les jet... . — L'alpiniste s'accroche aux aspérit... du rocher. — Mon grand-père a acheté une propriét... à la campagne. — Dans le calme du soir, la petite cit... s'endort. — La devise de la République est : « Libert..., Égalit..., Fraternit... ».

163 **Complète ces noms féminins.**

Une infinit... d'éphémères voltigent dans les rayons du soleil à la tomb... du jour. — On attend le retour des marins-pêcheurs avec la plus grande anxiét... . — Cette ann... , la récolte de tomates est bonne, en qualit... et en quantit... . — On prétend que le travail c'est la sant... . — La mousse aime l'humidit... . — Il n'est plus vrai de dire que la sociét... française est en majorit... rurale. — Je ne vois pas l'utilit... de déplacer ce placard.

164 **Complète ces noms.**

La port... de musique comprend cinq lignes. — Le peintre manie le pinceau avec dextérit... . — La frugalit... est le contraire de la voracit... . — Le charcutier vend un bon pât... de sanglier. — Le chien se jette sur sa pât... avec avidit... . — Nous n'avons parcouru que la moit... du parcours. — Avec Fabien, une solide amit... nous lie. — Ces meubles vermoulus, ce sont de vraies antiquit... ! — La réalit... dépasserait-elle la fiction ? — C'est dans l'adversit... que l'on reconnaît ses vrais amis. — Madame Folli n'a fait aucune faute à la dict... du championnat d'orthographe.

165 **Complète ces noms féminins.**

les impuret... de l'air — les inégalit... du sol — les propriét... d'un métal — la solennit... d'une cérémonie — la perplexit... du comptable — la vétust... de la machine — l'autorit... du maire — des indemnit... de déplacement — la loyaut... d'un accord — la maturit... d'un fruit — la sérénit... de l'innocent — la naïvet... des touristes.

166 **Complète ces noms féminins.**

la fiert... du lion — les calamit... de la guerre — la beaut... des paysages — la travers... du Vercors — une pot... au chou — la mont... du col de Vars — la docilit... d'un animal — l'obscurit... du tunnel — la nudit... des statues grecques — l'universalit... des œuvres de Molière — les sinuosit... de la route — la simplicit... d'un accueil — la renomm... d'un acteur — la crois... des chemins — la gravit... des événements.

167 **Vocabulaire à retenir**

la maturité — la gravité — la surdité — l'égalité — la fraternité
la dictée — la jetée — la portée — la montée — la pâtée

30e leçon

Noms masculins en -ée et en -ie

un lycée   un incendie   un foie

RÈGLES

Quelques noms masculins se terminent par un e muet. Seul l'usage permet de retrouver l'orthographe de ces noms :

un lycée, **un** incendie, **un** foie.

noms masculins en -ée				noms masculins en -ie	
un athée	un camée	un musée	un scarabée	un foie	un parapluie
un caducée	un mausolée	un Pygmée	un trophée	un génie	un sosie

EXERCICES

168 Complète ces noms.

Le vainqueur du tournoi a remporté un magnifique trophé... ; c'est une coupe en cristal. — Les empereurs chinois étaient enterrés dans de splendides mausolé... , près de la Cité interdite. — Le camé... est une pierre précieuse qui orne les bagues et les broches. — Le musé... du Louvre renferme de magnifiques œuvres d'art.

169 Complète ces noms.

Un incendi... accidentel a totalement détruit l'usine de meubles. — Chacun dans leur domaine, Victor Hugo et Pasteur sont deux grands géni... . — Les Pygmé... sont des hommes de très petite taille qui vivent en Afrique. — Le messi... le plus connu de l'histoire du monde est certainement Jésus-Christ.

170 Complète ces noms.

Autrefois, à l'approche de l'hiver, les enfants avalaient une cuillerée d'huile de foi... de morue. — Le scarabé... est un gros insecte. — Mon frère entrera au lycé... l'année prochaine. — Les médecins ont pour emblème le caducé... . — Le passant s'abrite sous son paraplui... . À son apog... Napoléon Ier régnait sur une grande partie de l'Europe.

171 Rédige six phrases dans lesquelles tu emploieras ces noms.

le parapluie — le sosie — le génie — le scarabée — le musée — un athée.

172 Vocabulaire à retenir

le musée — le lycée — le trophée — le mausolée
l'incendie — le génie — le sosie — le parapluie

Noms en -ail, -eil, -euil, -ouil et -aille, -eille, -euille, -ouille

l'ail le soleil le fenouil le seuil l'écueil
la ferraille la corbeille la rouille la feuille

RÈGLES

1. Les noms masculins qui se terminent par le son [j] s'écrivent -il :
   l'ail, le soleil, le fenouil, le seuil.
2. Les noms féminins qui se terminent par le son [j] s'écrivent -ille :
   la ferraille, la corbeille, la rouille, la feuille.

Remarques :

1. Les noms masculins **le chèvrefeuille, le portefeuille** et **le millefeuille** s'écrivent avec **lle**, parce que ces noms sont formés avec le nom **feuille**. Mais il faut écrire **le cerfeuil**.
2. Lorsque le son [œj] est précédé d'un **g** ou d'un **c**, le **u** passe devant le **e** et on écrit -ueil pour conserver les sons [g] et [k] :
   l'é**cueil**, l'or**gueil**.
3. On écrit : un **œil**.

noms masculins				noms féminins	
en -ail	en -eil	en -euil	en -ueil	en -aille	en -eille
un détail	un appareil	un bouvreuil	l'accueil	la caille	une corneille
l'émail	un éveil	un chevreuil	l'écueil	l'écaille	une merveille
l'épouvantail	un orteil	un deuil	le recueil	la rocaille	une oreille
le gouvernail	un réveil	un fauteuil	l'orgueil	la taille	**en -ouille**
le poitrail	le soleil	un seuil	**en -ouil**	**en -euille**	la citrouille
un vitrail	le vermeil	un treuil	le fenouil	la feuille	la patrouille

EXERCICES

173 Complète ces noms.

Un bon cons... doit toujours être écouté, et même suivi ! — Nous avons placé, dans le cerisier, un épouvant... pour écarter les oiseaux. — Les ab... quittent la ruche. — Bien calée dans son faut... , madame Mandrin écoute le concert retransmis à la radio. — Le sol... allume le vitr... de la cathédrale de Chartres. — Le chevr... tremble lorsqu'il croit entendre les aboiements de la meute. — Jérémie tombe de somm... . — Le chèvref... embaume le sentier. — L'ouvrier coupe une plaque de tôle avec ses cis... . — Dès son rév... , monsieur Larios effectue un petit quart d'heure de gymnastique.

174 **Complète ces noms.**

Le judoka français remporte une méda... d'or aux championnats du monde. — Autrefois, les mineurs arrachaient le charbon des entr... de la terre avec de simples pioches. — Pour hisser le seau de béton, le maçon actionne le tr... vigoureusement. — Le barreur tient fermement le gouvern... et écarte le navire des éc... .

175 **Complète ces mots.**

Bientôt nous ferons la c...llette des gros... . — Je place ma carte d'identité dans un portef... . — L'élève org...lleux et prétentieux n'est pas aimé de ses camarades. — Une omelette au cerf... : quel délice ! — Les feux tricolores sont en panne, il y a des voitures dans tous les sens : c'est une vraie pag... . — Aujourd'hui, les appar... électroménagers facilitent les tâches ménagères. — La carrosserie de cette vieille voiture est rongée par la r... . — Ce que les enfants préfèrent, ce sont les n... au beurre. — Le 14 juillet, la patr... de France dessine des arabesques de fumée tricolore dans le ciel.

176 **Complète ces noms.**

La clé est maintenant au fond du gouffre, jamais Romuald ne la retrouvera ; il en a fait son d... . — Quand monsieur Delorme part à la pêche, il emporte un attir... impressionnant. — Le Bushman a découvert une bout... de Coca-cola au milieu du désert. — Monsieur Sandoz n'a plus un sou vaillant, il est sur la p... . — Ce renseignement n'est pas tombé dans l'or... d'un sourd ; l'espion a bien enregistré la conversation. — Avant de plonger le brochet dans le court-bouillon, monsieur Steiner ôte soigneusement les éc... .

177 **Complète ces noms.**

Les ort... sont appelés communément les doigts de pied ; c'est incorrect, bien sûr. — Il n'y a qu'une dame espagnole pour manier l'évent... avec grâce. — Le serveur nous apporte une corb... de fruits. — Cette voiture est hors d'usage ; elle est bonne pour la ferr... . — Un jour, une gren... a voulu se faire aussi grosse qu'un bœuf : que croyez-vous qu'il arriva ? — La citr... s'appelle aussi le potiron ou la courge.

178 **Écris six phrases dans lesquelles tu emploieras des mots de la famille de** cueillir, l'œil **et** l'orgueil.

179 **Écris six phrases dans lesquelles tu emploieras des mots de la famille de** la paille, la feuille **et** le réveil.

180 **Vocabulaire à retenir**

le fauteuil — le seuil — le deuil — l'écureuil — le chevreuil
la volaille — la médaille — l'entaille — la trouvaille

Noms en -oir, -oire

l'espoir le laboratoire la gloire

RÈGLES

1. Les noms masculins qui se terminent par le son [waʀ] s'écrivent souvent -oir : l'espoir, le couloir.

2. Cependant, quelques-uns s'écrivent -oire :
le laboratoire, l'observatoire.

3. Les noms féminins s'écrivent toujours -oire : la gloire, l'histoire.

Remarque : Les adjectifs qui se terminent par le son [waʀ] s'écrivent avec un e au masculin, sauf **noir** : un statut provisoire.

noms masculins				noms féminins	
en -oir			en -oire	en -oire	
un abreuvoir	l'encensoir	un miroir	un accessoire	une armoire	une nageoire
un boudoir	l'entonnoir	un plantoir	un auditoire	une écumoire	une patinoire
un bougeoir	un grattoir	un pressoir	un ivoire	une foire	une rôtissoire
un couloir	un hachoir	un réservoir	un réfectoire	une histoire	une victoire

EXERCICES

181 Écris le nom en -oir ou en -oire correspondant à ces verbes.
éteindre — mirer — nicher — sauter — sécher — balancer — parler — tirer — manger — laver — racler — égoutter — semer — raser — gratter — laminer — sarcler — saler — fumer — rôtir — isoler.

182 Complète ces noms.
Il est midi, les moines vont au réfect... dans le silence le plus parfait. — Le perroquet sautille sur son perch... . — Une bonne odeur de viande grillée s'échappe de la rôtiss... . — À l'hôtel de la Greffière, prendrez-vous une chambre avec une douche ou avec une baign... ? — Sur la cheminée, s'alignent des boug... anciens. — Sans entonn... tu ne pourras pas remplir la bouteille. — Le juge a prolongé l'interrogat... de l'accusé. — De son observat... , l'astronome suit les déplacements des satellites artificiels. — Le réserv... de cette voiture est percé ; l'essence s'égoutte sur le sol.

183 Vocabulaire à retenir

le soir — l'espoir — le miroir — le tiroir — le rasoir — le devoir
la poire — l'histoire — la gloire — la mémoire — la mâchoire
l'observatoire — le laboratoire — l'interrogatoire — le territoire

33e leçon

Noms en -oi, -oie

le roi   la soie   la croix   le bois   le toit   le froid

RÈGLE

Les noms masculins qui se terminent par le son [wa] s'écrivent souvent -oi et les noms féminins -oie : le roi, la soie.
Mais il y a d'autres terminaisons, aussi est-il prudent, en cas de doute, de consulter un dictionnaire : la croix, le bois, le toit, le froid.

noms masculins			noms féminins	
en -oi	en -ois	autres terminaisons	en -oie	autres terminaisons
le convoi	un anchois	le droit	la courroie	une fois
le désarroi	un chamois	le doigt	la joie	la foi
l'effroi	un hautbois	le foie	la lamproie	la loi
l'emploi	un mois	le poids	la proie	la paroi
l'envoi	un patois		la voie	

EXERCICES

184 Complète ces noms.

Tout citoyen doit se conformer à la l... . — L'... est engraissée pour sa chair et son f... . — Seules quelques personnes parlent encore le pat... bressan. — L'arbre agrippe ses racines à la par... rocheuse. — L'huile de n... est excellente. — Le navire franchit le détr... de Gibraltar. — Le lion dévore sa pr... . — Un anch... dans une salade et le goût en est transformé. — L'arbitre du match de rugby siffle un renv... aux vingt-deux mètres. — L'odeur du put... écarte tous les autres animaux.

185 À l'aide d'un dérivé, justifie la terminaison de ces noms.

le bois — le froid — le doigt — le pavois — le villageois — le toit — l'exploit — le droit — le bourgeois — le mois — le Gaulois — le maladroit.

186 Écris neuf phrases dans lesquelles tu emploieras ces homonymes.

Ex. : Il n'y a que la foi qui sauve.
la foi, le foie, une fois — la voie, la voix — un emploi, il emploie — un envoi, il envoie — il doit, le doigt.

187 Vocabulaire à retenir

le roi — l'emploi — le convoi — le renvoi — le tournoi
le froid — le droit — le doigt — le détroit
la croix — la noix — le choix — la voix (pour parler)

Noms en -ou, -oue

le clou la roue le verrou la joue

RÈGLES

1. Les noms masculins qui se terminent par le son [u] s'écrivent souvent -ou, mais comme il y a d'autres terminaisons, il est prudent de consulter un dictionnaire : le clou, le caoutchouc.
2. Les noms féminins qui se terminent par le son [u], s'écrivent -oue, sauf **la toux** : la roue, la boue.

noms masculins				féminins
le bijou	le kangourou	l'ajout	l'époux	la gadoue
le chou	le mou	l'égout	le saindoux	la houe
l'écrou	le pou	le goût	le joug	la joue
le hibou	le verrou	le ragoût	le pouls	la moue

EXERCICES

188 **Complète ces noms.**

Il craignait par-dessus tout le courr... paternel. — Le grand air colore les j... des enfants. — Le malade prend du sirop pour calmer sa t.... — Le cuisinier surveille son rag... de mouton. — Des l... ont été réintroduits en France. — Le renne du Canada s'appelle le carib.... — Le coup de gris..., c'était la hantise des mineurs. — Ces légumes n'ont aucun g..., il faut les assaisonner. — On l'a pris en photo alors qu'il faisait la m... : quelle tête !

189 **À l'aide d'un dérivé, justifie l'orthographe de ces noms.**

le bout — le coût — le coup — le dégoût — l'égout.

190 **Écris ces noms au pluriel.**

un bijou	un matou	un pou	un bambou	un cachou
un joujou	un tabou	un coucou	un voyou	un trou
un genou	un filou	un clou	un sou	un kangourou

191 **Écris ces noms au singulier.**

les remous	les verrous	les choux	les cailloux	les toux
les époux	les courroux	les jaloux	les houx	les écrous

192 **Vocabulaire à retenir**

la roue, la joue, la boue, la proue — le caillou, le genou, le clou, le trou, le voyou — le caoutchouc, le loup, le coup (de poing)

35e leçon

Noms en -ue, -u

la rue	l'avenue	la laitue	la statue
le tissu	le talus	le but	le reflux

RÈGLES

1. Les noms féminins qui se terminent par le son [y] s'écrivent -ue :
la rue, l'avenue, la laitue, la statue.
Exceptions : la **bru**, la **glu**, la **tribu** et la **vertu**.

2. Les noms masculins qui se terminent par le son [y] s'écrivent le plus souvent -u, mais il existe d'autres terminaisons. En cas de doute, il est prudent de consulter un dictionnaire :
le tissu, le talus, le but, le reflux.

noms féminins				**noms masculins**	
en -ue				**en -u**	**autres terminaisons**
la battue	la décrue	la laitue	la tortue	le contenu	l'affût
la bienvenue	l'entrevue	la massue	la venue	le fichu	le bahut
la charrue	la grue	la morue	la verrue	le menu	le flux
la cohue	l'issue	la revue	la vue	le résidu	

EXERCICES

193 Complète ces noms.

L'ab... du tabac nuit à la santé. — Les concurrents du rallye ont rencontré une trib... de nomades en traversant le Sahara. — Le chiffonnier cherche de la ferraille parmi les objets jetés au reb... . — Le beau temps est revenu, la rivière est en décr... . — Les marins ont du mal à relever le chal... plein de poissons. — Les chasseurs ont organisé une batt... au sanglier. — L'entrev... entre les deux chefs d'État s'est très bien passée. — Le vent est si violent qu'il n'est pas question de mettre la gr... en service. — Aujourd'hui la patience est une vert... qui se perd.

194 À l'aide d'un dérivé, justifie la dernière lettre de ces noms.

Ex. : le but → le buteur.

le début	le rebut	le refus	l'abus	l'affût	le salut
l'intrus	l'institut	le substitut	le chalut	le raffut	le chahut

195 Vocabulaire à retenir

la rue, le ru — la crue, le cru — la tribu, le tribut
le salut, il salue — la glu, il s'englue — la vertu, il s'évertue

Noms en -ur, -ure et en -ul, -ule

la rayure, le murmure   le vestibule, la majuscule

RÈGLES

1. Les noms qui se terminent par le son [yr] s'écrivent -ure :
   la rayure, le murmure.

Exceptions : le m**ur**, le fém**ur**, l'az**ur**, le fut**ur**.

2. Les noms qui se terminent par le son [yl] s'écrivent -ule :
   le vestibule, la majuscule.

Exceptions : le calc**ul**, le rec**ul**, le cons**ul** et d'autre part la b**ulle**, le **tulle** qui s'écrivent avec deux **l**.

noms en -ure				noms en -ule	
une architecture	une brûlure	une embrasure	une miniature	le crépuscule	le préambule
un augure	le chlorure	une enluminure	une rature	le globule	le scrupule
une aventure	le cyanure	une figure	la pointure	la libellule	le tentacule

EXERCICES

196 **Écris les noms en -ure dérivés de chacun de ces verbes.**

relier — border — érafler — déchirer — meurtrir — teindre — rayer — brûler — enfler — blesser — peindre — souiller — piquer — doubler.

197 **Complète les noms.**

L'oiseau a bâti son nid dans une fissu... du mu... . — Mes voisins ont passé leurs vacances sur la Côte d'Azu... . — On entend dans le feuillage le murmu... de la brise. — Le portail de l'église romane est orné de sculptu... . — Ce peintre fait des miniatu... . — La confitu... d'oranges est souvent amère. — La libellu... rase l'eau de l'étang.

198 **Complète les noms.**

La campanu... a des fleurs en forme de cloche. — Napoléon Bonaparte fut consu... avant d'être empereur. — Le tu... est un tissu mince et léger. — Conduire au crépuscu... est pénible et dangereux. — Avec cet ordinateur, les calcu... sont d'une réelle simplicité. — L'Espagne et le Portugal forment la péninsu... ibérique. — Un coup sur la rotu... , c'est très douloureux.

199 **Vocabulaire à retenir**

la bordure — la chaussure — l'armure — l'ouverture — la blessure
la majuscule — la bascule — la pendule — la cellule — la pilule

37e leçon

Noms terminés par un s ou un x au singulier

un taillis l'engrais du velours une perdrix

RÈGLES

De nombreux noms se terminent par un s ou un x muets au singulier :
un taillis, l'engrais, du velours, une perdrix.

Remarque : Ces noms ne prennent pas, évidemment, la marque du pluriel : des taillis, des perdrix.

noms en -s				noms en -x
le cervelas	le décès	le parcours	la souris	le creux
le chaos	le discours	le parvis	le taffetas	la faux
le châssis	l'entremets	le plâtras	le tas	le houx
le concours	le fatras	le pois	le taudis	la paix
le croquis	le harnais	le puits	le torchis	le saindoux
le cyprès	le héros	le radis	le torticolis	la voix

EXERCICES

200 Trouve le nom terminé par -is dérivé de chacun des verbes.

Ex. : briser → un débris

hacher — rouler — glacer — clapoter — gribouiller — gazouiller — tailler — gâcher — semer — surseoir — cliqueter — ébouler — fouiller — loger.

201 Complète ces noms.

La voiture a dérapé sur une plaque de vergla... et s'est retrouvée dans le talu... . — Laurence n'oublie jamais l'heure de son cour... de piano. — Le mécanicien a les mains tachées de camboui... . — Si le monde vivait en pai... il y aurait moins de misère. — Le tronc d'arbre disparaît dans un remou... . — Qui sait encore pourquoi cet hôtel s'appelle *le Relai... de la Poste* ? — Le puit... de son jardin n'est qu'un élément décoratif.

202 Emploie chacun de ces noms dans une courte phrase.

un cabas — l'engrais — un treillis — le taux — un clapotis — le torchis.

203 Vocabulaire à retenir

le paradis — le radis — le rubis — la brebis — le maquis — le croquis
l'ananas — le verglas — le lilas — le coutelas — le canevas

Les préfixes in-, dés-, en-

inaccessible, innombrable, déshabiller, emmener

RÈGLE

Pour bien écrire un mot formé avec un préfixe comme in-, dés-, en-, il faut penser au radical :

inaccessible, formé avec le mot **accessible** et le préfixe in- s'écrit avec un seul **n**.
innombrable, formé avec le mot **nombrable** et le préfixe in- s'écrit avec deux **n**.
déshabiller, formé avec le mot **habiller** et le préfixe dés- s'écrit avec un **h**.
emmener, formé avec le mot **mener** et le préfixe em- s'écrit avec deux **m**.

in- (im-)			dés- (des-)	en- (em-)
imbattable	inacceptable	innombrable	déshonorer	emmailloter
immérité	inexcusable	innommable	désorienter	empailler
imparable	inhospitalier	insatiable	desservir	enhardir

EXERCICES

204 Avec le préfixe in- **(ou** im-**), forme le contraire de ces adjectifs.**
avouable — épuisable — probable — modeste — accessible — interrompu.

205 Avec le préfixe in- **(ou** im-**), forme le contraire de ces adjectifs.**
achevé — espéré — habituel — intelligent — attendu — applicable — actif — apte — animé — offensif — oxydable — suffisant — exact — fortuné.

206 Avec le préfixe dés- **(ou** des-**), forme le contraire de ces verbes.**
accorder — articuler — honorer — obéir — serrer — enchanter — servir.

207 S'il y a lieu, complète ces mots.
Cette maison, trop isolée, est i...abitée. — En fin de soirée, nous avons reçu une visite i...attendue. — L'alpiniste atteint un sommet réputé i...accessible. — Le navire s'éloigne de la côte i...ospitalière. — Thierry ne s'attendait pas à une telle réaction ; il est totalement dés...arçonné. — Il est i...umain de laisser courir des athlètes pendant cent kilomètres.

208 Trouve six verbes formés avec le préfixe en- **(ou** em-**) et emploie chacun d'eux dans une phrase.**

209 Vocabulaire à retenir

inattendu — inhumain — inhabituel — inoccupé — inexact
désherber — déshabiller — déshériter — désarçonner

39e leçon

Les familles de mots

flamber (flamme) immense (mesure) écorce (écorcher)

RÈGLES

Pour trouver l'orthographe d'un mot, il est possible de chercher un mot de la même famille :

flamber : de la famille de **flamme** s'écrit avec un **a** ;
immense : de la famille de **mesure** s'écrit avec un **e** et un **s** ;
l'écorce : de la famille de **écorcher** s'écrit avec un **c**.

EXERCICES

210 À l'aide d'un mot de la même famille, justifie les lettres en gras de ces mots. Souligne les lettres qui t'ont permis de justifier.

Ex. : la f**aim** → affamé.

l'év**en**tail, un bienf**ait**, in**cess**ant, la d**en**tellière, la **sang**sue
in**sens**ible, un **cerc**eau, affr**an**chir, un **cycl**one, le l**am**padaire

211 Écris un verbe de la famille de ces mots.

Ex. : l'extension → étendre.

l'expansion, la dépendance, l'éteignoir, l'entente, la vente
la suspension, la contrainte, l'atteinte, la plainte, la peinture

212 Écris un nom de la famille de ces verbes.

Ex. : pendre → la penderie.

teindre, ceindre, attendre, fendre, surprendre, rendre
craindre, descendre, défendre, prétendre, feindre, plaindre

213 Écris un nom de la famille de ces verbes.

mélanger, déranger, changer, venger, démanger, ranger
engranger, rechanger, vendanger, arranger, échanger, louanger

214 Écris les noms en -ence ou en -ance dérivés de ces adjectifs.

bienveillant, abondant, opulent, turbulent, évident, excellent
tolérant, vaillant, éloquent, indulgent, présent, exigeant

215 Écris trois phrases comportant un mot de la famille de clair.

216 Vocabulaire à retenir

la main, la manette, manuel, manier, manœuvrer
le rabais, bas, la bassesse, abaisser, la baisse, en contrebas

Les homonymes

un seau d'eau — un saut de carpe — un enfant sot
le sceau de l'État — la ville de Sceaux

RÈGLES

Les homonymes sont des mots qui ont la même prononciation :

un seau, un saut, sot, un sceau, Sceaux [so]

Il faut chercher le sens de la phrase pour écrire le mot correctement.

EXERCICES

217 **Complète par l'un de ces mots :** faîte, fête — hêtre, être — signe, cygne — amande, amende.

Je fais … au conducteur de l'autobus pour qu'il s'arrête. — Le chasseur visa le … noir et tua le blanc. — Au … de la gloire, ce sportif mit un terme à sa carrière. — De nombreux manèges sont déjà installés, la … foraine sera belle. — Quoi de plus délicieux qu'une truite aux … . — L'automobiliste en infraction paie une … . — Il avait pour tout siège un tabouret en … . — De tous les … vivants, la baleine et l'éléphant sont les plus imposants.

218 **Complète par l'un de ces mots :** renne, reine, rêne — tante, tente — dessein, dessin — plein, plain.

Dans ce camping, les … sont installées les unes sur les autres. — Je vais passer quelques jours à la campagne chez ma … . — Les Lapons élèvent des troupeaux de … . — Le cavalier tient fermement les … . — Chaque ruche a sa … . — Les … accompagnant ce texte sont très réalistes. — C'est à … que nous n'avons pas donné notre numéro de téléphone ; nous ne voulions pas être importunés. — Monsieur Merle n'a plus d'essence, il fera le … à la prochaine station-service. — La terrasse est de …-pied avec la salle à manger.

219 **Complète par l'un de ces mots :** héros, héraut — saut, sceau, seau, sot — cahot, chaos — sellier, cellier.

Les … de la voiture rendent le voyage pénible. — Les roches entassées les unes sur les autres formaient un véritable … . — Le … a la poitrine constellée de décorations. — Le … d'armes lisait à la foule le dernier édit royal. — Le … fabrique et répare les harnais et les selles. — Le vigneron range les barriques dans son … . — Le ministre appose le … de l'État au bas du traité. — Le maître d'hôtel sert le champagne dans un … à glace. — L'orgueilleux est un … que personne n'aime. — L'acrobate fait des … périlleux.

220 **Complète par l'un de ces mots :** délasse, délace — exauce, exhausse — gaz, gaze — résonne, raisonne — plainte, plinthe.

Le hurlement des loups ... au flanc des montagnes. — Cette fillette ... avec beaucoup de bon sens. — Une équipe d'ouvriers ... les rives du fleuve pour préserver la ville des inondations. — La maman ... les vœux de son enfant malade. — Madame Viard se ... des fatigues de la journée en lisant. — Le spéléologue ... ses grosses chaussures. — L'oxygène est un ... indispensable à la vie. — La ... est utilisée pour faire les pansements. — En se blessant il poussa un cri, qui devint une longue ... . — L'électricien cache les fils électriques dans les ... .

221 **Complète par l'un de ces mots :** voix, voie, voit — chaume, chôme — pouce, pousse — vers, vert.

Xavier s'est tordu le ... en ouvrant le carton. — Le judoka ... un cri en renversant son adversaire. — La ... du chanteur subjugue les spectateurs. — Monsieur Bisquer ... ses économies fondre à vue d'œil. — Ces deux hommes ont suivi des ... différentes, mais ont également réussi. — Les commandes se font rares ; le personnel de l'usine ... plusieurs jours par mois. — Dans certaines régions, les maisons paysannes sont encore couvertes de ... . — Les lombrics, ou ... de terre, creusent des galeries souterraines qui aèrent le sol. — Les chats ont souvent les yeux ... .

222 **Complète par l'un de ces mots :** desselle, descelle, décèle — pou, pouls — panse, pense — alêne, haleine.

Le palefrenier ... le cheval puis le ... . — Le maçon ... les vieilles pierres. — Le médecin prend le ... du malade. — La mouche, la puce et le ... sont des insectes parasites. — Le mécanicien ... une fuite d'huile dans le moteur. — Monsieur Duc ... déménager au mois de juillet. — Le bourrelier perce le cuir avec une ... . — Les cyclistes s'arrêtent quelques instants pour reprendre ... .

223 **Emploie trois homonymes de chacun de ces mots dans de courtes phrases :** mais, verre, père, cent, cou.

224 **Cherche le sens de ces homonymes et emploie-les dans de courtes phrases.**

le chœur, le cœur — l'ancre, l'encre — l'air, l'aire, l'ère, (il) erre, un hère — le cerf, le serf, la serre, (il) serre, (il) sert, (ils) serrent — le seau, le sot, un saut — le maire, la mère, la mer.

225 **Vocabulaire à retenir**

le sel (pour saler) — la selle (pour le cheval) — celle (pronom)
cent (le nombre) — le sang (de nos veines) — il sent (verbe sentir)
le conte (de fées) — le compte (exact) — le comte (de Monte-Cristo)

226 **Complète ces mots.**

Lyon est une des capitales mondiales de la soi...rie. — Le marchand réclame le pai...ment de sa facture. — La jacint...e est une fleur à clochettes. — La pant...ère bondit sur sa proie. — Autrefois, les bo...émiens étaient chassés des villages mais cette époque est révolue. — La musique met la gai...té dans les cœurs. — Le t...on est un poisson de mer. — Le torrent indom...té dévale de la montagne. — Avec un ordinateur, le travail du com...table est simplifié. — Le lut... est un instrument de musique à cordes que l'on n'utilise plus guère aujourd'hui. — La construction du Pant...éon a débuté sous le règne de Louis XV. — L'ant...racite est un charbon très dur et qui brûle bien.

227 **Complète ces mots.**

le da...lia	enva...ir	le r...ume	la fé...rie	le pépi...ment
le sou...ait	le dom...teur	le t...orax	le t...é	le pai...ment
la soi...rie	la tu...rie	s'ass...oir	le ca...ot	l'aboi...ment
le vé...icule	scul...ter	la b...auté	la sci...rie	le ralli...ment
le ryt...me	la mét...ode	la co...ue	le bon...eur	prom...tement
l'at...lète	la gai...té	se...t	le t...ym	l'enrou...ment

228 **Complète ces noms. (Tu peux consulter un dictionnaire.)**

Quelques minutes après l'accident, les infirmiers accourent avec un brancar... pour transporter le blessé. — L'abu... du tabac provoque l'apparition de cancers redoutables. — Crier comme un putoi... , c'est protester violemment ! — La guêpe se défend avec son dar... , et c'est douloureux ! — Mécontent, monsieur Colinet a quitté la réunion avec perte et fraca... . — Étamer un objet, c'est le couvrir d'une couche d'étai... . — Dès l'aube, le pêcheur s'installe au bor... de la rivière. — Le ri... pousse les pieds dans l'eau et la tête au soleil. — Le vergla... rend la circulation dangereuse. — Après les ravages du phylloxéra sur le vignoble français, il a fallu greffer des plan... américains.

229 **Complète ces noms. (Tu peux consulter un dictionnaire.)**

J'aime beaucoup le colori... pastel de ces papiers peints. — Au petit matin, on entend le gazouilli... des oiseaux. — Ce siro... calme la tou... . — Le coin... est le fruit du cognassier. — On appelle parvi... la place située devant une église. — Pendant la guerre de 1939-1945, certains Français ont pris le maqui... pour combattre les armées ennemies. — Le ju... fermenté du raisin donne le vin. — Le médecin prend le poul... du malade.

230 **Complète ces mots.**

Toute la classe se rend au stade anne...e pour une séance d'éducation physique. — L'avion a du retard, l'an...iété gagne tous ceux qui attendent un ami ou un parent. — Il n'y a plus d'air dans la salle, nous sommes au bord de l'asphy...ie.

Révision

231 **Complète ces mots.**

Pour Noël, on a offert à Cathy un magnéto...one à cassette. — Le pouce n'est formé que de deux ...alanges. — Le ...ilatéliste collectionne les timbres et le biblio...ile les beaux livres. — Ce célèbre ...ootballeur signe des autogra...es à la sortie du stade. — Le sca...andrier plonge pour véri...ier la coque du navire. — L'œso...age réunit la bouche à l'estomac. — Le plombier est venu changer le si...on de la baignoire. — Le sa...ir est une pierre précieuse d'un beau bleu. — Le jardinier attache les pieds de tomates à des tuteurs avec du ra...ia. — Sans le ...oque, les Inuits ne survivraient pas. — Le dau...in n'est pas un poisson, mais un mammi...ère.

232 **Complète ces noms.**

Le pav... est une plante médicinale mais c'est aussi une drogue ! — Le plombier vient réparer le lavab... . — Le menuisier pousse son rab... d'une main sûre. — Les acteurs de cinéma fréquentent beaucoup les studi... . — Le lanceur de javel... remporte le concours avec un jet de quatre-vingts mètres. — Mercredi soir, c'est le tirage du lot... , pourvu que j'ai les six bons numér... ! — Pour traverser le hall de l'aéroport, monsieur Michelet pose ses bagages sur un chari... . — Les camel... vendent des bibel... sans valeur. — Le comédien recueille les brav... des spectateurs.

233 **Complète ces noms.**

Le ro... Henri II fut mortellement blessé au cours d'un tourno... . — Le couvreur grimpe lestement sur le toi... . — Henri IV protégea l'industrie de la so... . — Monsieur Goffoz écosse des petits po... . — En un été, ce jeune veau a pris beaucoup de poi... . — Dans le nord de la France, les hôtels de ville sont souvent surmontés d'un beffro... . — Le cham... est difficile à approcher car il fuit au moindre bruit. — À la fin du match, les gagnants sautent de jo... . — Le fro... engourdit les mains. — L'enfant pâlit d'effr... à la vue du chien méchant. — La courr... du radiateur est cassée, il faut la remplacer. — Entre un éclair au chocolat et un millefeuille, le ch... est délicat !

234 **Complète ces mots.**

Les musiciens bretons jouent du bini... . — Le mécanicien resserre les écr... des r... de la voiture de monsieur Klein. — Le tigre se cache dans les bamb... . — Le médecin tâte le pou... du malade. — L'ébène et l'acaj... sont des bois précieux. — J'enfonce les cl... avec mon marteau. — Le serrurier posera le verr... dans la matinée. — La pr... du navire fend les vagues. — Un rem... secoua soudain l'avion. — Connaissez-vous le boub... ? C'est le vêtement traditionnel des Africains. — Autrefois, les bœufs étaient attelés au j... et tiraient la charrue. — Quel animal a le c... si long qu'il peut manger les feuilles des arbres ? — Les jeunes Bretons vont à Terre-Neuve pêcher la mor... . — Le sculpteur termine une magnifique stat... pour la place centrale de la ville. — Une sangs... est un petit animal qui suce le sang.

Grammaire

41e leçon

Le pluriel des noms et des adjectifs en -eaux, -aux et en -oux, -ous

Vous admirerez de beaux troupeaux de chevaux.
On ne plante pas les choux comme on plante les clous !

RÈGLES

1. Les noms et les adjectifs qui se terminent par **-eau** au singulier s'écrivent -eaux au pluriel : un beau troupeau → de beaux troupeaux.

2. Beaucoup de noms et d'adjectifs qui se terminent par **-al** au singulier s'écrivent -aux au pluriel. Il n'y a pas de **e** dans la terminaison de leur pluriel : un cheval provençal → des chevaux provençaux.

3. Quelques noms terminés par **-ail** au singulier s'écrivent **-aux** au pluriel : un travail → des travaux.

Remarque : Pour éviter la confusion, quand on rencontre ces mots au pluriel, il faut penser à leur singulier.

des troupeaux → un troupeau	donc **eaux**
des chevaux → un cheval	donc **aux**
des travaux → un travail	donc **aux**

4. Les noms terminés par **-ou** au singulier s'écrivent généralement **-ous** au pluriel : le clou → les clous.

Exceptions : sept noms (bijou, caillou, chou, genou, hibou, joujou, pou) prennent un x au pluriel.

EXERCICES

235 Écris ces noms au pluriel.

un bateau	un rideau	un corail	un rival	un escabeau
un ciseau	un taureau	un émail	un signal	un vitrail
un moineau	un poireau	un traîneau	un soupirail	un quintal

236 Écris ces noms au singulier.

des capitaux	des barreaux	des émaux	des cerceaux	des blaireaux
des bocaux	des tonneaux	des locaux	des travaux	des végétaux
des cardinaux	des pinceaux	des tréteaux	des métaux	des ruisseaux

237 Écris ces noms au pluriel.

un verrou	un caillou	un joujou	un hibou	un cou
un bambou	un clou	un biniou	un sou	un genou
un trou	un voyou	un coucou	un bijou	un écrou

238 **Écris ces groupes nominaux au pluriel.**

un drapeau national — un poteau vertical — un cadeau amical
un bureau central — un pipeau provençal — un journal régional
un chapeau original — un tribunal spécial — un vaisseau spatial

239 **Écris ces groupes nominaux au singulier.**

des niveaux égaux — des canaux latéraux — des totaux généraux
des travaux oraux — des tableaux muraux — des cerveaux normaux
de beaux chevaux — des manteaux royaux — des rameaux nouveaux

240 **Emploie ces adjectifs avec un nom masculin pluriel.**

Ex. : brutal → des gestes brutaux.

méridional	oral	rural	décimal	municipal	musical
amical	moral	oriental	brutal	loyal	colossal
médical	cordial	global	social	génial	optimal

241 **Complète ces mots au pluriel et justifie la terminaison en écrivant le mot singulier entre parenthèses.**

Ex. : Les jardiniers ramassent les feuilles avec des râteaux (un râteau).
Le voyageur a acheté des journ... pour lire dans le train. — Les corb... déterrent les graines et les mangent. — Les trav... de percement du tunnel sont terminés. — Le carré a quatre côtés ég... . — Les danseuses portaient des costumes région... . — Les crist... de glace scintillent au soleil. — Richelieu fit raser de nombreux chât... féod... . — La cave reçoit le jour de deux petits soupir... . — Les Lapons utilisent des traîn... pour leurs déplacements. — Quand on écrit les nombres décim..., il ne faut pas oublier les virgules. — Les groupes nomin... de cette phrase sont encadrés en bleu.

242 **Complète ces mots au pluriel et justifie la terminaison en écrivant le mot singulier entre parenthèses.**

À la poissonnerie, on trouve des maquer... frais. — Les facteurs rur... ont une longue tournée pour se rendre dans tous les ham... . — Les cor... forment parfois des barrières sous-marines infranchissables. — Beaucoup d'hôpit... sont ouverts toute la nuit, pour les urgences, bien sûr. — Les lionc... sont de petits lions, les dindonn... de petits dindons. — Les sign... sont fermés, le train s'arrête. — Quand on est un militaire, il vaut mieux ne pas confondre les capor... et les génér... ; ces derniers pourraient se vexer si on ne les saluait pas. — Le samedi, les bur... de poste sont fermés. — À la fin de la journée, la secrétaire classe les border... récapitulatifs. — Savez-vous ce que représentent les ann... olympiques ?

243 **Vocabulaire à retenir**

un animal — un cheval — un signal — un journal — un hôpital
un cadeau — un bateau — un plateau — un râteau — un château

42e leçon

Le pluriel des noms en -eu

des neveux respectueux   des vœux affectueux

RÈGLE

Les noms qui se terminent par **-eu** au singulier s'écrivent -eux au pluriel : un neveu → des neveux.

Exceptions : s'écrivent avec un **s** au pluriel le nom **pneu** et l'adjectif **bleu** (utilisé aussi comme nom) :

les pneu**s**, des maillots bleu**s**, des bleu**s**.

Remarque : les adjectifs terminés par **-eux** conservent le x au masculin singulier ; ils s'écrivent -euse au féminin :

un neveu respectueux, une nièce respectueuse.

EXERCICES

244 **Écris ces noms au pluriel.**

un vœu	un cheveu	un aveu	un pieu	un feu
un essieu	un milieu	un moyeu	un adieu	un enjeu

245 **Emploie ces adjectifs au singulier avec un nom masculin puis avec un nom féminin.**

épineux	savoureux	fabuleux	soigneux	studieux
vertigineux	rocheux	lumineux	brumeux	pluvieux

246 **Écris ces groupes nominaux au singulier.**

des fruits véreux	des gestes gracieux	des vents furieux
des sentiers boueux	des chevaux peureux	des métaux précieux
des vins fameux	des cheveux soyeux	des vœux affectueux
des pieux noueux	des jeux périlleux	des adieux douloureux

247 **Complète ces mots.**

L'envi... n'est jamais heur... . — Le petit village se blottit dans le cr... du vallon. — Le torrent impétu... descend de la montagne. — Le f... pétille dans la cheminée. — Pablito est malheur... ; son ami est parti. — Les pneu... crissent dans la neige, ce conducteur va trop vite. — Le match de rugby a donné li... a des échanges furi... ; les joueurs sont couverts de bl... .

248 **Vocabulaire à retenir**

un vœu — un aveu — un enjeu — un neveu — un nœud
orgueilleux — mystérieux — nerveux — heureux — malheureux

Les noms composés

un oiseau-mouche	des oiseaux-mouches
une arrière-saison	des arrière-saisons
un pied-de-biche	des pieds-de-biche

RÈGLES

Un nom composé peut être formé de deux noms, d'un nom et d'un adjectif, d'un nom et d'un verbe, etc.

1. Dans les noms composés, seuls le nom et l'adjectif peuvent se mettre au pluriel **si le sens le permet** :
   des oiseaux-mouches, des rouges-gorges (deux noms)
   des appuis-tête (deux noms, mais une tête)
   des abat-jour (un verbe et un nom ; il n'y a qu'un jour).

2. Lorsque le nom composé est formé de deux noms unis par une préposition, en général seul le premier nom s'accorde :
   des pieds-de-biche.

Quelques particularités :

1. Lorsque la préposition est sous-entendue, le second nom ne s'accorde pas :
   des timbres-poste, des wagons-poste (c'est-à-dire « pour **la** poste »).

2. Quand le mot **garde** désigne une personne, il a le sens de « gardien » et s'accorde ; sinon c'est le verbe **garder** et il ne s'accorde pas :
   des gardes-malades, des garde-manger.

EXERCICES

249 **Indique entre parenthèses la nature des mots qui forment le nom composé et écris le pluriel.**

Ex. : un chou-fleur → (nom + nom) : des choux-fleurs.

un sourd-muet	un balai-brosse	un bateau-mouche	un wagon-bar
un chien-loup	une cité-dortoir	un coton-tige	un cordon-bleu

250 **Indique entre parenthèses la nature des mots qui forment le nom composé et écris le pluriel.**

une chauve-souris	un court-métrage	un camion-citerne	un coffre-fort
un bracelet-montre	un faux-filet	un canapé-lit	une basse-cour

251 **Écris ces noms composés au pluriel.**

un rez-de-chaussée	un hors-d'œuvre	un croc-en-jambe	une eau-de-vie
un camion-grue	une patte-d'oie	un bouton-d'or	un chef-d'œuvre

252 Écris ces noms composés au pluriel.

un couvre-lit — un tire-bouchon — un chauffe-eau — un casse-croûte
une arrière-saison — un protège-cahier — un va-et-vient — un gratte-ciel
un pare-brise — un porte-plume — un passe-partout — un après-midi

253 Écris ces noms composés au pluriel.

un grand-duc — une demi-heure — un garde-barrière
une grand-mère — une demi-portion — un garde-chasse
un grand-père — un demi-tarif — un garde-manger
un grand-oncle — une demi-journée — un garde-côte

254 Écris ces noms composés au singulier.

des porte-clés — des porte-documents — des porte-parapluies
des porte-bouteilles — des presse-papiers — des porte-avions

255 Justifie le pluriel de ces noms composés en les définissant.

Ex. : des tourne-disques → tourner est un verbe donc pas d'accord et on fait tourner plusieurs disques.

des compte-gouttes — des grille-pain — des serre-tête
des trouble-fête — des trois-mâts — des abat-jour

256 Écris correctement les noms composés entre parenthèses.

Des (cerf-volant) évoluent au-dessus de la plage. — Les (arc-en-ciel) arrondissent leur courbe multicolore. — Les (chauve-souris) se nourrissent d'insectes et les (chat-huant) de rongeurs. — Les (perce-neige) fleurissent en hiver. — Les (sapeur-pompier) combattent l'incendie et l'éteignent. — Cette collection de (timbre-poste) vaut une fortune, disent les spécialistes. — Les (grand-mère) sont très souvent indulgentes pour leurs (petit-enfant). — Les (martin-pêcheur) rasent l'eau en quête de poissons. — Madame Xavier n'utilise plus que des (drap-housse) ; elle les trouve plus pratiques.

257 Écris correctement les noms composés entre parenthèses.

Dans le jardin d'agrément, il y a des (reine-marguerite), des (gueule-de-loup), des (pied-d'alouette) ; dans le potager, on remarque des (plate-bande) de (chou-fleur), de (chou-rave) et des carrés de (pomme de terre). — Il neige, les (remonte-pente) sont arrêtés. — Les (oiseau-mouche) sont de très petits passereaux au plumage richement coloré. — Les (sous-sol) et les (rez-de-chaussée) de ces immeubles ont été inondés. — Dans l'atelier, on entendait des (va-et-vient) assourdissants d'énormes machines.

258 Vocabulaire à retenir

un chien-loup — un coffre-fort — une basse-cour — un coton-tige
un porte-clés — un porte-documents — un chef-d'œuvre —
un porte-bonheur — un pare-brise

Les adjectifs qualificatifs en -ique, -oire, -ile

un avion supersonique, un cours préparatoire,
un exercice facile

RÈGLES

Au masculin, les adjectifs qualificatifs qui se terminent par :

- les sons [ik] s'écrivent -ique, sauf **public** ;
- les sons [waR] s'écrivent -oire, sauf **noir** ;
- les sons [il] s'écrivent -ile, sauf **civil, puéril, subtil, vil, viril, volatil** :
  un avion supersonique, un cours préparatoire, un exercice facile.

Attention : on écrit **tranquille** avec deux **l**.

EXERCICES

259 **Emploie ces adjectifs au pluriel avec un nom masculin puis avec un nom féminin.**

docile	volcanique	habile	utile	stérile	électronique
unique	électrique	provisoire	facile	noir	préparatoire

260 **Emploie ces adjectifs au pluriel avec un nom masculin puis avec un nom féminin.**

inutile	patriotique	public	viril	tranquille	subtil
hostile	énergique	métallique	vil	puéril	civil

261 **Complète les adjectifs.**

Faites des mouvements respiratoi... chaque matin et vous vous porterez bien. — Sans cet incident mécani..., le pilote de la moto n'aurait pas abandonné. — Un coucher de soleil féeri... embrase l'horizon.

262 **Complète les adjectifs.**

Pour un prétexte futi..., il a décliné mon invitation. — Les céréales poussent abondamment sur les terrains ferti... des plaines de la Beauce et de la Brie. — De nombreux pays asiati... sont surpeuplés. — Les archélogues ont découvert des os fossi... de chevaux ou de rennes.

263 **Vocabulaire à retenir**

unique — mécanique — chimique — tragique
obligatoire — préparatoire — respiratoire

Les adjectifs qualificatifs en -al, -el, -eil

la route nationale une qualité habituelle une pêche vermeille

RÈGLES

Au féminin, les adjectifs qualificatifs terminés par :

- les sons [al] s'écrivent -ale,
- les sons [ɛl] ou le son [ɛj] s'écrivent -lle.

Attention : certains adjectifs se terminent par un **e** au masculin :
pâl**e**, mâl**e**, sal**e**, oval**e**, fidèl**e**, parallèl**e**, frêl**e**, grêl**e**.

EXERCICES

264 **Emploie ces adjectifs au pluriel avec un nom masculin puis avec un nom féminin.**

amical	général	annuel	pareil	pâle	frêle
brutal	provençal	usuel	vermeil	mâle	fidèle

265 **Emploie ces adjectifs avec un nom féminin pluriel.**

vertical	moral	familial	torrentiel	universel	industriel
égal	spécial	médicinal	solennel	confidentiel	essentiel

266 **Accorde les adjectifs entre parenthèses.**

La forêt de Fontainebleau a pris sa parure (automnal). — Vichy et Le Mont-Dore sont des stations (thermal) du massif Central. — Paris, Lyon, Marseille sont les trois (principal) villes de France. — L'exposition (floral) reçoit chaque année beaucoup de visiteurs.

267 **Accorde les adjectifs entre parenthèses.**

De nombreux citadins recherchent les (vieux) demeures (campagnard). — Le policier relève les empreintes (digital) pour identifier le voleur. — Les pluies (torrentiel) ont ravagé les récoltes mais désormais la situation est plus (normal) pour la saison. — Il souffle une bise (glacial) et l'on sent la morsure (cruel) du froid. — Le candidat a répondu aux questions (oral) du jury. — La famille (royal) de Suède vit à Stockholm.

268 **Vocabulaire à retenir**

horizontal, horizontale — amical, amicale — royal, royale
annuel, annuelle — cruel, cruelle — naturel, naturelle

Le participe passé employé comme adjectif

une boisson **glacée** la boisson est **glacée**

RÈGLES

1. Le participe passé se comporte généralement comme un adjectif qualificatif. Il peut s'employer seul ou avec les auxiliaires **être** ou **avoir** :
   une boisson glacée, la boisson est glacée.

2. Pour trouver la dernière lettre d'un participe passé ou d'un adjectif qualificatif masculin, il faut, souvent, penser au féminin :
   froi**d** → froi**de** conten**t** → conten**te**.

3. Le participe passé est en :
- é pour les verbes du 1er groupe :
  un chemin barré, une rue barrée
- i pour les verbes du 2e groupe et quelques verbes du 3e groupe :
  le travail fini, la tâche finie — le repas servi, la boisson servie.
- u, s, t pour des verbes du 3e groupe :
  le service rendu, la monnaie rendue
  le texte appris, la leçon apprise
  le lampadaire éteint, la lampe éteinte.

EXERCICES

269 **Justifie la dernière lettre de ces adjectifs en les employant au singulier avec un nom masculin puis avec un nom féminin.**

élégant long ras haut confus diffus
chaud épais léger géant gentil droit
prompt las franc gourmand innocent laid

270 **Emploie le participe passé de chacun de ces verbes au singulier avec un nom masculin puis avec un nom féminin.**

rentrer ramasser casser blanchir faire mettre
baisser endormir rompre vacciner joindre savoir
manger récolter asseoir absorber laver tondre

271 **Emploie le participe passé de chacun de ces verbes au singulier avec un nom masculin puis avec un nom féminin.**

lire coudre éteindre offrir prévoir construire
dire mourir repeindre couvrir détruire découvrir
achever rendre boire semer craindre transmettre

272 Transforme ces expressions d'après le modèle.

Ex. : ranger le livre → le livre rangé.

louer un appartement
briser le vase
flamber une omelette
remuer une sauce
guérir un malade
aplatir un clou
servir le potage
fendre le bois
tordre le barreau
abattre le chêne
mettre un couvert
payer une facture
faire la vaisselle
charger une voiture
imiter une œuvre

273 Transforme ces expressions d'après le modèle.

Ex. : filtrer une eau → une eau filtrée.

envahir la salle
serrer la vis
attraper la mouche
gravir la pente
suivre un conseil
attendre une lettre
remplir la tasse
défendre un camp
recevoir un appel
boire la tisane
conclure une affaire
fleurir une chambre
remettre la clé
atteindre un objectif
interrompre une émission

274 Écris le participe passé du verbe entre parenthèses et accorde.

La moto (embourber) a du mal à sortir de l'ornière. — Le ciel est gris et le sol (joncher) de feuilles mortes : c'est l'automne. — Le maçon répare le mur (démolir) à la suite des inondations. — Les actrices, (acclamer) par leurs admirateurs, font le bonheur des photographes. — Les abonnements (renouveler) avant la fin de l'année bénéficieront d'une réduction. — Les vêtements (acheter) en solde sont de bonne qualité mais parfois un peu (démoder). — Le problème (comprendre), il est facile de rédiger la solution.

275 Écris le participe passé du verbe entre parenthèses et accorde.

Les meubles (peindre) en blanc mettent une note claire dans la cuisine. — L'enfant (asseoir) regarde un illustré en attendant que le dentiste le fasse entrer. — Hervé a laissé le robinet (ouvrir) : la baignoire déborde. — Monsieur Duval achète une voiture (climatiser). — Les joies (partager) sont les plus intenses. — Le travail (entreprendre) sera de longue durée.

276 Dans chaque phrase, remplace le participe passé en bleu par un adjectif qualificatif de même sens.

Je ramasse les noix tombées. — La viande grillée est excellente. — Le lilas coupé embaume l'atmosphère. — Le coffret garni de chocolats fait des envieux. — La feuille jaunie se balance au vent. — La famille unie fête les quatre-vingts ans de la grand-mère. — On range les assiettes essuyées. — L'oie farcie rissole dans son jus.

277 Vocabulaire à retenir

essuyer, essuyé — payer, payé — renouveler, renouvelé — acclamer, acclamé — satisfaire, satisfait — asseoir, assis — ouvrir, ouvert — peindre, peint — tondre, tondu

L'adjectif qualificatif et le participe passé épithète ou attribut

Les commodes **anciennes** ont été **restaurées**.

RÈGLES

1. L'adjectif qualificatif et le participe passé épithètes ou attributs s'accordent en genre et en nombre avec le nom ou le pronom sujet auquel ils se rapportent.

2. Pour trouver ce nom ou ce pronom, il faut poser, avant l'adjectif qualificatif ou le participe passé, la question « Qui est-ce qui ? ».

« Qui est-ce qui »

est ancien ?	les commodes [fém. plur.]	donc **anciennes**
a été restauré ?	les commodes [fém. plur.]	donc **restaurées**.

EXERCICES

278 **Conjugue au présent de l'indicatif et au passé composé.**

être courageux	être affaibli	être charmé	être soutenu
être confiant	être instruit	être fatigué	être suivi

279 **Accorde les adjectifs qualificatifs et les participes passés.**

Les veilleurs de nuit ont les yeux (bouffi) de sommeil. — Les camions sont (garé) sur le parking de l'autoroute. — La voiture lance des coups de klaxon (long) et (strident) mais les piétons restent (indifférent). — Nous sommes (content) de cette (merveilleux) soirée ; nous ne l'oublierons pas. — D'(énorme) baleines ont été (aperçu) au large des côtes (corse). — Les documents (signé) sont (déposé) à la mairie ; nous aurons notre passeport dans une semaine. — La partie a été très (disputé) et s'est (terminé) par un résultat nul.

280 **Accorde les adjectifs qualificatifs et les participes passés.**

Les (petit) chemins (gorgé) d'eau sont (impraticable), même pour les champions de trial. — Les acrobates sont (petit) mais (trapu), ce qui ne les empêche pas d'être (agile). — Les pêches étaient (velouté), (charnu), (savoureux). — Les bagages sont (prêt) ; vous pouvez les confier au porteur. — Vous êtes (dissipé) et (insouciant), alors que vous devriez être (réfléchi) et (raisonnable) ; jamais vous ne serez pris au sérieux ! — Elles ont été (étonné) de leurs résultats.

281 Accorde les participes passés.

Les mains (rougi) par le froid, le skieur rêve d'un bon feu de bois. — Les nids (abandonné) se balancent dans les rameaux (défeuillé). — La mer (déchaîné) gronde ; les marins (avisé) restent au port. — Les usines (abandonné) ferment une à une ; la région se dépeuple. — Les enfants (étonné) découvrent le sapin (illuminé), (garni) de jouets. — Les roses (épanoui) exhalent un doux parfum. — (Armé) d'une bombe insecticide, les campeurs partent à la chasse aux moustiques !

282 Accorde les participes passés.

Dans ces textes, (lu) et (relu), il ne devrait plus y avoir d'erreurs. — Les services (rendu) par l'arrivée de l'informatique sont considérables. — Les incendies rapidement (éteint) ont fait peu de dégâts. — Les arbres (dépouillé) de leur verte parure allongent leurs branches (amaigri). — Bien (entretenu), cette voiture roulera encore de nombreuses années. — Les maisons (couvert) de tuiles sont nombreuses dans le sud de la France. — Le magasinier enregistre immédiatement les commandes (reçu) par télécopie.

283 Accorde les participes passés.

Les ramasseurs de champignons sont (parti) de bon matin. — Ces joueurs, au jeu peu collectif, ont été (écarté) de la sélection nationale. — Chacun comprend bien que les cheveux (frisé) sont plus difficiles à peigner que les cheveux (clairsemé). — Les petits planeurs ont été (contraint) d'atterrir car le vent était trop violent. — Les volets seront (fixé) au mur pour éviter qu'ils claquent. — Quand la partie sera (fini), ce sera la fête chez les supporters (déchaîné), si leur équipe remporte la coupe, bien sûr ! — Les fils de fer (barbelé) sont également (électrifié) ; les taureaux ne pourront pas quitter le pré.

284 Écris le participe passé des verbes et accorde.

Les bûches (fendre) sont (empiler) en tas en prévision des froides soirées d'hiver. — Les carreaux (casser) seront (remplacer) par le vitrier. — Les massifs avaient été (tailler), les allées (désherber) et (ratisser) ; le jardin était magnifique. — Marcel apprécie particulièrement les maquereaux (mariner) au vin blanc. — La voiture des voleurs avait été (suivre) à la jumelle par les gendarmes. — Les fillettes sont (croire) sur parole bien que leur histoire paraisse étrange et rocambolesque. — Les textes (modifier) seront relus. — (Enrichir) très rapidement, les chercheurs d'or se ruinaient tout aussi vite en dépenses (démesurer). — Les poteaux ont été (arracher) par le vent et les fils sont (tomber) sur le sol ; la ville est (priver) d'électricité.

285 Vocabulaire à retenir

semer — ensemencer — la semence — un semoir — le semis
maigre — maigrir — amaigrir — la maigreur — l'amaigrissement

Les adjectifs qualificatifs de couleur

des drapeaux rouges — des drapeaux bleus et verts
des drapeaux orange — des drapeaux bleu clair

RÈGLES

1. Les adjectifs qualificatifs de couleur s'accordent quand il n'y a qu'un seul adjectif pour une couleur :
   des drapeaux bleus et verts (un adjectif pour une couleur → accord)
   des drapeaux bleu clair (deux adjectifs pour une couleur → pas d'accord).
2. Les noms exprimant par comparaison la couleur restent invariables :
   des drapeaux marron, orange
   (de la couleur du marron, de l'orange → pas d'accord).

Exceptions : **rose**, **fauve**, **mauve**, assimilés à des adjectifs, s'accordent :
des drapeaux roses → accord.

EXERCICES

286 Complète avec les adjectifs de couleur et accorde s'il y a lieu.

noir : des draps …, des toiles …
ocre : des murs …, des peintures …
violet : des iris …, des pensées …
orange : des rubans …, des soies …

287 Complète avec les adjectifs de couleur et accorde s'il y a lieu.

bleu marine : des nappes …, des bols …, des jacinthes …, des myosotis …
jaune citron : des serviettes …, des cirés …, des voiles …, des laines …

288 Complète avec les adjectifs de couleur et accorde s'il y a lieu.

crème : des gants …, des dentelles …, des papiers …, des bas …
paille : des jupes …, des soieries …, des corsages …, des laines …
mastic : des tentes …, des manteaux …, des pantalons …, des blousons …

289 Écris correctement les mots entre parenthèses.

Dans les paniers s'amoncellent des fruits (jaune, rouge, vert, doré). — La fillette a les cheveux (châtain). — La perle jette des reflets (nacré). — Isabelle a teint son vieux pantalon en (bleu). — Les joueurs de l'équipe d'Algérie portent des maillots (olive). — Anaïs a des gants (grenat).

290 Vocabulaire à retenir

châtain — mauve — paille — mastic — marron — nacré — grenat

Particularités de l'accord de l'adjectif qualificatif ou du participe passé

La robe et le pantalon sont exposés dans la vitrine ;
il y a aussi une veste et une casquette fourrées.

RÈGLES

1. Deux singuliers valent un pluriel :
   une veste et une casquette fourrées.

2. Lorsqu'un adjectif qualificatif ou un participe passé est employé avec des noms des deux genres, on l'accorde au masculin pluriel :
   La robe et le pantalon sont exposés.

EXERCICES

291 Accorde les adjectifs qualificatifs et les participes passés.
le cri et l'appel (entendu) — le poulet et l'oie (farci) — la biche et le cerf (blessé) — la mousseline et la soie (bleu) — le pont et le quai (détruit) — le sentier et la haie (fleuri) — le caddie et le panier (rempli) — la veste et le gilet (recousu) — le colis et la lettre (reçu) — la leçon et la fable (su).

292 Accorde les adjectifs qualificatifs et les participes passés.
la pomme et la poire (mûr) — le câble et la corde (tendu) — le lion et la lionne (cruel) — la robe et la jupe (noir) — le mensonge et le vol (puni) — l'herbe et le gazon (jauni) — le beurre et la graisse (fondu) — le verre et la coupe (vidé) — la pêche et la prune (charnu) — la rose et le lis (velouté).

293 Accorde les adjectifs qualificatifs et les participes passés.
Malgré toutes les précautions (pris), le vent s'infiltre sous la porte et la fenêtre (clos). — Les skieurs et les skieuses (fatigué) rentrent au village. — Sous les parasols et les tentes (bariolé), les baigneurs recherchent l'ombre. — Les joueurs et les joueuses, (regroupé) dans une même équipe, défendent ardemment leur chance. — (Impatient), les garçons et les filles se rendent à la fête foraine. — Les tours et le clocher (ajouré) s'élancent dans le ciel.

294 Vocabulaire à retenir

le tilleul — le filleul — le linceul — l'épagneul
la chaussée — la poussée — la fricassée — la brassée — l'odyssée

L'adjectif qualificatif est loin du nom

Poussés par le vent, les **voiliers** gagnent de la vitesse.
Lucas fait ces **exercices**, qu'il croyait plutôt faciles.

RÈGLE

Quelle que soit leur place dans la phrase, l'adjectif qualificatif et le participe passé épithète s'accordent en genre et en nombre avec le nom auquel ils se rapportent :

Poussés par le vent, les **voiliers**…
Lucas fait ces **exercices**, qu'il croyait plutôt faciles.

EXERCICES

295 Accorde les adjectifs qualificatifs ou les participes passés.

(Enseveli) sous la neige, la campagne est triste. — (Lavé) et (récuré) avec le plus grand soin, les casseroles brillent. — (Alourdi) de fruits mûrs, les branches cassent. — (Accablé) par la chaleur, les randonneurs dorment à l'ombre de la haie. — (Rassemblé) sur les fils téléphoniques, les hirondelles attendent le moment du départ pour des pays que l'on sait plus (chaud). — (Arraché) par la bourrasque, les tuiles tombent dans la cour. — Ces enfants, (atteint) d'une grave maladie, sont soignés dans des hôpitaux (spécialisé). — (Venu) du nord, les vents nous annoncent un hiver rigoureux.

296 Accorde les adjectifs qualificatifs ou les participes passés.

(Construit) avec des matériaux traditionnels, ces bâtiments défient les années. — (Courbé) sous le poids d'une lourde caisse, le livreur traverse la cour de l'usine. — (Blotti) sous la gouttière, les moineaux attendent la fin de l'averse. — (Arrivé) à l'étape, les coureurs sont félicités par de (charmant) hôtesses. — (Pailleté d'or), les yeux du chat brillent dans l'ombre. — (Grossi) par ses affluents en crue, la Seine déborde. — (Durci) par le gel, le sol craque sous les pas.

297 Écris cinq phrases dont le premier mot sera un adjectif qualificatif ou un participe passé. Observe bien les phrases de l'exercice précédent.

298 Vocabulaire à retenir

la crue — la grue — la morue — la vue — la rue
le poids, peser, pesant, la pesanteur

51e **leçon**

Nom propre ou adjectif qualificatif ?

Pour les **Français**, l'école est obligatoire jusqu'à seize ans.
Les fromages **français** sont mondialement réputés.

RÈGLES

1. Il ne faut pas confondre l'adjectif qualificatif de nationalité avec le nom propre qui prend une majuscule :

Les **F**rançais constituent le peuple **f**rançais.

2. L'adjectif qualificatif accompagne toujours un nom (ou un pronom), avec lequel il s'accorde, et ne prend pas de majuscule :

les fromages **f**rançais, la cuisine **f**rançaise, les joueurs **f**rançais.

EXERCICES

299 **Fais l'exercice sur le modèle.**

Ex. : le Brésil → les Brésiliens, les cafés brésiliens, la forêt brésilienne.
L'Amérique, les ..., la musique ..., les films ... — Paris, les ..., les monuments ..., la vie ... — la Normandie, les ..., la campagne ..., le beurre ... — la Grèce, les ..., les ports ..., les îles ... — l'Italie, les ..., les pâtes ..., le football ... — l'Angleterre, les ..., l'humour ..., la bière ... — l'Espagne, les ..., la corrida ..., les chanteurs ... — la Provence, les ..., les contes ..., les danses ... — la Bretagne, les ..., les côtes ..., les marins ... .

300 **Écris le nom propre ou l'adjectif qualificatif qui convient.**

La marine (Angleterre) possède de beaux bâtiments. — Le débarquement de 1944 eut lieu sur les côtes (Normandie). — Les (Normandie) ont conquis l'Angleterre en 1066. — Les villes (Bretagne) ont de vieilles maisons à colombage. — La (Suisse) est divisée en cantons. — Lors des fêtes traditionnelles, les (Bresse) portent de jolies coiffes de dentelle. — On dit que lorsqu'ils livraient bataille, les (Gaule) étaient braves mais indisciplinés. — Les villages (Gaule) étaient formés de huttes. — Les (Finlande) sont des athlètes remarquables, spécialisés dans le lancer de javelot notamment. — La forêt (Canada) couvre des étendues immenses. — Les (Canada) sont habitués aux grands froids.

301 **Vocabulaire à retenir**

les Alpes — les Pyrénées — la Bretagne — la Normandie — la Grèce — l'Angleterre — l'Italie — l'Espagne — la Suède — l'Allemagne

Le participe présent et l'adjectif verbal

Voici des spectacles **amusant** les enfants de tous âges.
un travail **amusant** une histoire **amusante**

RÈGLES

1. Le participe présent est une forme du verbe ; sa terminaison est -ant pour tous les verbes, il est invariable. Le participe présent peut être précédé de la préposition **en** :

Voici des spectacles amusant les enfants de tous âges.
Il travaille souvent **en** écoutant de la musique.

2. Lorsque le participe présent n'est pas précédé de **en**, il ne faut pas le confondre avec l'adjectif verbal qui, lui, s'accorde avec le nom qu'il accompagne :

un travail amusant, des travaux amusants.

Remarque : Pour éviter la confusion, il faut remplacer le nom masculin par un nom féminin et lire à haute voix la phrase en entier ; on entend alors la terminaison : une histoire amusante.

EXERCICES

302 Écris le participe présent de ces verbes.

Ex. : donner → donnant, en donnant, en les donnant.

sauter	sauver	finir	entendre	chercher	chanter
couper	lancer	garnir	voir	franchir	manger

303 Emploie l'adjectif verbal dérivé de ces verbes au pluriel avec un nom masculin puis avec un nom féminin.

Ex. : craquer → des biscuits craquants, des biscottes craquantes.

amuser	bouillir	nourrir	plaire	émouvoir	blanchir
aveugler	consoler	resplendir	satisfaire	vivre	aimer

304 Écris le participe présent ou l'adjectif verbal et justifie l'accord des adjectifs verbaux en écrivant une expression au féminin.

Ex. : des résultats encourageants (des notes encourageantes).

La fillette s'est brûlée en (jouer) avec des allumettes. — En (chausser) les bottes de l'Ogre, le Petit Poucet a sauvé ses frères. — Les premiers résultats sont (encourager) ; le savant poursuit ses expériences. — Le verglas a rendu les trottoirs (glisser). — Soyez économes, vous ne saurez jamais assez (prévoir). — En les (inviter) à cette fête, vous leur avez fait plaisir.

305 Écris le participe présent ou l'adjectif verbal et justifie l'accord de l'adjectif en écrivant une expression au féminin.

Les clients s'arrêtaient devant les rayons, (regarder) et (palper) les vêtements, en (demander) le prix, les (acheter) quelquefois. — Dans le métro, j'ai emprunté les escaliers (rouler). — Tu suivais le manège gracieux des oiseaux (bâtir) leur nid. — Les enfants (obéir) font la fierté de leurs parents. — Les footballeurs, (obéir) scrupuleusement aux consignes de l'entraîneur, gagnent le match. — D'(allécher) odeurs montent de la cuisine du restaurant. — Les rayons (brûler) du soleil vous feront passer une chaude soirée si vous ne mettez pas de crème protectrice. — Les tables de camping tiennent peu de place parce qu'elles sont (plier).

306 Écris le participe présent ou l'adjectif verbal et justifie l'accord de l'adjectif en écrivant une expression au féminin.

Le malade a pris des médicaments (calmer). — Les saules (border) l'étang baignent leur feuillage dans l'eau. — Nous grimpions toujours en nous (arrêter) quelquefois pour contempler le paysage. — Les torrents, (bondir) sur les cailloux, font un bruit (assourdir). — Les torrents (bondir) dévalent de la montagne. — Les vitamines (fortifier) l'organisme doivent être prises à petites doses. — C'est en leur (porter) secours que je me suis blessé. — Le ciel s'allume par instants de clartés (errer) ; il s'agit peut-être d'avions ou de satellites. — Les cow-boys allumaient leurs cigares en (frotter) l'allumette sur leur botte. — Heureusement que le naufragé avait emporté des fusées (éclairer) ; un cargo a pu le repérer et le hisser à bord.

307 Écris le participe présent ou l'adjectif verbal et justifie l'accord de l'adjectif en écrivant une expression au féminin.

En vous (associer) à leurs ennuis, vous leur avez rendu l'espoir. — L'air était chargé d'arômes (vivifier). — L'animateur de la tombola annonce les numéros (gagner). — Les enfants (ignorer) la politesse ne sont pas appréciés. — La mer lance ses vagues (écumer) à l'assaut des rochers. — Sa remarque fut d'autant plus (vexer) qu'il n'avait rien à se reprocher. — En (astiquer) les meubles, Noémie a retrouvé une vieille photo. — Le fourgon de police, toutes sirènes (hurler), fonce dans la nuit noire. — En (signer) ce papier, vous engagez votre responsabilité. — (Tuer) le temps comme ils peuvent, les anciens du village sont les seuls à maintenir un semblant d'animation.

308 Écris trois phrases dans lesquelles tu emploieras un participe présent et trois phrases dans lesquelles tu emploieras un adjectif verbal.

309 Vocabulaire à retenir

le loto — le numéro — le trio — le kilo — la moto — le métro
la vitamine, vitaminé, la vitalité, vital, la vie, viable, la survie

Les adjectifs numéraux

Les amis sont unis comme les **cinq** doigts de la main.
Cet outil vaut **quatre-vingts** francs.

RÈGLES

1. Les adjectifs numéraux cardinaux sont invariables, sauf **vingt** et **cent** quand ils indiquent les vingtaines et les centaines rondes :
cinq doigts, quatre-vingts francs.

2. mille, adjectif, est toujours invariable, mais **millier** prend un s au pluriel parce que c'est un nom :
trois mille habitants, des milliers d'habitants.

3. Les adjectifs numéraux ordinaux prennent un s au pluriel :
les deux premiers venus.

4. Dans les dates, il n'y a jamais d'accord, et on écrit **mille** ou **mil** :
en l'an mil neuf cent quatre-vingt.

EXERCICES

310 Écris en lettres les nombres de 2 à 20, précédés de l'article les **et suivis d'un nom.** *Ex.* : les deux hommes.

311 Écris ces nombres en lettres et fais-les suivre d'un nom.
20 — 28 — 80 — 89 — 100 — 175 — 200 — 201 — 320 — 380 — 400.

312 Écris les dates en lettres.
Découverte de l'Amérique par Christophe Colomb : 1492 — Proclamation de l'édit de Nantes par le roi Henri IV : 1598 — Règne de Louis XIV : 1643 à 1715 — Découverte du vaccin contre la rage : 1885. — Couronnement de Charlemagne : 800. — Premiers pas d'un homme sur la Lune : 1969.

313 Écris en lettres les nombres en bleu.
Le carré a 4 côtés égaux. — Avec mes 20 francs, j'achèterai un livre. — Les 22 joueurs et l'arbitre pénètrent sur le terrain pour disputer une partie de football de 90 minutes. — Monsieur Corlier a pris 5 semaines de vacances. — Le feuilleton commence généralement vers 21 heures. — Avec seulement les 7 notes de la gamme, on a composé les plus belles musiques du monde.

314 Vocabulaire à retenir
douze, treize, quatorze, quinze, seize — trente, quarante, cinquante, soixante

54e leçon

tout, tous, toute, toutes

tout le jour **toute** la journée **tous** les jours
Des vestes **tout** usées, **toutes** rapiécées.

RÈGLES

1. **tout**, déterminant ou pronom indéfini, est variable :
   tout le jour, toute la journée, tous les jours.
   Nous irons tous à la piscine. Toutes verront la tour Eiffel.

2. **tout** précédant un adjectif qualificatif est le plus souvent adverbe, donc invariable :
   des gilets tout usés, tout rapiécés (tout = tout à fait)
   des vestes tout usées (tout = tout à fait)

Remarque : Par euphonie, on accorde **tout** devant les adjectifs qualificatifs féminins commençant par une consonne ou un **h** aspiré :
des vestes toutes rapiécées.

EXERCICES

315 Écris correctement tout dans ces expressions.

(tout) le jour (tout) tes outils (tout) le quartier (tout) leurs œufs
(tout) les véhicules (tout) ta fierté (tout) les filles (tout) vos fleurs
(tout) les poissons (tout) ces légumes (tout) ces pêches (tout) ces fruits
(tout) mes amis (tout) sa peine (tout) cette ville (tout) les enfants

316 Écris correctement tout (au sens de tout à fait).

des routes (tout) droites
des vêtements (tout) mouillés
des herbes (tout) humides
des mains (tout) gercées
des maisons (tout) blanches
des arbres (tout) tordus
une mer (tout) agitée
des souliers (tout) usés
des visages (tout) ridés
des lustres (tout) allumés

917 Accorde les mots entre parenthèses.

D'accepter le report du match parce que son adversaire est souffrant, c'est (tout) à l'honneur d'Alain Robert. — Pour se rendre à Meudon, monsieur Garçon prend (tout) les jours le même train. — Les candidates, (tout) très jeunes, n'en sont pas moins (tout) brillantes et réussiront l'examen. — Il connaît (tout) les inégalités du sol, (tout) les rapiéçages de la chaussée.

318 Vocabulaire à retenir

la fierté — la beauté — la santé — la liberté

même

Les **mêmes** causes produisent les **mêmes** effets.
Ils sont tous venus, **même** les plus petits.

RÈGLES

1. **même** s'accorde quand il veut dire « pareil, semblable » :
   la même cause → les mêmes causes.
2. **même** s'accorde aussi quand il est joint à un pronom personnel pluriel : nous-mêmes, vous-mêmes, eux-mêmes, elles-mêmes.

Remarque : quand il s'agit du **vous** de politesse, **même** reste au singulier : Vous pourrez le constater vous-même, Mademoiselle.

3. Dans tous les autres cas, **même** est un adverbe, donc invariable :
   même les plus petits.

EXERCICES

319 **Accorde, s'il y a lieu, les mots entre parenthèses.**

Ils se sont heurtés aux (même) difficultés qu'à l'ordinaire et ont fait les (même) erreurs. — Les terres, (même) les plus fertiles, doivent être travaillées. — Cette machine lave les lainages, (même) les plus fragiles. — Les voitures, (même) d'occasion, se vendent difficilement. — Les menteurs se trahissent toujours (eux-même). — En vacances, nous ferons (nous-même) la cuisine. — Les brocanteurs achètent (même) les vieilles ferrailles. — (Même) si les poules avaient des dents, elles ne pourraient dévorer les renards ! — Les spectateurs sont nombreux mais il reste tout de (même) quelques places.

320 **Accorde, s'il y a lieu, les mots entre parenthèses.**

Les (même) fleurs reviennent aux (même) saisons. — Couchés à (même) le sol, ces personnes sans logement se réchauffent dans le hall de la gare. — Je voudrais refaire les (même) voyages et revoir les (même) paysages. — Les assiettes anciennes, (même) fendues, ont de la valeur. — Toutes les régions du monde, (même) les plus reculées, ont désormais été explorées. — Les pilotes vérifieront (eux-même) l'état de l'avion avant de décoller. — Les poulets picorent (même) les coquilles d'huître, quand ils en trouvent ! — Je n'ai (même) pas une minute à consacrer à la lecture du journal.

321 **Vocabulaire à retenir**

voir, revoir, apercevoir, décevoir — boire — croire
l'occasion — occuper — l'occupation — l'occident

56e leçon

quelque et chaque

depuis **quelque** temps **chaque** jour
Il y a **quelques** jours.

RÈGLES

1. **quelque** s'accorde seulement quand il a le sens de « plusieurs » :
quelques (plusieurs) jours.

Remarque : les expressions **quelque chose** et **quelque temps** sont invariables.

2. **chaque** marque toujours le singulier :
chaque jour.

EXERCICES

322 **Écris correctement les expressions entre parenthèses.**

J'ai dépensé (quelque argent) mais je ne regrette pas ma visite au musée d'Albi. — (Quelque ardoise) du toit, certainement mal fixées, ont été arrachées par le vent. — Leïla a rapporté (quelque souvenir) de son voyage au Sénégal. — Aurore regardait avec (quelque étonnement) le hérisson au milieu du jardin. — La bibliothèque de l'école renferme (quelque livre intéressant). — On ne trouve des truffes que dans (quelque région) ! — Le jour de l'ouverture, nous avons pêché (quelque truite). — Cette année, mes parents ont pris (quelque semaine) de congé. — Les ouvriers s'accordent (quelque repos) avant de poursuivre leur travail.

323 **Écris correctement les expressions entre parenthèses.**

Le navire s'est brisé sur (quelque écueil) à (quelque distance) de la côte. — (Quelque arbre) ombragent la petite place du village. — J'irai vous voir dans (quelque temps). — (Quelque goutte) de pluie commencent à tomber. — (Quelque vieille personne) jouent au Scrabble. — Hélène a toujours (quelque chose) à dire, même si on ne lui demande pas son avis. — Le chanteur ne restera que (quelque heure) à Paris, juste le temps d'enregistrer un disque. — Il y a (quelque vingt) ans, personne ne connaissait Internet.

324 **Écris huit courtes phrases où tu emploieras** chaque **avec les noms suivants :** cheval, journal, roue, rideau, doigt, bocal, projet, bijou.

325 **Vocabulaire à retenir**

un écueil — un recueil — un cercueil — un accueil
le musée — le lycée — le trophée — le scarabée

Les pronoms relatifs en -el, -elle, -els, -elles

Le mot auquel je pense. Les mots auxquels je pense.
La revue dans laquelle nous lisons le reportage.

RÈGLE

Pour écrire correctement un pronom relatif terminé par -el, il faut rechercher avec soin son antécédent :

le mot [masculin, singulier] → **auquel**
les mots [masculin, pluriel] → **auxquels**
la revue [féminin, singulier] → **à laquelle**.

EXERCICES

326 Complète par auquel, à laquelle, auxquels **ou** auxquelles.

Les films ... je pense sont programmés sur la première chaîne. — La personne ... je me suis adressé m'a renseigné avec beaucoup de gentillesse. — L'événement ... vous faites allusion s'est passé il y a bien longtemps. — L'ami ... j'accorde ma confiance me la rend bien. — J'ai gardé les cahiers ... je tiens le plus.

327 Complète par lesquels **ou** lesquelles.

Les cages dans ... les serins font entendre leur chant mélodieux sont vastes et bien aménagées. — Les colis sur ... je comptais ne sont pas arrivés. — Les souvenirs vers ... je me reporte m'attendrissent. — Les paysages sur ... mes regards se posent sont ravissants. — Les haies entre ... nous cheminons sont pleines de nids.

328 Complète par un pronom relatif terminé par -el, -elle, -els, -elles.

L'usine pour ... travaillent les jeunes du village exporte des moteurs en Italie. — Les vignes à côté ... il s'est arrêté appartiennent à mon cousin. — Les nuages au travers ... filtre le soleil annoncent l'orage. — L'action de l'opéra ... est extrait ce duo se déroule au Japon : c'est *Madame Butterfly*.

329 Écris six phrases dans lesquelles tu emploieras un pronom relatif terminé par -el, -elle, -els **ou** -elles.

330 Vocabulaire à retenir

tendre, attendrir, la tendresse, tendrement
l'atterrissage, le graissage, le repassage, le dressage, le paysage

58e leçon

L'adverbe

Les musiciens jouent brillamment.

RÈGLES

1. L'adverbe est toujours invariable. Beaucoup d'adverbes ont la terminaison -ment : brillamment, calmement.
Il ne faut pas les confondre avec les noms en **-ment**, variables :
Les applaudissements se sont arrêtés.

2. L'adjectif qualificatif peut être employé adverbialement ; dans ce cas, il est invariable :
Les applaudissements s'arrêtent **net**.

Remarques :

1. **ensemble** et **debout** sont des adverbes, donc invariables :
Nous travaillons ensemble. Nous étions debout.

2. Les adverbes formés avec des adjectifs en -ent s'écrivent -emment (mais se prononcent [amã]) : patient → patiemment.
Ceux formés avec des adjectifs en -ant s'écrivent -amment :
savant → savamment.

EXERCICES

331 **Écris les adverbes formés avec ces adjectifs.**

vaillant	précédent	prudent	méchant	courant	différent
fréquent	abondant	ardent	évident	violent	dernier
constant	élégant	étonnant	suffisant	aimable	traditionnel

332 **Écris les adverbes formés avec ces adjectifs.**

patient	négligent	récent	puissant	apparent	habile
excellent	inutile	humain	savant	heureux	habituel
furieux	chaud	innocent	décent	grave	complaisant

333 **Donne la nature des mots en bleu (adverbe ou nom) et accorde les noms.**

Les secrétaires disposent (intelligemment) leur travail. — Les agents renseignent (complaisamment) les touristes étrangers. — Au (commandement), les soldats se sont (rapidement) alignés. — Les arrières défendent (vaillamment) leur camp. — Les roses se balançaient (nonchalamment) sur leur frêle tige. — Les (garnement) ont été (sévèrement) réprimandés et ils ont dû (immédiatement) réparer les dégâts qu'ils avaient causés. — Pour qu'ils soient réussis, les (lancement) des fusées Ariane donnent lieu à des préparatifs (méticuleusement) exécutés.

334 **Donne la nature des mots en bleu (adverbe ou nom) et accorde les noms.**

Les petites maisons de la colline sont (violemment) secouées par le vent. — Les mamans apprennent (patiemment) à marcher à leurs petits enfants. — Les (aboiement) du chien nous ont alertés. — Les fenêtres des (logement), des (appartement), des salles de classe doivent être ouvertes pour renouveler l'air. — Nous nous enfonçons (pesamment) dans la terre labourée. — Nous voici en mars, les giboulées tombent (fréquemment). — Certains candidats ont répondu (oralement).

335 **Donne la nature des mots en bleu (adverbe ou nom) et accorde les noms.**

Ces enfants savent lire (couramment) et pourtant ils n'ont que cinq ans. — Les élèves de la classe de troisième ont passé (brillamment) leur brevet. — Les jeunes du village voisin arrivent (constamment) en retard au collège, le service de ramassage est (certainement) mal organisé. — Éric change les (roulement) à billes de sa roue de bicyclette. — Des (glissement) de terrain sont à craindre dans la région. — Les passants attendent (patiemment) la fin de l'averse. — Nous avons apporté quelques (embellissement) à notre maison. — Les livreurs sont partis (précipitamment) sans même nous présenter le bon de livraison.

336 **Accorde, s'il y a lieu, les mots entre parenthèses.**

Ils sont (fort) enrhumés. — Ils sont (vigoureux) et (fort), mais ils doivent ménager leur énergie. — Ces livres d'art coûtent (cher). — Lorsqu'elle est en vacances, Gersende n'oublie jamais d'écrire à ses (cher) amies. — Nous portons de (bon) souliers. — Les pluies avaient fait pousser une herbe verte et (dru) sur le terrain de golf. — Les grêlons tombent (dru) sur les toits des hangars ; gare aux tuiles cassées ! — La chorale de l'école est en (plein) répétition, les voix d'enfants sonnent (clair) dans la salle de réunion.

337 **Accorde, s'il y a lieu, les mots entre parenthèses.**

Tes calculs sont (juste) ; tu peux passer à l'exercice suivant. — Les calculs tombent (juste) ; il ne doit pas y avoir d'erreurs. — Les gymnastes s'arrêtent (net). — Les différents orateurs parlaient d'une voix (net) et bien (timbré). — Nous sommes allés (ensemble) au marché. — De nombreux voyageurs étaient (debout) dans le couloir du wagon. — Ils revenaient tous (ensemble) de l'école. — Vous êtes restés (debout) toute la matinée. — Nous avons fait (ensemble) un bout de chemin.

338 **Vocabulaire à retenir**

le terrain de golf ; le golfe de Gascogne
une assiette pleine ; la plaine d'Alsace
le toit du hangar ; habille-toi !

59e leçon

Le participe passé employé avec être ou avoir

La voiture est lavée automatiquement.
Elle a lavé la voiture.
La voiture a été lavée automatiquement.

RÈGLES

1. Le participe passé employé avec l'auxiliaire **être** s'accorde en genre et en nombre avec le sujet du verbe :
   La voiture est lavée. Le camion est lavé. Les voitures sont lavées.

2. Le participe passé employé avec l'auxiliaire **avoir** ne s'accorde jamais avec le sujet du verbe :
   Elle a lavé la voiture. Les enfants ont lavé la voiture.

3. Lorsqu'une expression verbale est formée de **avoir été**, c'est du verbe **être** qu'il s'agit. Dans ce cas, le participe passé s'accorde donc avec le sujet.
   Elle a été lavée. Il a été lavé. Elles ont été lavées.

EXERCICES

339 **Conjugue au passé composé et au plus-que-parfait de l'indicatif.**

être cloué au lit — salir ses chaussures — être essoufflé — louer des skis.

340 **Complète avec les participes passés des verbes entre parenthèses que tu accorderas s'il y a lieu.**

Les pelouses ont été (tondre) mais maintenant il faut ramasser l'herbe. — Nous avons (écouter) et (suivre) vos conseils ; nous avons bien (faire). — Vous avez (répondre) à toutes les questions. — Les monitrices ont (chanter) tout au long de la veillée. — Les chiens ont (aboyer) à l'approche des visiteurs inconnus. — Les bâches ont bien (protéger) les étalages des marchands de fruits.

341 **Complète avec les participes passés des verbes entre parenthèses que tu accorderas s'il y a lieu.**

Ces nappes ont été (broder) par mon arrière-grand-mère. — Nous avions (expédier) un carton de fournitures scolaires aux élèves du Bénin. — L'effondrement de la chaussée a été (provoquer) par le creusement d'un tunnel. — À l'issue des tests à la piscine, des médailles ont été (distribuer) aux meilleurs nageurs.

342 **Complète avec les participes passés des verbes entre parenthèses que tu accorderas s'il y a lieu.**

Les couteaux ont été (aiguiser) ; méfiez-vous, ils coupent ! — Les bûcherons avaient (abattre) plusieurs chênes centenaires. — Les paniers ont été (remplir) en quelques minutes de magnifiques cerises. — Les témoins ont été (entendre) par les enquêteurs mais le voleur court toujours ! — À peine distribués, les livres ont été (couvrir). — L'équipe de rugby de Pau a (obtenir) un match nul à Oloron. — Ils avaient (payer) leur facture d'électricité et pourtant ils ont (recevoir) un rappel. — Les monuments historiques ont été (ouvrir) gratuitement à l'ensemble du public. — La route a été (élargir) pour permettre le passage des poids lourds. — Au premier bruit, les cerfs ont (bondir) dans le fourré.

343 **Complète avec les participes passés des verbes entre parenthèses que tu accorderas s'il y a lieu.**

L'école maternelle où nous avons (passer) nos premières années d'écolier sera (reconstruire) prochainement. — Madame Ruet, (handicaper) par une mauvaise vue, n'est jamais (devenir) pilote d'hélicoptère, comme elle en rêvait ! — Les forges de Lorraine ont (façonner) des générations d'ouvriers fondeurs, au savoir-faire incontestable, mais qui n'ont (pouvoir) se reconvertir dans d'autres emplois. — Sur la place, plusieurs hommes du bourg avaient (revêtir) leurs vareuses de pompier. — Les automobilistes ont (éteindre) leurs phares puisqu'il n'y a plus de brouillard. — Les clowns ont (animer) l'après-midi récréatif. — Nous avons été (alerter) sur les méfaits du tabac. — Comme les lettres contenaient des documents importants, elles ont été (expédier) par porteur spécial.

344 **Complète avec les participes passés des verbes entre parenthèses que tu accorderas s'il y a lieu.**

Quelle joie j'ai (avoir) à visiter ce vieux château moyenâgeux ; j'ai (imaginer) les chevaliers et les seigneurs au long des veillées (animer) par les troubadours. — Un jour, tu as (rire) si fort que les passants ont (lever) la tête et nous ont (voir). — Deux barreaux de fer avaient (devoir) clore cette ouverture, mais le temps les avait (desceller). — « Que de livres ! s'écria-t-elle. Et vous les avez tous (lire), monsieur Bonnard. » — La neige a (couler) du ciel bas ; elle a tout (ensevelir).

345 **Fais l'exercice sur le modèle :** avaler → Le boa a avalé deux petits rats. → Deux petits rats ont été avalés par le boa.

ramasser — remplir — émerveiller — plier — détruire — écrire.

346 **Vocabulaire à retenir**

le bûcheron — le chêne — l'enquêteur — la bâche
un document — un monument — l'effondrement — le creusement

60e leçon

Le participe passé employé avec l'auxiliaire être

Nos concerts sont annoncés à la radio.
Je suis montée dans le tramway.

RÈGLE

Le participe passé employé avec l'auxiliaire être s'accorde en genre et en nombre avec le sujet du verbe :

« Qui est-ce qui »

est annoncé ?	**les concerts**	[3e pers. du plur., masc.]	**annoncés**
est monté ?	**moi** (je = ici, une fille, une femme)	[1re pers. du sing., fém.]	**montée.**

EXERCICES

347 **Conjugue au passé composé et au plus-que-parfait de l'indicatif.**
partir à temps — aller à la gare — arriver à l'heure — sortir du cinéma.

348 **Conjugue au temps indiqué.**
Imparfait de l'indicatif : être fatigué — être allongé sur le lit.
Passé simple : être bien soigné — être maintenant guéri.
Futur simple : être entendu — être écouté.
Impératif : être remercié — être rassuré.

349 **Accorde les participes passés des verbes entre parenthèses.**
Les boîtes de conserve sont (empiler) dans son placard. — Il y avait tellement de monde que des spectateurs sont (entrer) sans prendre de billet. — Ces questionnaires ont été (remplir). — Les factures sont (vérifier), puis (payer). — Les grains sont (broyer) et (réduire) en farine. — Les volailles ont été (plumer), (flamber), (embrocher) et (placer) dans la rôtissoire du boucher. — Les quais du port sont (encombrer) de marchandises. — Les vitraux de l'église étaient (incendier) par les feux du soleil couchant.

350 **Accorde les participes passés des verbes entre parenthèses.**
Les lettres sont (trier) automatiquement puis elles sont (distribuer) à domicile. — Les façades de ces pavillons sont (égayer) par des rosiers grimpants. — Les élèves furent (conduire) à la piscine tous les jeudis. — Des quintuplés sont (naître) à la maternité de Grenoble. — Des propos pas très aimables ont été (échanger) par les joueurs pendant la partie mais ils ont été (oublier) devant le verre de l'amitié ! — Des puits ont été (creuser) au cœur du désert.

351 **Accorde les participes passés des verbes entre parenthèses.**

Vous avez été (rejoindre) par vos camarades. — Nous sommes (arriver) avant le départ du train. — De grands bâtiments avaient été (détruire) par un vaste incendie. — Les pelouses ont été (tondre) par le jardinier. — Les enfants sont (partir) à la plage, ils pensent être (revenir) avant midi. — Quand les dernières lueurs du couchant furent (éteindre), la lune se leva à l'horizon. — Les digues avaient été (rompre) sous l'assaut des vagues. — Les pompiers sont (bloquer) dans les embouteillages de la fin de journée. — Les moulins à café mécaniques sont (devenir) des objets de musée.

352 **Accorde les participes passés des verbes entre parenthèses.**

Dès que les routes eurent été (dégager) par les chasse-neige, les vacanciers purent rejoindre les stations de sports d'hiver. — Il ne faut pas que nous soyons (fatiguer), si nous voulons aller à la fête. — Messieurs, ne soyez pas (fâcher) de mon silence. — Faute de moyens de transport, on est (contraindre) de faire la route à pied. — Nous aurions été (enchanter) de faire cette promenade, mais le temps nous a (manquer). — Les cheminots ont été (augmenter) ; ils sont (satisfaire). — Les trafiquants sont (trahir) par leurs empreintes digitales ; ils sont aussitôt (arrêter).

353 **Accorde les participes passés des verbes entre parenthèses.**

Vos livres devront être (couvrir) et vos cahiers (tenir) avec soin. — Quand les planches auront été (raboter), (scier) à la mesure, le menuisier les ajustera. — Les fruits seront (cueillir) avec soin, (emballer), puis (expédier) à la ville. — À l'approche de l'orage, les animaux sont (saisir) de frayeur et s'approchent de la clôture. — Je voudrais que vous soyez (persuader) que cette solution est la meilleure. — Certains arbres risquent d'être (déraciner) si la tempête continue à souffler. — Chaque dimanche matin, les allées du parc sont (envahir) par les amateurs de course à pied.

354 **Accorde les participes passés des verbes entre parenthèses.**

Quand les meubles auront été (changer) et les tapis bien (nettoyer), la salle à manger aura bel aspect. — Les rhinocéros furent (photographier) par les chasseurs d'images (dissimuler) dans les hautes herbes. — Les chevaux étaient (harceler) par les taons. — Les déchets sont (rejeter) directement dans la rivière ; les riverains sont (troublé) et ils se demandent si leur santé n'est pas (menacer). — Ces jeunes filles ont été (admettre) en classe de quatrième sans aucun problème. — Nous avons été (surprendre) par l'averse, mais nous avons (trouver) un abri. — Les œufs sont (battre) et (verser) dans le moule à gâteau.

355 **Vocabulaire à retenir**

la frayeur — le balayeur — le broyeur — l'envoyeur
le couchant — le ruminant — le colorant — le figurant

61e leçon

Le participe passé employé avec l'auxiliaire avoir

Ces acteurs ont **connu** un vif succès.
Nous avons **connu** un vif succès.

RÈGLE

Le verbe **avoir** n'est pas un verbe d'état.
Le participe passé employé avec l'auxiliaire **avoir** ne s'accorde **jamais** avec le sujet du verbe :
ils ont connu, nous avons connu.

EXERCICES

356 **Conjugue au passé composé et au plus-que-parfait de l'indicatif.**

chanter à tue-tête — peindre la grille — bien dormir
attendre patiemment — déboucher la bouteille — classer les fiches

357 **Conjugue aux temps indiqués.**

Présent de l'indicatif : être servi. *Passé composé :* servir le rôti.
Imparfait de l'indicatif : être levé. *Plus-que-parfait :* lever son verre.

358 **Écris les participes passés des verbes entre parenthèses et accorde si nécessaire.**

Nous avons (aimer) ce film.
Nous avons été (aimer).
Nous sommes (aimer) de nos amis.
Nous avons (choisir) une place.
Nous avons été (choisir) pour réciter.
Nous sommes (choisir) pour réciter.

Elles ont (cueillir) des pêches.
Les pêches ont été (cueillir).
Les pêches sont (cueillir).
Ils avaient (voir) des cigognes.
Les cigognes avaient été (voir).
Les cigognes étaient (voir).

359 **Écris les participes passés des verbes entre parenthèses.**

Kevin et Ourda ont (conduire) les autos tamponneuses avec assurance. — Les campeurs ont (dresser) leurs tentes. — Les aventures de la fée Carabine m'ont beaucoup (plaire). — Les charcutiers ont (vendre) des jambons, ils en ont (tirer) un bon prix. — La neige a (fondre) dès que le soleil a (briller). — Vous avez (perdre) un temps précieux. — Ils ont (courir), ils ont (sauter), ils ont (grimper), ils ont bien (employer) leur journée. — Elles avaient (écouter) des disques tout l'après-midi. — Les électriciens ont (réussir) à rétablir le courant. — Nous avons (porter) nos vêtements au pressing. — Jeanne et Marguerite ont (lire) leur livre et ont (apprendre) leur leçon.

360 **Écris les participes passés des verbes entre parenthèses.**

Le beurre a (grésiller) dans la poêle. — Quand les mécaniciens eurent (réparer) les moteurs, ils les remontèrent. — Les jardiniers auraient (tailler) les arbres fruitiers, si le temps avait été propice. — Thierry a (éplucher) les légumes. — Les hôtesses ont (annoncer) l'arrivée du vol Bangkok-Paris. — Par ce froid terrible, les derniers géraniums ont (geler). — Les promeneurs ont (respecter) les plantations d'épicéas.

361 **Écris les participes passés des verbes entre parenthèses.**

Les musiciens ont (jouer) toute la soirée ; ils ont (obtenir) un véritable triomphe. — La vendeuse a (sortir) plusieurs pantalons pour que tu puisses les essayer. — La standardiste a (terminer) sa journée ; elle ne veut plus entendre parler de téléphone ! — Les joueurs ont (rivaliser) d'ardeur pour gagner. — En creusant la galerie du tunnel, les terrassiers ont (dégager) un véritable trésor archéologique. — Nous avons bien (regretter) d'avoir été absents lors de votre visite. — Vous avez (vaincre) la peur en vous raisonnant. — En déplaçant l'armoire, Raphaël a (sentir) une douleur au bras.

362 **Écris les participes passés des verbes entre parenthèses.**

Nous avons (recevoir) des lettres qui avaient été (décacheter) : par qui ? nul ne le sait. — Les fusibles ont (sauter), ils ont été (changer). — La tempête avait (causer) des dégâts qui ont été rapidement (réparer). — La nouvelle mode a (choquer) par son audace ; où vont s'arrêter les couturiers ? — Contrairement à tous les usages, les avions ont (atterrir) de nuit ; les riverains de l'aéroport ont (protester). — Les jeunes chômeurs ont (consulter) les offres d'emploi mais ils n'ont pas (trouver) de propositions intéressantes. — Hervé a (terminer) la rédaction de son livre. — Le pianiste a (interpréter) une sonate.

363 **Écris les participes passés des verbes entre parenthèses.**

Nous avons (lire) la notice de montage avant de commencer l'assemblage des pièces. — Cette lettre sera (relire) avec attention. — Ces récits ont été (lire) rapidement. — Les vagues ont (battre) le rivage avec fureur. — Pour cette finale, tous les records d'affluence sont (battre). — Tes adversaires sont (battre) à plate couture ; tu es vraiment la plus forte au Scrabble. — Les brouillards avaient (voiler) l'horizon. — Les fenêtres avaient été (voiler) par des rideaux légers. — Les montagnes étaient (voiler) de brume. — Quand les enfants auront (manger) leur goûter, ils reprendront leurs jeux. — Sans l'épouvantail, les cerises seraient (manger) par les merles. — Sans les oiseaux, les fleurs auraient été (manger) par les chenilles.

364 **Vocabulaire à retenir**

le couturier — le charcutier — le plombier — le policier
l'épouvantail — le travail — le vitrail — le détail — l'autorail

62e leçon

Le participe passé employé avec l'auxiliaire avoir (suite)

Elles ont chanté. Elles ont chanté des airs connus.
Les airs qu'elles ont chantés sont connus.
Ces airs **nous** ont ravis.

RÈGLES

1. Le participe passé employé avec l'auxiliaire **avoir** ne s'accorde jamais avec le sujet du verbe, mais il s'accorde en genre et en nombre avec le complément d'objet direct quand celui-ci est placé **avant** le participe.

2. En posant la question « Qui ? » ou « Quoi ? » après le verbe, on trouve assez souvent le complément d'objet direct (COD) :

Elles ont chanté	qui ? quoi ?	Pas de COD, donc pas d'accord.
Elles ont chanté	quoi ?	**des airs connus :** le COD est placé après le participe passé, donc pas d'accord : **chanté**
(qu') elles ont chanté	quoi ?	**les airs** (masc. plur.) : le COD est placé avant le participe donc accord : **chantés.**
Ces airs ont ravi	qui ?	**nous** (masc. ou fém. plur.) : le COD est placé avant le participe passé donc accord : **ravis ou ravies.**

EXERCICES

365 Accorde les participes passés des verbes entre parenthèses.

Les bourgeons ont (entrouvrir) leurs écailles poisseuses. — Les opérations que les élèves ont (calculer) ne sont pas difficiles. — Les cultivateurs visitent les champs que l'orage a (dévaster). — Les roses que mes cousines ont (cueillir) sont très parfumées. — Madame Descaillot a (rapporter) un bouquet de jonquilles. — Nous avons (regarder) notre feuilleton. — Le froid nous a (rougir) le visage.

366 Accorde les participes passés des verbes entre parenthèses.

Des noisettes jonchaient le sol, nous les avons (ramasser). — Le soleil nous a (accabler) de ses rayons brûlants mais nous n'avons pas (bronzer). — Les enfants s'arrêtent devant la vitrine du bazar que monsieur Dumont a (garnir) de jouets. — Les dahlias que la gelée a (flétrir) pendent sur leur tige. — La cagette de fruits que vous avez (acheter) au bord de la route remplit la voiture d'une odeur sucrée de pêche mûre.

367 Accorde les participes passés des verbes entre parenthèses.

Nous avons (apprendre) la nouvelle qui nous a (ravir). — Dominique a (laver) la voiture, puis l'a (essuyer). — Les copies que le professeur a (distribuer) ont été immédiatement (corriger). — Les journalistes ont (annoncer) les résultats sportifs et les ont (commenter). — Le pompiste a (accepter) des chèques qu'il a (adresser) à sa banque. — Nos camarades nous ont (prodiguer) des conseils dont nous avons (faire) notre profit.

368 Accorde les participes passés des verbes entre parenthèses.

Nous avons (suivre) un itinéraire qui nous a (retarder). — Alex et Céline ont (écouter) les disques qu'ils ont (acheter). — Nous avons (avoir) de la peine à sortir du brouillard qui nous avait (envelopper). — Le maître nous a (interroger) et nous avons bien (répondre). — On ne peut pas creuser la terre que le gel a (durcir). — Le conférencier nous avait beaucoup (intéresser).

369 Accorde les participes passés des verbes entre parenthèses.

J'ai (apprendre) mes tables de multiplication et je les ai (réciter) sans me tromper. — Les fourmis ont (entasser) les provisions qu'elles ont patiemment (chercher). — La salade de fruits que nous avons (préparer) a été (apprécier) ; les invités n'ont rien (laisser). — Les personnes soupçonnées ont facilement (prouver) leur innocence ; elles ont (présenter) un alibi.

370 Accorde les participes passés des verbes entre parenthèses.

Des vapeurs légères ont (voiler) l'horizon, le soleil les a (absorber). — La foudre a (frapper) une vieille maison et l'a (éventrer). — Le vent a (déraciner) de grands arbres et les a (coucher) sur le sol. — La candidate avait (négliger) d'apprendre le code de la route, elle l'a (regretter) puisqu'elle a (échouer) à l'examen. — Cette longue marche nous avait (fatiguer), nous avons (faire) halte dans une clairière. — Les crapauds ont (avaler) toutes les limaces qu'ils ont (rencontrer). — Cette commerçante a (vendre) tous les vêtements qu'elle avait (exposer).

371 Accorde les participes passés des verbes entre parenthèses.

Les botanistes ont (examiner) longuement les plantes qu'ils ont (trouver) dans la montagne. — Soyons reconnaissantes envers ceux qui nous ont (aider) quand nous étions en difficulté. — Soyez (satisfaire), le sort vous a (combler). — Les hirondelles sont (revenir), nous les avons (voir). — Nous avons été (peiner) du malheur qui a (frapper) les habitants de ce village sinistré par un tremblement de terre ; nous les avons (aider) en envoyant des couvertures.

372 Vocabulaire à retenir

un rallye — un incendie — un parapluie — un sosie
un amas, amasser — un tas — un pas, passer, un passant

Le participe passé en -é ou l'infinitif en -er

Les personnes arrivées en retard vont patienter un moment.
Les personnes venues en retard vont attendre un moment.

RÈGLES

Il ne faut pas confondre le participe passé en -é avec l'infinitif en -er.

1. On reconnaît l'infinitif en -er à ce qu'il peut être remplacé par l'infinitif d'un verbe d'un autre groupe (prendre, attendre, voir, courir...) ; en lisant le mot à haute voix, on entend la différence :
   Elles vont patienter (attendre).

2. Dans le cas contraire, c'est le participe en -é qui peut, lui, être remplacé par le participe passé d'un verbe d'un autre groupe :
   Les personnes arrivées (venues).

EXERCICES

373 Complète par -é ou -er. Justifie la terminaison -er en donnant un infinitif de sens approché.

Je voulais visit... des pays ensoleill... et je me suis retrouv... au cap Nord, pour admir... le soleil de minuit ! — Pour prépar... son sandwich, Caroline utilise du pain congel... . — Alors qu'il venait de pass... en tête au sommet du col du Tourmalet, le coureur, épuis..., mit pied à terre. — Qu'il est bon d'écout... des histoires du temps pass... surtout quand elles sont racont... par nos grands-parents. — Si vous voulez que votre gâteau soit bon, vous devez bien respect... le temps de cuisson indiqu... par la recette.

374 Complète par -é ou -er. Justifie la terminaison -é en donnant un adjectif qualificatif ou un participe passé d'un verbe du 3e groupe.

Amandine, attrist..., regarde mont... le ballon qu'elle vient de lâch... ; on le retrouvera peut-être en Chine, s'il y a assez de vent ! — Le chat, le poil hériss..., est prêt à griff... celui qui touchera à son repas. — On est pri... de ne pas touch... aux objets expos... dans les vitrines du musée. — Dans l'attente du départ de la course du tiercé, les chevaux n'arrêtent pas de piaff..., tout comme les parieurs !

375 Fais l'exercice sur le modèle suivant.

Ex. : ajouter → ajouter des nombres ; des nombres ajoutés

laver	peler	disputer	remplacer	allumer	écraser
couper	coller	vider	saler	brûler	mériter

376 **Complète par -er ou -é.**

La rivière se met à charri... des glaçons. — Ces voitures, entièrement révis..., pourront encore effectu... des milliers de kilomètres. — Le lad s'apprête à lav... puis à bross... les chevaux plac... sous sa responsabilité. — Le sol fertilis... par l'engrais doit donn... de meilleures récoltes. — Les plages désert... par les touristes vont retrouv... le calme. — Avec ses cheveux décolor..., l'actrice ne passe pas inaperçue. — C'est la période des soldes, les magasins de vêtements sont dévalis... par des clients attir... par les bonnes affaires à réalis... .

377 **Complète par -er ou -é.**

Les moteurs laissent échapp... des gaz dangereux pour la santé. — Le vent faisait claqu... les drapeaux déploy... au-dessus des tribunes. — On voyait arriv... l'heure de la sortie avec impatience. — Les photos, soigneusement class..., sont rang... dans l'album. — Dans l'étang, on voyait évolu... de jolies carpes. — L'air est si calme qu'on sent pass... des souffles embaum... . — La neige, pouss... par le vent, vient s'amass... le long des routes et forme des congères.

378 **Complète par -er ou -é.**

Les instructions donn... ont été respect... à la lettre et le montage est terminé ; la chaîne haute fidélité devrait fonctionn... . — Pour ne pas froiss... les pages d'un livre, il faut les feuillet... sans mouill... son doigt. — Les produits fabriqu... dans cette usine sont transport... à la gare pour être expédi... dans le monde entier. — Avant d'utilis... cette tronçonneuse, il faut observ... des mesures de sécurité. — Cribl... de dettes, l'escroc essaie d'échapp... à la police mais il sera arrêt... à la frontière.

379 **Complète par -er ou -é.**

Pour chant..., il ne faut pas cri... . — Pour un alpiniste se lev... tôt est indispensable sinon la glace fond et la marche devient impossible, sauf à risqu... sa vie. — Martin a dessin... avec goût et l'harmonie des couleurs renforce la mélancolie du poème qu'il a illustr... . — Pêch... est la distraction favorite de monsieur Collet depuis qu'il est à la retraite ; celle de madame Rebillard est de cultiv... des fleurs. — Frédérique a flân... le long des quais, regard... les bateaux remont... ou descendre le fleuve ; cela lui plaît. — Pour achet... ce VTT, Renaud a sacrifi... toutes ses économies.

380 **Écris trois phrases où tu emploieras au moins un infinitif en -er et trois phrases où tu emploieras au moins un participe passé en -é.**

381 **Vocabulaire à retenir**

pêcher — dessiner — fonctionner — échapper — arrêter — amasser
charrier — attirer — visiter — exposer — feuilleter

64e leçon

Le participe passé en -i ou le verbe en -it

Martin remplit la fiche. Martin remplissait la fiche.
La fiche remplie est corrigée. La fiche faite est corrigée.

RÈGLES

Il ne faut pas confondre le participe passé en -i avec la forme conjuguée du verbe terminée par -it (présent ou passé simple).

1. Lorsqu'on peut mettre le mot à l'imparfait, on a une forme conjuguée du verbe et alors il faut écrire la terminaison -it :
Martin remplit (remplissait) la fiche.

2. Dans le cas contraire, c'est le participe passé en -i qui s'accorde éventuellement :
La fiche remplie (faite) est corrigée.

EXERCICES

382 Complète par le participe passé ou le verbe conjugué. Justifie la terminaison du verbe conjugué en écrivant l'imparfait entre parenthèses.

Le médecin donne des soins au malade évanou... . — L'enfant s'évanou... de frayeur à la vue du monstre préhistorique. — La source jaill... au pied du coteau. — Le chef de chantier réfléch... avant de distribuer le travail aux ouvriers. — Ce joueur, appliqué et réfléch..., gagnera le tournoi d'échecs. — Le bulldozer démol... le vieux mur. — La maison démol... laisse apercevoir l'intérieur des pièces encore meublées. — Ce vêtement est de mauvaise qualité, il rétréc... au lavage. — Le chemin élarg... laisse désormais passer les camions.

383 Complète par le participe passé ou le verbe conjugué. Justifie la terminaison du verbe conjugué en écrivant l'imparfait entre parenthèses.

Le castor bât... sa hutte avec des branchages. — La cabane bât... par les jeunes du centre a été aménagée. — Le coureur franch... la ligne d'arrivée avec cinq minutes d'avance sur ses concurrents. — La haie franch... par les chevaux est assez haute. — Madame Lebert chois... des mèches pour sa perceuse. — L'actrice chois... par le metteur en scène obtient son premier grand rôle. — Le froid bleu... le visage des rares passants. — Tu grav... la tour Eiffel à pied : quel courage ! — La pente grav..., le randonneur se repose. — Après l'ondée, le soleil apparaît dans un ciel éclairc... .

384 **Complète par le participe passé ou le verbe conjugué. Justifie la terminaison du verbe conjugué en écrivant l'imparfait entre parenthèses.**

La Beauce fourn... beaucoup de blé. — La brebis a une toison bien fourn... . — Le skieur éblou... par l'éclat du soleil porte des lunettes. — La lumière des phares éblou... l'automobiliste. — Un rayon de soleil rajeun... la vieille maison. — Ses yeux clairs brillent dans son visage rajeun... . — Le chat, prêt à griffer, arrond... son dos. — Le village est juché sur le dôme arrond... du coteau. — L'écrivain noirc... des pages de sa petite écriture fine. — Le plafond, noirc... par la fumée, n'a plus de blanc que le nom ! — Le peintre éclairc... la couleur rouge qu'il juge trop foncée.

385 **Complète par le participe passé ou le verbe conjugué. Justifie la terminaison du verbe conjugué en écrivant l'imparfait entre parenthèses.**

Le pivot de l'équipe de Prissé, enhard... par les encouragements du public, marque panier sur panier. — Le vannier assoupl... les brins d'osier avant d'entamer la confection des panières. — Les muscles jouent bien dans le corps de l'athlète assoupl... par les exercices physiques. — Un cachet de ce médicament assoup... le malade. — On ne rencontre personne dans les rues du village assoup... en cette soirée d'hiver. — Seul le poulet nourr... au maïs et vivant en liberté mérite le label *poulet de Bresse*. — La chaleur flétr... les fleurs. — L'ouvrier pol... les plaques de marbre. — Le commerçant établ... régulièrement l'état de ses stocks de marchandises. — Le pont récemment établ... sur la rivière a été emporté par les eaux.

386 **Complète par le participe passé ou le verbe conjugué. Justifie la terminaison du verbe conjugué en écrivant l'imparfait entre parenthèses.**

La marmotte, engourd... par l'hiver, ne quitte pas son terrier. — Le froid engourd... les muscles du skieur de fond. — Le repas serv... au restaurant scolaire est assez copieux. — La grand-mère serv... une tarte délicieuse à ses petits-enfants. — L'ébéniste vern... un meuble ancien. — Le bahut vern... trône dans la salle à manger. — Tu roug... dès que l'on te fait un compliment ; ne sois pas si timide. — On entendait le bruit assourd... de l'océan bien que l'on soit à un kilomètre du rivage. — Le tapis de feuilles assourd... les pas.

387 **Écris trois phrases où tu emploieras un verbe conjugué en -it et trois phrases où tu emploieras un participe passé en -i.**

388 **Vocabulaire à retenir**

laid, la laideur, enlaidir, un laideron
un athlète — s'enhardir — le bahut — préhistorique

65e leçon

Le participe passé en -is ou le verbe en -it

Il comprit son erreur. Il comprenait son erreur.
Il a compris son erreur. Il a corrigé son erreur.

RÈGLES

Il ne faut pas confondre le participe passé en -is avec la forme conjuguée du verbe terminée par -it (présent ou passé simple).

1. Lorsqu'on peut mettre le mot à l'imparfait, on a une forme conjuguée du verbe et alors il faut écrire la terminaison -it :

Il comprit (comprenait) son erreur.

2. Dans le cas contraire, c'est le participe passé en -is qui s'accorde éventuellement : Il a compris son erreur.

EXERCICES

389 **Complète par le participe passé ou le verbe conjugué. Justifie la terminaison du verbe conjugué en écrivant l'imparfait entre parenthèses.**

Le tournoi repri... dès la fin de l'averse. — L'emballage repri... par le marchand avait été consigné. — Le gendarme surpri... le voleur la main dans le sac. — Le conducteur, surpri... par le brouillard, ralent... . — Mon frère a réussi son brevet, mes parents lui donnent le cadeau promi... . — Lors de la campage électorale, le candidat promi... monts et merveilles aux électeurs.

390 **Complète par le participe passé ou le verbe conjugué. Justifie la terminaison du verbe conjugué en écrivant l'imparfait entre parenthèses.**

Tout voyageur admi... dans ce train rapide doit payer un supplément. — Mon camarade admi... qu'il pouvait y avoir une autre solution que celle qu'il proposait. — La sentinelle transmi... le mot de passe à celui qui venait le relever. — Ce message transmi... par télécopie vient de nous parvenir.

391 **Écris trois phrases où tu emploieras un verbe conjugué en -it et trois phrases où tu emploieras un participe passé en -is.**

392 **Vocabulaire à retenir**

le tournoi — le désarroi — le roi — le convoi — le renvoi
le supplément — supplier — supporter — supprimer

Le participe passé en -t ou le verbe en -t

Le routier conduit avec prudence.
Le camion, conduit avec prudence, ralentit.

RÈGLES

Il ne faut pas confondre le participe passé en -t avec la forme conjuguée du verbe terminée par -t.

1. Lorsqu'on peut mettre le mot à l'imparfait, on a une forme conjuguée du verbe et alors il faut écrire la terminaison -t :
   Le routier conduit (conduisait) avec prudence.

2. Dans le cas contraire, c'est le participe passé en -t qui s'accorde éventuellement : La voiture, conduite avec prudence, ralentit.

EXERCICES

393 **Complète par le participe passé ou le verbe conjugué. Justifie la terminaison du verbe conjugué en écrivant l'imparfait entre parenthèses.**

Les murs endui... de chaux sont plus sains que les murs recouverts de papiers pein..., mais ils sont moins beaux. — L'ouvrier repein... tous les volets de l'immeuble. — Le jour étein... les étoiles. — La voiture des braconniers s'engage dans le chemin, tous feux étein... .

394 **Complète par le participe passé ou le verbe conjugué. Justifie la terminaison du verbe conjugué en écrivant l'imparfait entre parenthèses.**

Les planches disjoin... devront être remplacées. — Les travaux fai... à la hâte sont rarement durables. — Le paon fai... la roue pour le plus grand plaisir des visiteurs du zoo. — La région de Roquefort produi... un fromage de brebis de renommée mondiale. — Les ordinateurs produi... dans cette usine sont vendus en Italie. — L'eau s'échappe des tuyaux mal join... .

395 **Écris deux phrases où tu emploieras un verbe conjugué en -t et deux phrases où tu emploieras un participe passé en -t.**

396 **Vocabulaire à retenir**

brouiller, débrouiller, débrouillard, le brouillon, le brouillard
la chaux — le taux — la faux — le paon — le faon

67e leçon

Le participe passé en -u ou le verbe en -ut

Fabien reçut un message urgent. Le message reçu était urgent.

RÈGLES

Il ne faut pas confondre le participe passé en -u avec la forme conjuguée du verbe terminée par -ut.

1. Lorsqu'on peut mettre le mot à l'imparfait, on a une forme conjuguée du verbe et alors il faut écrire la terminaison -ut :

Fabien reçut (recevait) un message urgent.

2. Dans le cas contraire, c'est le participe passé en -u qui s'accorde éventuellement : Le message reçu était urgent.

EXERCICES

397 Complète par le participe passé ou le verbe conjugué. Justifie la terminaison du verbe conjugué en écrivant l'imparfait entre parenthèses.

Assoiffé, le marathonien b... une grande rasade et repartit. — La potion magique b... par Astérix lui donne de la force. — Les jeunes enfants du centre, assis autour d'un feu de camp, fredonnaient une chanson conn... . — L'explorateur conn... les souffrances de la soif lors de la traversée du désert. — Le café moul... trop longtemps à l'avance perd son arôme.

398 Complète par le participe passé ou le verbe conjugué. Justifie la terminaison du verbe conjugué en écrivant l'imparfait entre parenthèses.

La voiture dispar... au sommet de la côte dans un nuage de poussière. — L'avion dispar... au-dessus des Pyrénées transportait de nombreux passagers. — Jeanne s... répondre intelligemment. — La nouvelle à peine s..., tout le monde voul... connaître les détails. — Le promoteur concl... une bonne affaire. — Le marché concl..., le client signe un chèque. — Le joueur, excl... du terrain, sera suspend... pour le prochain match. — Madame Dubois excl... le sucre de son alimentation.

399 Écris deux phrases où tu emploieras un verbe conjugué en -ut et deux phrases où tu emploieras un participe passé en -u.

400 Vocabulaire à retenir

le camp, camper, le camping, le campeur, décamper, le camping-car

L'infinitif

Les pneus sont lisses, il faut les **changer**.
Les élèves doivent **finir** leur travail avant la récréation.
Les élèves **finirent** leur travail avant la récréation.

RÈGLES

1. L'infinitif est invariable :
   il faut le **changer**, il faut les **changer**.

2. Il ne faut pas confondre l'infinitif en -ir avec la 3e personne du pluriel du passé simple en -irent. Quand on peut mettre l'imparfait à la place du mot, il faut écrire la terminaison -irent du passé simple :
   Les élèves finirent (finissaient) leur devoir avant la récréation.

EXERCICES

401 **Complète les verbes.**

Le tuyau est bouché ; le plombier vient le répar... . — Les cafards envahissent l'appartement, il faut les détruir... . — Les crapauds sont utiles, il faut les protég... . — Les bourgeons pointent, le soleil printanier va les fair... éclor... . — Les enfants prennent des ballons et vont essay... de marqu... des paniers. — Les chevaux s'emballent, le cow-boy ne peut les maîtris... . — Deux heures pour repeindre toute la chambre, cela ne va pas suffir... .

402 **Complète les verbes.**

Mon père pose des pièges dans le jardin, les taupes vont s'y prendr... . — Les étoiles s'allument, on les voit apparaîtr... quand la nuit est noire. — Les enfants s'attardent, leur maman voudrait bien les voi... rentr... . — Les abeilles entrent dans les fleurs et les font vacill... sur leur tige. — Pour arriv... plus vite à Lille, monsieur Roumat va prend... l'autoroute. — Les volets de fer sont rouillés, il faut les gratt... avant de les repeindr... — Carole devrait s'inscri... au tournoi de tennis ; elle joue de mieux en mieux. — Ces problèmes sont difficiles, je ne parviens pas à les résoudr... .

403 **Complète les verbes.**

Les femmes des marins regardaient les navires se perdr... dans le lointain. — Les hirondelles sont de retour, c'est une joie de les revoi... et de les suivr... dans le ciel. — Quand une personne prend la parole, il est impoli de l'interrompr... . — Mes camarades m'ont demandé de les attendr..., mais je ne les vois pas veni... . — Certains mots ont la même prononciation, mais une orthographe différente, il faut réfléch... pour ne pas les confondr... . — Rien ne sert de cour..., il faut part... à point.

404 Complète les verbes.

Quand on désire des récompenses, il faut les mérit... . — Il y a une exposition de roses ; la foule se presse pour les voi... . — La neige recouvrait les champs et semblait les ensevel... . — Les enfants sortent de l'école, la pluie les fait cour... vers leur maison. — Les touristes s'étaient trompés de route, l'agriculteur s'offrit à les mettr... dans la bonne direction. — Il faut avoir grand soin des livres que l'on vous prête et les rendr... en parfait état.

405 Complète par -ir ou -irent. Justifie la terminaison -irent en écrivant l'imparfait entre parenthèses.

Les gendarmes allaient sais... le malfaiteur quand il leur échappa. — Les escrimeurs français sais... leur chance et ils remportèrent la médaille d'or par équipe. — Les phares éblou... le cycliste. — Il ne faut pas se laisser éblou... par les apparences. — Les supporters sont venus pour applaud... leur équipe préférée. — Après trois heures de conduite harassante, les routiers se dégourd... les jambes sur le parking. — Tous les élèves réun... leurs économies pour faire un cadeau à leur professeur. — Aujourd'hui, il y a un espoir de guér... les cancers.

406 Complète par -ir ou -irent. Justifie la terminaison -irent en écrivant l'imparfait entre parenthèses.

Les enfants se serv... eux-mêmes, mais ils renversèrent le plat. — Avant de se serv... de leurs outils, les menuisiers les affûtent. — Les dentellières du Velay vieill... dans leur village natal en conservant leurs secrets de fabrication. — Ce n'est rien de vieill... quand on conserve la santé. — Les branches du pommier fléch... sous le poids des fruits. — Le contrôleur ne se laissa pas fléch... : pour des raisons de sécurité il limita le nombre de passagers sur le bateau. — Les torrents alpins s'assag... dans la plaine.

407 Complète par -ir ou -irent. Justifie la terminaison -irent en écrivant l'imparfait entre parenthèses.

Les premières gelées blanch... la campagne. — Monsieur Durand s'inquiète : ses cheveux commencent à blanch... . — Les chauds rayons du soleil mûr... les pêches veloutées. — Voici l'été, fraises et cerises vont mûr... . — Le fait divers était sans importance mais les journalistes gross... l'affaire pour attirer les lecteurs. — Le vent se levait, la mer allait gross..., les pêcheurs devaient rentrer au port. — À l'entrée de l'agglomération, les voitures ralent... . — Les pompiers essayèrent vainement de ralent... la progression des flammes. — Pour nourr... les éléphants des zoos, il faut des tonnes de fourrage.

408 Vocabulaire à retenir

interrompre, l'interruption, l'interrupteur
un professeur, une profession, professionnel

L'accord du verbe

Le voyageur attend le train. Les voyageurs attendent le train.
Tu attends le train. Lila et Paul attendent le train.

RÈGLES

1. Le verbe s'accorde en personne et en nombre avec son sujet. On trouve le sujet en posant la question « **Qui est-ce qui ?** » :

« Qui est-ce qui » attend ?

le voyageur	[3e pers. du sing.]	→ **attend**
les voyageurs	[3e pers. du plur.]	→ **attendent**
toi (tu)	[2e pers. du sing.]	→ **attends**

2. Deux sujets singuliers valent un sujet pluriel :

« Qui est-ce qui » attend ?

Lila et Paul [3e pers. du plur.] → **attendent**.

EXERCICES

409 **Écris les verbes entre parenthèses au présent de l'indicatif.**

Je (faire) mon travail avec plaisir. — Je (serrer) les freins parce que la descente est dangereuse. — Tu (descendre) l'escalier quatre à quatre, enfin c'(être) une manière de dire que tu (aller) très vite. — J'(éteindre) la lumière. —Le menuisier (manier) avec habileté son ciseau à bois. — Avant de jouer, tu (accorder) ton violon. — Le jardinier (cueillir) les tomates mûres. — Le liseron (envahir) la pelouse.

410 **Écris les verbes entre parenthèses au présent de l'indicatif.**

La chienne (flairer) les jambes de son maître. — Il (choisir) un jeu tranquille. — Yolande (s'enfuir) à toutes jambes à la vue de la vipère. — Tu (préparer) le repas pendant que ton frère (mettre) la table. — Monsieur Ducasse (prendre) son billet au dernier moment. — Madame Gratien (écourter) son séjour à Malte à cause de la chaleur. — Les savants (annoncer) une éruption volcanique dans les jours prochains. — Jessy (redouter) par-dessus tout les piqûres de guêpe.

411 **Écris les verbes entre parenthèses au présent de l'indicatif.**

Les infirmières (veiller) les malades. — Les côtelettes (griller) sur le barbecue. — Le jeune enfant (vaciller) encore sur ses petites jambes. — Les jeunes mariés (se tenir) par la main à la grande joie de tous les invités. — Les décharges sauvages (enlaidir) le paysage. — Le diamant (scintiller). — L'avant-centre (marquer) un but, les spectateurs (applaudir). — L'aventure (captiver) les lecteurs. — Adrien et Joseph (faire) une course à bicyclette.

412 **Écris les verbes entre parenthèses au présent de l'indicatif.**

Un pont et une passerelle (enjamber) la rivière. — La grêle, la pluie et le vent (ravager) les récoltes. — Le frère et la sœur (partir) pour l'école. — La rose et le chèvrefeuille (embaumer) le jardin. — La lionne et ses lionceaux (dormir) au chaud soleil africain. — Le guide et son client (gravir) les pentes de la montagne. — Cette route et ce sentier (conduire) tous deux au village. — Jouer, sauter, courir (donner) des forces. — Le métier de forgeron (disparaître) dans les pays européens mais il (être) encore beaucoup pratiqué en Afrique. — La télévision et le téléphone (rapprocher) les distances.

413 **Écris les verbes entre parenthèses au présent de l'indicatif.**

La mouche et le moustique (bourdonner) à nos oreilles. — La jument et son poulain (galoper) dans le pré. — Un gros poulet (rôtir) dans le four. — Les hiboux (détruire) les rats et les souris. — Son teint pâle et son regard triste (attirer) la pitié. — Au passage du défilé, un visage puis un autre (surgir) à la fenêtre. — Le clair soleil (adoucir) la température. — Avant d'inaugurer la nouvelle salle des sports, le maire (ceindre) son écharpe tricolore. — Si vous (tomber) en panne sur l'autoroute, le remorquage et la réparation (coûter) très cher.

414 **Écris les verbes entre parenthèses à l'imparfait de l'indicatif.**

Le chirurgien et son assistant (opérer) le blessé. — Le douanier et son chien (suivre) la piste des trafiquants de drogue. — La pâquerette et le bouton-d'or (annoncer) le printemps. — Le pêcheur (vendre) son poisson à la criée. — D'épais nuages (obscurcir) le ciel ; l'orage n'(être) pas loin. — Le lierre et la vigne vierge (tapisser) les vieux murs. — Nous (encourager) les skieurs partis pour une course de cinquante kilomètres à travers le Jura. — La cascade et le torrent (emplir) la montagne de leur tumulte. — La belette et la fouine (visiter) les poulaillers. — Le public se (plaindre) car le spectacle (être) de piètre qualité.

415 **Écris les verbes entre parenthèses au futur simple.**

Quand nous (être) majeurs, nous (voter) pour élire le président de la République. — Les cavaliers (attacher) leur monture. — Au printemps, les fleurs (se multiplier). — Nous ne (gaspiller) pas notre temps, nous l'(employer) avec profit. — Les maçons (crépir) la façade de la maison. — Les voiles (se gonfler) à la brise du large. — Nous (apprendre) nos leçons. — Les départs en vacances (provoquer) des ralentissements importants. — Les étoiles (pâlir), puis elles (s'éteindre) dès que l'aube (blanchir) l'horizon. — Nos compagnons (veiller) pendant que nous (se reposer).

416 **Vocabulaire à retenir**

la criée — la matinée — la foulée — la gorgée — la vallée
la qualité — la santé — la gaieté — la sûreté — l'habileté

Le sujet séparé du verbe, l'inversion du sujet

L'**album**, aux illustrations magnifiques, passionne les élèves.
J'adore les livres où reviennent les mêmes **héros**.

RÈGLES

1. Quelle que soit la construction de la phrase, le verbe s'accorde toujours avec son sujet.

2. Le sujet peut être séparé du verbe par des groupes ou des propositions :
« Qui est-ce qui » passionne ? **l'album** → **passionne.**
[3e pers. du sing.]

3. Le sujet peut être placé après le verbe ; on dit alors qu'il y a inversion du sujet : « Qui est-ce qui » revient ? **les mêmes héros** → **reviennent.**
[3e pers. du plur.]

EXERCICES

417 **Écris les verbes entre parenthèses au présent de l'indicatif.**

Les ordinateurs, contaminés par un virus, ne (fonctionner) plus. — Sur le roc escarpé (se tenir) des chamois. — Le chat a des yeux bridés où (s'allumer) une flamme verte. — Ce magasin de vêtements, à peine ouvert, (attirer) déjà une clientèle de jeunes gens. — Le train Lyon-Strasbourg (traverser) une région où (se succéder) les bois et les prairies. — Dans ce pays (se trouver) des vestiges historiques. — La montre, parfaitement étanche, (permettre) de plonger à cinquante mètres sans aucun problème.

418 **Écris les verbes entre parenthèses à l'imparfait de l'indicatif.**

À l'horizon (apparaître) les voiles blanches, aussitôt (accourir) les curieux impatients de vivre l'arrivée de la course au large. — La navette spatiale, qui (venir) de décoller, (emporter) cinq cosmonautes. — Les joueurs (écouter) attentivement pendant que (parler) l'entraîneur. — Les travaux des champs (reprendre) et jusqu'à l'horizon (aller) et (venir) des tracteurs. — Le voyageur (suivre) une route qu'(ombrager) des peupliers.

419 **Écris cinq phrases en inversant le sujet du verbe.**

420 **Vocabulaire à retenir**

aussitôt — bientôt — tantôt — tôt — sitôt
la grêle — la crêpe — la crête — la guêpe — la bêche

71e leçon

Le sujet tu

Tu obtiendras ce que tu souhaites.

RÈGLE

À tous les temps, avec le sujet **tu**, tous les verbes se terminent par s :
tu obtiendras, tu souhaites.

Exceptions : Les verbes **vouloir**, **pouvoir**, **valoir** prennent un x à la 2e personne du singulier du présent de l'indicatif :
tu veux, tu peux, tu vaux.

Présent	Imparfait	Passé simple	Futur simple
tu chantes	tu chantais	tu chantas	tu chanteras
tu grandis	tu grandissais	tu grandis	tu grandiras
tu entends	tu entendais	tu entendis	tu entendras

EXERCICES

421 Écris ces verbes à la 2e personne du singulier du présent de l'indicatif.

étudier une proposition — salir ses vêtements — vendre des chaussures — obtenir une permission — balayer la cour — faire un détour — vérifier un résultat — accomplir un exploit — apercevoir la sortie — remplir la bouteille — fournir un effort — éteindre les lampions — perdre la tête.

422 Écris les verbes entre parenthèses à l'imparfait de l'indicatif.

Quand le téléphone (sonner), tu (répondre) immédiatement. — Brice, tu lui (reprocher) toujours ses retards et tu (avoir) raison. — L'an dernier, l'assurance scolaire, tu la (payer) soixante-dix francs. — Comme elle (être) pleine de bonne volonté, tu l'(encourager) à poursuivre. — La coupure (être) plus profonde que tu ne l'(imaginer) ; tu (saigner) abondamment.

423 Écris les verbes à un temps simple de l'indicatif de ton choix.

Tu (lacer) tes chaussures à crampons. — Tu (jeter) du pain aux canards. — Tu (suivre) les instructions à la lettre. — Tu (manifester) ton impatience. — (Retrouver)-tu tes affaires au milieu de ce désordre ? — Tu (fermer) le portail. — Tu (économiser) de l'argent pour t'acheter un disque.

424 Vocabulaire à retenir

anglais — japonais — finlandais — polonais — français
succulent — le succès — succéder, la succession — succomber

Le sujet elle

Il ajoute des épices. Le cuisinier ajoute des épices.
Elle ajoute des épices. La cuisinière ajoute des épices.

RÈGLE

Aux temps simples de la voix active, le verbe ne s'accorde jamais en genre : il ajoute, elle ajoute.

EXERCICES

425 Écris les verbes au présent de l'indicatif.

grandir : le garçon ..., la fillette ... .
rugir : le lion ..., la lionne ...
faiblir : le son ..., la lumière ...
tiédir : le potage ..., la soupe ... .
jaillir : le volcan ..., la source ... .
surgir : le soleil ..., la lune ... .

426 Écris les verbes entre parenthèses au présent de l'indicatif.

Le visage du vainqueur (resplendir) de joie. — La plage (resplendir) au soleil couchant. — La mauvaise herbe (envahir) le jardin. — La photo de la princesse (envahir) les pages de certains magazines. — Le marbrier (polir) le granit. — La mer (rouler) et (polir) les galets. — L'enfant (choisir) un album. — La fillette (choisir) une glace au chocolat.

427 Écris les verbes entre parenthèses au présent de l'indicatif.

La tempête (anéantir) la flottille de bateaux de pêche. — L'ouragan (anéantir) les plantations. — L'imperméable (garantir) de la pluie. — L'anorak (protège) du froid. — La nuit (obscurcir) la plaine. — Le nuage (obscurcir) le ciel. — La voiture (gravir) la côte. — Le vieillard (gravir) les marches allègrement. — La vive lumière (éblouir) l'automobiliste.

428 Complète avec la terminaison -i ou -ie du participe passé, ou bien -it du verbe conjugué.

La fauvette nourr... ses petits avec les insectes qu'elle chasse. — La volaille nourr... au maïs aura une chair savoureuse. — On dit que l'enfant nourr... au lait maternel est plus résistant. — L'eau pourr... le bois. — La pomme pourr... a gâté tout le panier. — L'arbre pourr... tombe sous les coups du vent. — La sécheresse flétr... les fleurs. — La rose flétr... perd ses pétales. — Le dahlia flétr... est tout recroquevillé.

429 Vocabulaire à retenir

le vieillard, la vieillesse, vieillir, le vieillissement
nourrir — pourrir — courir, parcourir — mourir

73e leçon

Le sujet qui

Toi **qui** aimes le chocolat, tu devrais goûter celui-là.
Ceux **qui** aiment le chocolat sont de bonne humeur.

RÈGLES

Le pronom relatif **qui** est de la même personne que son antécédent. Lorsque le sujet du verbe est **qui**, il faut donc chercher son antécédent pour bien accorder le verbe.

« Qui est-ce qui » **aime ?** L'antécédent est **toi** [2e pers. du sing.] → **aimes**
« Qui est-ce qui » **aime ?** L'antécédent est **ceux** [3e pers. du plur.] → **aiment**.

EXERCICES

430 **Conjugue les verbes entre parenthèses à toutes les personnes du présent de l'indicatif et du passé composé.**

Ex. : C'est moi qui chante, c'est moi qui ai chanté ; c'est toi …

C'est lui qui (crier) — C'est lui qui (venir) — C'est lui qui (réciter) — C'est lui qui (s'éloigner) — C'est lui qui (travailler) — C'est lui qui (se baisser).

431 **Conjugue les verbes entre parenthèses à toutes les personnes de l'imparfait et du plus-que-parfait de l'indicatif.**

Ex. : C'était moi qui glissais, c'était moi qui avais glissé ; c'était toi …

C'était lui qui (balayer) — C'était lui qui (se cacher) — C'était lui qui (payer) — C'était lui qui (se pincer) — C'était lui qui (téléphoner) — C'était lui qui (se promener).

432 **Écris les verbes entre parenthèses au présent de l'indicatif.**

Les fleurs, qui (étoiler) les branches du pommier, ne donneront pas toutes des fruits. — Toi, qui (parcourir) les bois, rapporte-nous des brins de muguet. — Soyez indulgents pour ceux qui (jouer) en public pour la première fois. — La grand-mère (raconter) à ses petits-enfants une histoire qui les (émerveiller). — Les réfugiés, fuyant la zone des combats, (porter) des haillons qui ne les (protéger) pas du froid. — Toi, qui (être) réfléchi, appliqué, tu devrais résoudre ce problème. — Les vainqueurs, qui (recevoir) la Coupe de France, (laisser) éclater leur joie.

433 **Écris les verbes entre parenthèses au présent de l'indicatif.**

La glycine, qui (encadrer) la porte, (laisser) pendre ses grappes mauves. — Toi, qui (avoir) beaucoup voyagé, parle-nous des pays que tu as visités. — Moi, qui (être) un ancien élève de cette école maternelle, j'(éprouver) du plaisir à y retourner des années plus tard. — J'aime ces chansons qui me (rappeler) mon enfance.

434 **Écris les verbes entre parenthèses au présent de l'indicatif.**
Toi, qui (s'intéresser) à la botanique, dis-moi le nom de cette plante. — Pour toi, qui (aimer) les livres, j'en choisirai un qui te fera plaisir, j'en suis sûre. — Tout ce qui (briller) n'est pas or. — Les peintres, qui (travailler) sur leur échafaudage, chantent à tue-tête pour oublier qu'il fait froid. — Moi, qui (espérer) une bonne note, je suis déçue par mes résultats. — Au camping, c'est nous qui (préparer) les repas. — Les murailles qui (entourer) ce château fort (être) impressionnantes.

435 **Écris les verbes entre parenthèses au présent de l'indicatif.**
Hirondelle légère, toi qui (venir) des contrées ensoleillées, nous (apporter)-tu le printemps ? — Moi, qui (avoir) une calculatrice, je (pouvoir) effectuer des opérations très compliquées. — Ranger ma chambre, c'est un travail qui me (prendre) beaucoup de temps. — Le plat qui (mijoter) sur le réchaud (répandre) une appétissante odeur. — C'est toi qui (retrouver) le trousseau de clés que nous avons perdu. — Le tonnerre qui (gronder) (inquiéter) la petite troupe de randonneurs. — Vous qui nous (écouter), chantez avec nous ce refrain entraînant.

436 **Écris les verbes entre parenthèses à l'imparfait de l'indicatif.**
Les paons, qui (faire) la roue, (attirer) les visiteurs du parc. — Est-ce votre frère qui vous (accompagner) ? — Moi, qui (penser) vous rendre visite, j'ai été retenu. — Lui, qui (savoir) bien sa leçon, n'a pas été interrogé. — Joseph était abonné à un journal qui (paraître) tous les mois. — Les blés (étendre) leur nappe d'or qui (se piquer) de coquelicots et de bleuets. — Julie (être) contente car elle avait des vêtements qui lui (aller) à ravir.

437 **Écris les verbes entre parenthèses à l'imparfait de l'indicatif.**
Je (s'intéresser) aux allées et venues des fourmis qui (ramener) des provisions à leur fourmilière. — Les enfants (poursuivre) un papillon qui (se poser) de fleur en fleur. — Ce bonnet appartient à l'un des enfants qui (jouer) dans la cour tout à l'heure. — L'écho (amplifier) le grondement des torrents qui (dévaler) de la montagne. — Toi, qui (se sentir) fatigué, tu aurais dû te reposer. — Ceux qui (présenter) mal leur travail le (recommencer). — Parmi toutes ces chaussettes, je (choisir) celles qui (s'harmoniser) à la couleur de mon pantalon.

438 **Écris cinq phrases où le pronom relatif** qui **aura pour antécédent un nom et cinq autres phrases où il aura pour antécédent** moi **ou** toi**.**

439 **Vocabulaire à retenir**

l'écho — la chorale — la chlorophylle — le chlore — le choléra
appétissant, l'appétit, l'apéritif

74e leçon

Accords particuliers du verbe

Vaisselle, meubles, livres, tout se **vend** à la brocante.
La grêle ou la gelée **nuisent** aux vignobles.

RÈGLES

1. Quand un verbe a pour sujet un mot comme **tout**, **rien**, **ce**, **personne**, etc., c'est avec ce mot qu'il s'accorde :

   Tout se vend.

2. Quand un verbe a deux sujets singuliers unis par **ou** ou par **ni**, il se met au pluriel, à moins que l'action ne puisse être attribuée qu'à un seul sujet : La grêle **ou** la gelée nuisent aux vignobles.

   Ni Freddy **ni** mon père ne conduira la voiture (une seule personne conduit).

EXERCICES

440 **Écris les verbes entre parenthèses au présent de l'indicatif.**
Un mot mal compris, un geste un peu vif, tout le (tourmenter). — Le bruissement des feuilles que le vent (soulever), le froissement des branches qui (s'entrechoquer), tout (inquiéter) le chevreuil. — Les difficultés et les échecs, rien ne (diminuer) le courage du savant.

441 **Écris les verbes entre parenthèses à l'imparfait de l'indicatif.**
Femmes, vieillards, enfants, tout (être embarqué) dans les canots de sauvetage à la hâte. — Femmes, vieillards, enfants, tous (être embarqué) dans les canots de sauvetage. — Joueurs et spectateurs, personne ne (comprendre) la décision de l'arbitre. — La pluie ou le vent (coucher) le blé. — Ma mère ou mon père (bercer) mon petit frère.

442 **Écris les verbes entre parenthèses à l'imparfait de l'indicatif.**
Ni Fanny ni Damien ne (jouer) dans cette pièce. — Ni Fanny ni Damien ne (tenir) le rôle principal dans cette comédie. — Sébastien était fiévreux ; ni les cassettes vidéo ni les histoires ne (pouvoir) le distraire. — Valérie était souffrante ; cassettes vidéo et histoires, rien ne (pouvoir) l'amuser. — Les côtes (apparaître) peu à peu à l'horizon, ce qui (réconforter) les marins. — Ni mon sac ni mon caddie ne (se remplir) pendant que je bavardais. — Le tigre ou le lion (avoir) mangé la gazelle.

443 **Vocabulaire à retenir**

la gazelle — le bazar — bizarre — le gazon
les canots de sauvetage — les canaux d'irrigation

le, la, les, l' devant le verbe

Les peintres observent le modèle et le dessinent.

RÈGLE

Quels que soient les mots qui le précèdent, le verbe s'accorde toujours avec son sujet.

« Qui est-ce qui » **dessine ? Les peintres** [3e pers. du plur.] → **dessinent.**

Remarques : le, la, les, l' placés devant le verbe sont des pronoms personnels, compléments d'objet directs du verbe. Ils ne s'accordent pas avec le verbe :

ils dessinent, ils **le** dessinent.

EXERCICES

444 Écris les verbes entre parenthèses au présent de l'indicatif.

Cette rose, tu la (cueillir). — Ces motos, on les (conduire) facilement. — Sa chance, il la (saisir). — Ces roues, elles les (réparer). — Cette partie, je la (gagner). — Ces animaux, on les (dire) dangereux. — La branche, ils la (casser). — Le bon numéro, il le (choisir). — Les comptes, tu les (établir). — La solution, vous l'(expliquer) à vos amis. — Cet acteur, vous l'(admirer). — Le bouton de la sonnette, je l'(écraser). — Laurent (éplucher) les pommes de terre et les (laver) soigneusement. — Mehdi (acheter) des outils ; il les (utiliser) pour bricoler.

445 Écris les verbes entre parenthèses au présent de l'indicatif.

Sa douceur et sa bonté le (faire) aimer de tous ses camarades de classe. — Le chat (voir) des souris, il (s'approcher), les (surprendre), les (attraper) et les (croquer). — Les élèves (rechercher) un mot dans le dictionnaire et ils le (copier) sur leur cahier d'essai. — Pas encore habitués, les touristes (respirer) l'air du large qui les (étourdir) un peu. — Muriel (enlever) ses chaussures et les (ranger). — J'ai lu ce livre et je te le (recommander). — Ces jeux t'(appartenir), je te les (rendre).

446 Écris les verbes entre parenthèses au présent de l'indicatif.

Les enfants (rencontrer) leur grand-père et l'(embrasser) tendrement. — Le ciel (se couvrir) de nuages ; le vent les (pourchasser) et les (disloquer). — Les agents (contrôler) la vitesse du véhicule et l'(arrêter). — Les badauds (s'assembler) autour du camelot et l'(écouter) avec attention. — Les pompiers (combattre) l'incendie et l'(éteindre). — Tu (couper) la feuille et tu la (plier) en quatre. — La collision (paraître) inévitable et pourtant le routier l'(éviter) adroitement. — La dent de lait (bouger) beaucoup, alors tu l'(arracher) d'un geste sec.

447 Écris les verbes entre parenthèses au présent de l'indicatif.

Le conte (intéresser) les enfants et les (émerveiller). — Les skieurs (apercevoir) une bosse et l'(éviter). — Les plongeurs (laver) la vaisselle et l'(essuyer). — L'infirmière (soigner) les malades et les (réconforter). — Le jardinier (ramasser) les feuilles et les (mettre) en tas. — L'abeille (reconnaître) les fleurs et les (visiter).

448 Écris les verbes entre parenthèses à l'imparfait de l'indicatif.

Les ennuis, on les (oublier). — Le mannequin, les couturiers l'(habiller). — Ton moteur, tu le (ménager). — Les malades, le médecin les (soigner). — Les pompiers, je les (prévenir). — La bonne direction, nous la (trouver). — Les pions, Myriam les (déplacer). — Ce rôle, Hervé le (répéter) depuis un an. — Ce blouson, Léon l'(acheter). — Le secret, nous le (garder). — Ton courage, je l'(apprécier). — Le métro, je le (prendre) chaque jour.

449 Écris les verbes entre parenthèses à l'imparfait de l'indicatif.

La mer (retourner) les petites embarcations et les (rejeter) sur la plage. — Le jardinier (délaisser) le potager et les herbes l'(envahir). — Le clown (amuser) les enfants et les (faire) rire aux larmes. — Les torrents (descendre) avec violence de la montagne, on les (entendre) de loin. — Sylvain avait donné rendez-vous à ses amis, il les (attendre) depuis un moment.

450 Écris les verbes entre parenthèses à l'imparfait de l'indicatif.

Des boutons-d'or (s'ouvrir) dans le pré et le (cribler) de points jaunes. — Ses vêtements (être) trop étroits et le (gêner). — Les loups (se jeter) sur la pauvre brebis et la (dévorer) au grand désespoir des bergers. — Les rayons du soleil (percer) la brume matinale et la (disperser). — Le garagiste (dévisser) les bougies et les (changer).

451 Écris les verbes entre parenthèses au futur simple.

L'anglais, je l'(apprendre) quand je (séjourner) en Australie. — Ce vêtement, j'espère que tu le (laver) avec soin. — Ce sirop amer, on l'(avaler) d'un trait. — Les compliments, on les (recevoir) toujours avec plaisir, s'ils sont sincères. — Les débutants, le maître nageur les (conduire) dans le petit bassin. — Monsieur Elissade (recevoir) une lettre recommandée mais il ne la (lire) pas. — Nous (entendre) le radio-réveil et nous l'(arrêter) aussitôt. — Comme ce film est intéressant, les spectateurs le (voir) finir avec regret.

452 Écris trois phrases avec les **devant un verbe au singulier et trois phrases avec** le **ou** la **devant un verbe au pluriel.**

453 Vocabulaire à retenir

amer, amère — fier, fière — dernier, dernière
la brebis — la fourmi — la nuit — la perdrix — la souris

c'est, ce sont c'était, c'étaient

Le tennis et le judo, ce **sont** des sports qu'il aime.

RÈGLE

Le verbe être, précédé de ce ou de c', se met généralement au pluriel s'il est suivi soit d'un nom ou d'un pronom au pluriel, soit d'une énumération : ce sont des sports.

Les sports qu'il aime, ce sont le tennis et le judo.

EXERCICES

454 Complète par c'est **ou** ce sont.

La robe que je porte, ... celle que j'ai achetée hier. — Comme tu es un excellent musicien, ... toi qui dirigeras la chorale. — Les enfants qui jouent sur la place, ... eux qui ont fait ce bonhomme de neige. — ... le jour de la rentrée, les élèves sont impatients de rencontrer leur nouvelle institutrice.

455 Complète par c'était **ou** c'étaient.

Monsieur Couturier connaissait les meilleurs emplacements au bord de la rivière, ... lui qui avait pêché toute cette friture. — ... les chasse-neige qui avaient dégagé la route. — Les diligences, ... les autobus du siècle dernier ! — Ce que Radoine aimait le plus, ... les romans policiers. — ... les pompiers qui avaient éteint l'incendie avec leurs puissantes lances.

456 Complète par c'est, s'est **ou** ce sont, se sont.

On aime ses parents, car ... à leur contact qu'on a grandi, qu'on ... formé un caractère. — Après la partie, les joueurs ... embrassés. — Les alpinistes ... équipés en vue d'atteindre le sommet de la montagne ; ils réussiront, car ... de rudes grimpeurs. — Le soleil ... couché dans un ciel tout rouge.

457 Complète par c'était, s'était **ou** c'étaient, s'étaient.

Ces deux prunelles luisantes qui ... attachées sur moi, ... celles du chat de mes voisins. — Autrefois, ... les grand-mères qui berçaient les petits enfants et qui leur racontaient des histoires. — Les tranchées ... éboulées, ... à prévoir car les travaux avaient été mal exécutés. — ... toujours Claudie qui se précipitait pour répondre au téléphone.

458 Vocabulaire à retenir

atteindre — attendre — attirer — atterrir — attacher — attaquer
le hangar — le bazar — le bar — le car — le dollar — le cigare
le regard — le léopard — le lézard — le homard — le placard

77e leçon

Le verbe ou le nom

Le tuteur **soutient** la jeune plante.
L'élève fait un exercice de **soutien**.

RÈGLES

1. Il ne faut pas confondre le nom avec une personne du verbe homonyme. L'orthographe est presque toujours différente :
il **soutient**, le **soutien**.

Quelques exceptions :
un murmure, il murmure ; une voile, il voile ; un incendie, il incendie.

2. Quelques verbes à l'infinitif et le nom correspondant ont la même orthographe : dîner, le dîner ; rire, le rire…

EXERCICES

459 Écris ces verbes aux trois personnes du présent de l'indicatif, puis le nom homonyme dans une courte expression.

Ex. : joindre → je joins, tu joins, il joint ; un joint de lavabo.

relayer	sommeiller	geler	oublier	reculer	zigzaguer
employer	appareiller	filer	ferrer	convoyer	signaler
filmer	éveiller	exiler	crier	accueillir	travailler

460 Écris ces verbes aux trois personnes du présent de l'indicatif, puis le nom homonyme dans une courte expression.

flairer	rappeler	parcourir	réveiller	entretenir	rôtir
éclairer	discourir	établir	saluer	tirer	parier

461 Complète ces mots, s'il y a lieu.

Madame Lebras travail… dans une conserverie de poissons. — Le travail… éloigne de nous trois grands maux : le vice, l'ennui et le besoin. — Lorsqu'elle est chez ses cousins, Mira envoi… régulièrement de ses nouvelles à ses parents. — Nous avons reçu un envoi… de livres pour alimenter notre bibliothèque scolaire. — Le mécanicien a remis en état cette vieille voiture, il désir… maintenant l'essayer.

462 Complète ces mots, s'il y a lieu.

Ne soyez pas trop ambitieux, vos désir… ne seront pas toujours satisfaits. — Pas très sûre d'elle, Émilie murmure… la réponse. — Des murmure… accompagnent les ordres donnés par le général. — Le lion sommeil… sous le chaud soleil de la savane. — Le sommeil… de Delphine est peuplé de rêves. — Le serveur dépose un superbe rôti… accompagné de pommes dauphines.

463 **Complète ces mots, s'il y a lieu.**
Le poulet rôti... à feu doux. — Le chien flair... la trace du gibier. — Dupond et Dupont, les policiers inventés par Hergé, n'ont pas beaucoup de flair... . — Un voil... de brume recouvre la cité. — Le marin pli... les voil... . — Dominique repasse les pli... de son pantalon. — Lorsqu'il rédige la solution d'un problème, Rachid détail... tous les calcul... . — Les détail... des vitraux de la cathédrale de Chartres révèlent le talent peu commun des verriers du Moyen Âge.

464 **Complète ces mots, s'il y a lieu.**
Pablo a toujours une occupation ; il ne s'ennui... jamais. — Quel ennui... ! il pleut, je ne sortirai pas. — Dans la cour de la caserne, le caporal salu... le colonel. — Le salu... à l'armée répond à un protocole précis. — L'électricien essai... de réparer le circuit. — Après plusieurs essai... infructueux, le cyclomoteur démarre enfin. — Le pneu avant a éclaté, la voiture fait de nombreux zigzag... avant de s'arrêter. — Le chemin zigzag... dans le marais poitevin.

465 **Complète ces mots, s'il y a lieu.**
Des cri... de joie salu... la victoire du judoka français en finale. — L'enfant trépigne, pleure, cri... en vain ; maman ne cédera pas devant un tel caprice. — En apprenant la nouvelle, j'ai reçu un cho... . — Ces photos cho... par leur cruauté. — Richard s'appui... toujours sur les conseil... de son fidèle ami Maxime. — Vos parents sont vos appui... les plus solides ; ils vous conseil... à bon escient. — Le magasinier tri... les pièces détachées puis les range dans les casiers. — Ma tante se rend tous les jours au centre de tri... de Montrachet.

466 **Complète et écris entre parenthèses s'il s'agit du nom ou du verbe.**
Nos amis sont venus dîn... vendredi soir. — Le dîn... s'est terminé par des chansons. — L'enfant emporte un pain au chocolat pour son goût... . — Je suis impatient de goût... à ce mets délicieux. — Je regardais la lune se lev... au-dessus des arbres. — De nombreux courtisans assistaient chaque matin au lev... du roi Louis XIV. — On dit que le rir... est le propre de l'homme. — Des rir... montaient de la cour de récréation. — Nous admirons le couch... du soleil. — Il est tard, Tania va se couch... .

467 **Écris huit phrases dans lesquelles tu emploieras :** un oubli, il oublie ; le trac, il traque ; un vol, il vole ; un emploi, il emploie.

468 **Vocabulaire à retenir**

au-dessus, au-dehors, au-dedans, au-dessous, au-delà
dû (devoir : il a dû), du (déterminant : du pain)

78e leçon

a, à

Hector **a** acheté une machine **à** calculer.
Hector **avait** acheté une machine **à** calculer.

RÈGLES

1. **à**, avec un accent grave, est une préposition ; c'est un mot invariable. Après **à**, il y a parfois un verbe à l'infinitif : une machine **à** calculer.
2. **a**, sans accent, est une forme conjuguée du verbe **avoir** (3e personne du singulier du présent de l'indicatif). On peut le remplacer par une autre forme conjuguée de ce verbe (avait, aura...). Après **a**, il y a souvent un participe passé : Il **a** (avait) acheté.

EXERCICES

469 **Conjugue au présent de l'indicatif (emploie un nom sujet pour la 3e personne).**

avoir du courage — avoir confiance — avoir l'esprit ailleurs.

470 **Complète par** a **ou** à **; écris** avait **entre parenthèses s'il s'agit de** a**.**

Le voyageur ... composté son billet ... l'entrée de la gare. — Mon père ... un journal ... la main. — La poire est un fruit ... pépins. — Paul ... une planche ... roulettes. — Jean-Philippe ... peur de descendre seul ... la cave. — Mes amis sont venus ... ma rencontre. — Madame Pommier ... commandé un four ... micro-ondes ; il sera livré dans deux ... trois semaines.

471 **Complète par** a **ou** à **; écris** avait **entre parenthèses s'il s'agit de** a**.**

Raymond ... compris ce qu'il ... ... faire. — Ce travail de broderie ... été fait ... la main. — L'enfant offre ... sa mère les roses qu'il ... cueillies. — Le routier ... commencé sa tâche ... l'aube et l'... terminée ... la tombée du jour. — Monsieur Stauber ... franchi la porte du magasin et, ... son grand étonnement, il ... déclenché l'alarme. — Alexia ... été sélectionnée pour participer aux championnats régionaux.

472 **Complète par** m'a **ou** ma **; écris** m'avait **entre parenthèses, s'il y a lieu.**

L'horloger ... remis ... montre à l'heure. — ... nouvelle raquette de ping-pong ... été offerte par ... marraine. — ... toilette ... pris beaucoup de temps. — ... cousine ... promis de venir pour mon anniversaire. — La fleuriste ... rendu ... monnaie.

473 **Complète par** l'a **ou** la **; écris** l'avait **entre parenthèses, s'il y a lieu.**

... chaudière était en panne et seul le chauffagiste pouvait ... réparer. — ... caravane publicitaire circule dans toutes les rues, Harold ... croisée. — Le voleur n'est pas allé loin, le chien ... suivi à ... trace. — Isabelle a passé ... journée avec Benoît, ensuite il ... reconduite à ... gare. — Cette fleur était ... plus belle du jardin, Bélinda ... cueillie pour ... mettre dans un vase.

474 **Complète par** a **ou** à.

Le charcutier ... une machine ... couper le jambon. — Nadine ... sorti son chien pour sa promenade quotidienne. — Le motard cherchait ... éviter les trous de la chaussée. — Monsieur Ledieu ... trié tous les morceaux de son puzzle. — Le restaurateur ... rentré ses parasols avant l'orage. — Le chauffeur ... projeté de partir au petit matin. — L'alpiniste continuait ... grimper le long du rocher. — La mer grossit, le navire commence ... tanguer. — Cette proposition est ... prendre ou ... laisser. — Le patineur ... exécuté une triple boucle ; le public l'... longuement applaudi.

475 **Complète par** -é **ou** -er. **Souligne** a **et encadre** à.

La coulée de lave a dévast... les flancs du volcan. — Le coup de sifflet final a ruin... tous les espoirs de victoire de l'équipe de Lyon. — Aurélie passe son temps à jou... avec sa console vidéo, mais elle a copi... tous ses résumés, dit-elle. — Le bébé cherchait à attir... l'attention de ses parents. — Les enfants s'emploient à confectionn... un cerf-volant. — Le véhicule a tourn... à gauche. — Monsieur Pourret est sorti et a laiss... la porte de son appartement ouverte : quel étourdi ! — Le feu d'artifice a enchant... le nombreux public. — Le journaliste a rapport... fidèlement les paroles du ministre. — Le serveur maladroit a renvers... la saucière sur la nappe.

476 **Complète par** -é **ou** -er. **Souligne** a **et encadre** à.

Elle n'a pas cess... de chanter, mais elle a chang... de voix. — Charlotte jeta aux lapins quelques choux qu'ils se mirent à brout... . — Le photographe reste des heures à observ... les oiseaux et à guett... leur envol. — Madame Witnet a ferm... toutes les fenêtres. — Le maçon a consolid... le mur. — Le moteur se mit à ronfl... au premier coup de démarreur. — Le voyageur a présent... son ticket au contrôleur.

477 **Écris cinq phrases dans lesquelles tu emploieras** a **et** à.

478 **Vocabulaire à retenir**

la raquette — la toilette — la roulette
le cachet — le billet — le carnet — le poulet
le sifflet, siffler, le sifflement, siffleur
la console — la casserole — la boussole

79e leçon

et, est

Bob **est** artiste : il chante **et** danse.
Bob **était** artiste : il chantait **et** dansait.

RÈGLES

1. et est une conjonction de coordination qui permet de relier deux parties d'une phrase : il chante **et** il danse.

2. est la forme conjuguée du verbe **être** (3e personne du singulier du présent de l'indicatif) qui peut être remplacée par une autre forme conjuguée de ce verbe (était, sera…) : Bob **est** (était) un grand artiste.

EXERCICES

479 **Complète par** et **ou** est **; explique l'emploi de** est **en écrivant** était **entre parenthèses.**

Le menuisier fabrique des portes … des fenêtres, des buffets … des tables ; il … le dernier artisan du village. — La rue principale du vieux quartier … étroite … tortueuse. — Le fleuve … en crue, il roule des eaux rapides … boueuses. — La répétition du gala de danse … terminée, il … temps de quitter la salle de sport … de rentrer à la maison. — La parole … d'argent … le silence … d'or. — Il … difficile de faire rouler un ballon de rugby car il … ovale.

480 **Complète par** et **ou** est **; explique l'emploi de** est **en écrivant** était **entre parenthèses.**

Le terrassier pioche … rejette la terre sur le bord de la tranchée. — La montagne … couverte de sapins … de mélèzes. — L'horizon … noyé de brume, les feuilles tombent … s'amassent au pied des arbres ; le pinson se tait … s'enfuit. — L'électricité … coupée, le réfrigérateur … le congélateur se sont arrêtés ; la viande … les légumes risquent d'être perdus.

481 **Écris au présent de l'indicatif les verbes en bleu.**

Le rôti était tendre et juteux. — Le verre tombait et se cassait. — Le printemps était chaud et sec. — La biche sautait et fuyait. — L'objectif était clair et précis. — Le chien grognait et aboyait. — Le soleil se levait et brillait. — La situation était grave et nous devions prendre une décision.

482 **Vocabulaire à retenir**

le temps, le printemps, longtemps
la terre, la terrasse, le terrain, le terrassier, le territoire

son, sont

Les manches de **son** vêtement **sont** trop longues.
Les manches de **ses** vêtements **étaient** trop longues.

RÈGLES

1. son est un déterminant possessif qui peut être remplacé par le pluriel **ses** :

son vêtement → ses vêtements.

2. sont est une forme conjuguée du verbe **être** (3e personne du pluriel du présent de l'indicatif) qui peut être remplacée par une autre forme conjuguée de ce verbe (étaient, seront...) :

elles **sont** (étaient) trop longues.

EXERCICES

483 **Conjugue au présent de l'indicatif.**

être en avance — être en panne — être en vacances
sucer son pouce — aider son camarade — finir son travail

484 **Complète par** son **ou** sont **; explique l'emploi de** sont **en écrivant** étaient **entre parenthèses.**

Derrière la vitrine blindée, les trésors du musée ... à l'abri des voleurs. — Martin est content ; ses camarades ... venus jouer avec ... circuit électrique. — Les parents de Léonard ... heureux de ... retour. — Le collectionneur feuillette ... album avec soin : ses cartes postales ... rares. — Comme les fraises ... mûres, Carine en remplit ... sac. — Les spectateurs ... dans le noir et chacun retient ... souffle en attendant l'entrée des acteurs. — Quels ... les chanteurs que vous préférez ? — Patrick demande l'aide de ... camarade pour plier ... sac de couchage.

485 **Écris les noms en bleu au pluriel et fais les accords nécessaires.**

son crayon bleu — son cahier de français — son disque préféré — son pinceau — son maillot de bain — son bagage — La robe est jolie. — Le soulier est neuf. — Le robinet est fermé. — La rue est déserte. — La plage est fréquentée. — La fenêtre est ouverte.

486 **Vocabulaire à retenir**

l'escalier — l'ascenseur — l'assaut — le mont, la montagne
le retard, retarder — le départ, partir

81e leçon
on, ont

On félicite ceux qui **ont** réussi.
Elle félicitait ceux qui **avaient** réussi.

RÈGLES

1. **on** est un pronom sujet. Il peut être remplacé par un autre pronom (**il** ou **elle**) ou par un nom sujet (**l'homme**...). Après **on**, le verbe est à la 3e personne du singulier : **on** (elle) félicite.

2. **ont** est une forme conjuguée du verbe **avoir** (3e personne du pluriel du présent de l'indicatif) qui peut être remplacée par une autre forme conjuguée de ce verbe (avaient, auront...). Après **ont**, il y a souvent un participe passé : ceux qui **ont** (avaient) réussi.

EXERCICES

487 **Conjugue à la 3e personne du singulier de l'imparfait de l'indicatif.** *Ex.* : chanter → On chantait, l'homme chantait.

casser un vase	réparer un moteur	balbutier une réponse
utiliser le robot	manquer la cible	siffler une faute

488 **Complète par** on **ou** ont **; explique l'emploi de** on **ou de** ont **en écrivant** l'homme **ou** avaient **entre parenthèses.**

... a du plaisir à bavarder avec ceux qui ... les mêmes goûts que nous. — ... écoute les chanteurs qui ... de belles voix. — ... ramasse des champignons, ... les mangera demain. — ... allume le barbecue et ... fait griller des brochettes. — Les volets ... claqué et les vitres ... volé en éclats. — Les pays qui ... la chance de vivre en démocratie ne sont pas nombreux.

489 **Complète par** on **ou** ont **; explique l'emploi de** on **ou de** ont **en écrivant** l'homme **ou** avaient **entre parenthèses.**

... s'égratigne aux ronces, mais ... cueille le muguet odorant. — Dans le port, ... distingue nettement les lumières dansantes des embarcations. — Les campeurs ... laissé des papiers qu'... devra ramasser. — ... écoute ceux qui ... de l'expérience. — ... acclame ceux qui ... gagné la coupe de France. — Les ouvriers ... étalé le sable qu'... avait déchargé.

490 **Complète par** m'ont **ou** mon.

Les voisins ... rapporté ... outillage. — Mes parents ... reproché ... manque d'attention. — Mes camarades ... offert un superbe album de bandes dessinées pour ... anniversaire. — Les problèmes ... donné beaucoup de mal, heureusement que j'avais ... livre de mathématiques.

491 **Complète par** t'ont **ou** ton.

Ils ... vu sur ... vélo. — Tes amis ... accueilli chaleureusement à ... arrivée. — Les organisateurs de la fête ... demandé de leur prêter ... concours. — Tes professeurs ... félicité pour ... effort.

492 **Écris les verbes au présent et à l'imparfait de l'indicatif.**

On (grimper). — On lui (prêter) des livres. — Ces vêtements, on les (ranger). — On (jouer). — On me (donner) l'heure. — Les rosiers, on les (tailler). — On (maigrir). — On te (rapporter) les documents. — Les disques, on les (écouter). — On (chanter). — On le (saluer) respectueusement. — Les verres, on ne les (casser) pas.

493 **Écris les verbes entre parenthèses au présent de l'indicatif.**

On (soigner) la finition de son travail. — On (déboucher) la bouteille. — On (accorder) le violon. — On (marcher) sur la pointe des pieds. — Pour une fois, on (décoller) à l'heure. — On (charger) le camion et on (livrer) la marchandise. — Aujourd'hui, on (récupérer) les journaux, les papiers, les cartons et on les (recycler). — On (percer) la cloison et on y (placer) une cheville. — On (arracher) le vieux papier peint, on (encoller) le nouveau et on (tapisser) les murs de la chambre.

494 **Écris les verbes entre parenthèses à l'imparfait de l'indicatif.**

On (terminer) les exercices et on les (corriger). — On (éplucher) les carottes, on les (couper), on les (mettre) dans une casserole. — On (préparer) les valises et on (partir) en vacances ; aussitôt, on (oublier) tous nos soucis. — Les hannetons voletaient autour du prunier, on les (pourchasser). — On (ramer) lentement et on (avancer) sur le lac ; on (admirer) le paysage, on (prendre) le temps de vivre, on (profiter) du moment présent. — On (raconter) des histoires drôles et on (rire) de bon cœur.

495 **Écris les verbes entre parenthèses au passé composé.**

Les joueurs (enfiler) leur maillot. — Les chiens (aboyer) toute la nuit. — Les ingénieurs (étudier) la possibilité d'installer une usine dans la région. — Les musiciens (enregistrer) leur premier disque. — Les oiseaux (gazouiller) dans le taillis. — Les étoiles (scintiller) dans le ciel. — Les vendeuses (mesurer) l'étoffe. — Les vitriers (poser) des carreaux. — Les moissonneuses-batteuses (couper) le blé. — Les planeurs (survoler) la vallée. — Les pompiers (arroser) les cendres encore fumantes. — Les grues (soulever) les conteneurs.

496 **Écris cinq phrases comportant à la fois** ont **et** on.

497 **Vocabulaire à retenir**

la vitre, le vitrier, le vitrail, le vitrage — le souci, l'abri, le cri, le défi

82e leçon

on, on n'

On n'utilise pas un marteau pour écraser les mouches.
Il n'utilise pas un marteau pour écraser les mouches.

RÈGLE

Quand le sujet d'un verbe, commençant par une voyelle, est le pronom **on**, il faut remplacer **on** par **il** pour savoir si l'on doit écrire la négation **n'** : **On** (il) **n'**utilise pas un marteau.

EXERCICES

498 S'il y a lieu, complète par il **et par la négation** n' **; récris ensuite la même phrase en remplaçant** il **par** on**.**

... attend pas quand ... a pris son billet à l'avance. — ... apprend difficilement ce qu'... a pas compris. — Quand ... avoue ses fautes, ... est à demi pardonné. — ... étend le bras gauche quand ... veut tourner à gauche et le droit quand ... veut tourner à droite, bien sûr. — Nous habitons un appartement qu'... a pas acheté. — Dès que la sonnerie retentit, ... accourt aussitôt.

499 Complète par on **ou** on n'**.**

... ignore pas qu'... est en faute quand ... ne respecte pas le stop. — ... hésite pas à aider ceux qu'... aime. — ... éprouve aucune satisfaction quand ... a pas rempli sa tâche. — ... a guère d'appétit quand ... est malade. — ... a appelé plusieurs fois, mais ... a pas répondu. — ... avançait prudemment, car ... y voyait rien. — ... était fatigué, car ... avait rien mangé depuis la veille.

500 Complète par on **ou** on n'**.**

Quand ... applique pas les règles qu'... a apprises, ... fait de nombreuses erreurs. — On ... écoute ni les fanfarons ni les vantards. — ... est obligé de constater qu'... a pas réussi à soulever cette énorme pierre ; ... essaiera encore une fois, mais ... s'y mettra à plusieurs. — ... obtient le résultat qu'... a préparé. — Quand ... est peureux, ... ose pas sortir la nuit. — ... envoie une lettre pour réclamer le colis qu'... a pas reçu.

501 Écris trois phrases où on **sera suivi d'un verbe à la forme affirmative commençant par une voyelle et trois phrases où** on n' **sera suivi d'un verbe à la forme négative commençant par une voyelle.**

502 Vocabulaire à retenir

la pierre, empierrer, le pierrier, des pierreries
une tâche (un travail) — une tache (une salissure)

ces, ses

Ces textes expliquent l'histoire et ses origines.

RÈGLES

1. **ces**, déterminant démonstratif, est le pluriel de **ce**, **cet** ou de **cette** : ces textes → ce texte.

2. **ses**, déterminant possessif, est le pluriel de **son** ou de **sa**.
Il faut écrire **ses** quand, après le nom, on peut dire **les siens**, **les siennes** : **ses** origines (les siennes).

EXERCICES

503 Écris ces groupes au pluriel.

cet arbre	son maillot	ce meuble	cet homme	ce clocher
cette maison	sa ceinture	sa poupée	son classeur	sa valise

504 Écris ces groupes au singulier.

ces robes	ses fleurs	ces sacs	ses bijoux	ces enfants
ses jouets	ses lunettes	ces sentiers	ces tables	ses qualités

505 Complète par ces ou ses.

Regardez ... oiseaux migrateurs : bientôt ce sera l'hiver avec ... gelées, ... chutes de neige, et aussi ... belles fêtes et ... cadeaux. — Le désert déroule à l'infini ... sables brûlants. — La maison ouvre ... fenêtres sur la campagne. — ... cris annoncent l'arrivée de l'actrice et de ... admirateurs. — ... vendeurs flattent le client et s'efforcent de répondre à toutes ... questions. — Le comptable enregistre toutes ... factures sur son ordinateur.

506 Écris les noms en bleu au pluriel et fais les accords nécessaires.

Ce jardin est bien entretenu. — Ce livre est dans un triste état, il faut le recouvrir. — Son cahier est corrigé régulièrement. — Sa chaussure est adaptée à la marche sur ce glacier. — Monsieur Monnet range son outil. — Cette personne a été gravement malade mais aujourd'hui elle est en bonne santé. — Ce couloir est agréablement décoré.

507 Écris trois phrases comportant à la fois ses et ces.

508 Vocabulaire à retenir

la gelée — l'arrivée — la cheminée — une idée
la qualité — la santé — la vérité — la liberté

84e leçon

ce, se

Ce projet **s'**annonce bien, **ce** qui nous rassure.

RÈGLES

1. **se** (ou **s'**) est le pronom personnel réfléchi à la 3e personne ; il fait partie d'un verbe pronominal. En conjuguant le verbe, on peut le remplacer par un autre pronom (me, te...) :
   il **s'**annonce → je m'annonce, tu t'annonces...
2. **ce** est le déterminant ou le pronom démonstratif. On peut le remplacer par un autre déterminant ou par **cela** :
   ce projet → le projet ; **ce** qui nous rassure → cela nous rassure.

EXERCICES

509 **Conjugue au présent et à l'imparfait de l'indicatif.**

se lever tôt — se plaindre — se promener tranquillement
se salir — s'appliquer — s'étendre dans l'herbe

510 **Complète par ce, se ou s'. Explique l'emploi de se (s') en écrivant l'infinitif du verbe pronominal entre parenthèses.**

Ex. : Ce petit chien se roule (se rouler) dans l'herbe.

... village ... blottit dans la vallée. — ... garçon ... fâche avec ses camarades. — Le soleil ... cache derrière ... gros nuage. — ... chien et ... chat ... entendent très bien, ils ne ... querellent jamais. — En ... jour de fête, les manèges ... installent sur la place du village. — ... boxeur ... bat avec courage.

511 **Complète par ce, se ou s'. Explique l'emploi de se (s') en écrivant l'infinitif du verbe pronominal entre parenthèses.**

... perroquet bavard ... agite sur son perchoir. — Les pommiers ... couvrent de fleurs au printemps. — ... vieux mur ... lézarde. — Les campeurs courageux ... baignent dans l'eau fraîche de ... petit torrent. — Les danseurs ... avançaient au lever du rideau. — ... bois sec ... consume vite. — ... chemin ... rétrécit et la voiture ne passera pas.

512 **Complète par ce, se ou s'. Explique l'emploi de se ou s' en écrivant l'infinitif du verbe pronominal entre parenthèses.**

Les manifestants ... rassemblent sur la place de la Bastille. — Je suis peut-être naïf, mais je crois tout ... que vous me dites. — Le client ... attend à ... que le vendeur lui fasse une réduction. — ... parcours ... effectue en une dizaine de minutes. — À la lecture de ... magazine, on ne ... ennuie jamais. — Monsieur Haudoin n'arrive pas à ... débarrasser de ... morceau de papier collant accroché à ses doigts.

513 **Complète par ce, se ou s'. Explique l'emploi de se ou s' en écrivant l'infinitif du verbe pronominal entre parenthèses.**

... que prédit la voyante ... produira-t-il ? — Je me renseigne sur ... qui ... récolte et ... fabrique dans cette riche région. — Confie-moi ... à quoi tu penses. — Déborah ... empresse de réclamer ... qu'on lui a promis. — Dans la vie, on ne fait pas toujours ... que l'on veut. — Yvon ... contente de ... qu'on lui a donné. — L'élève en retard ... demande ... qu'il va trouver comme excuse. — Valérien ... inquiétait jusqu'à ... que son médecin le rassure.

514 **Complète par ce, se ou s'. Explique l'emploi de se ou s' en écrivant l'infinitif du verbe pronominal entre parenthèses.**

... tapis ... élime sur les bords. — ... tissu ... lave facilement. — Si le navire ... approche de ... rocher, il ... y brisera. — ... promeneur ... arrête devant les vitrines des magasins. — ... fruit est un peu acide. — ... malade ... rétablira vite. — ... monument ... couvre de mousse. — S'il continue à bien ... entraîner, à ... appliquer, ... jeune rameur ... verra récompensé par une victoire. — Elle ... protégera du froid avec ... bon anorak. — ... canal ... vide de son eau en été. — ... bracelet-montre n'est pas de bonne qualité, il ... fend et il sera bientôt à remplacer. — ... tiroir ne ... ferme pas ; la serrure ... est bloquée.

515 **Complète par ce, se ou s'. Explique l'emploi de se ou s' en écrivant l'infinitif du verbe pronominal entre parenthèses.**

... dont vous parlez m'intéresse beaucoup. — Le brocanteur ramasse tout ... qu'il trouve. — La pie ... précipite sur ... qui brille. — Alice ... ennuie loin de ses parents, ... dont je ne suis pas surpris. — Les chacals ... partagent ... que la lionne a laissé ; néanmoins, ils ... méfient des vautours. — Tania ... décide à faire ... qu'on lui a conseillé. — Les branches de ... pêcher ... alourdissent de fruits mûrs.

516 **Complète par ce, se ou s'. Explique l'emploi de se ou s' en écrivant l'infinitif du verbe pronominal entre parenthèses.**

L'enfant ... rappelle ... qu'il a vu, ... qu'il a observé. — Arrivé devant le micro, Loïc ... demande ... qu'il va faire, ... qu'il va dire. — Si ... qu'on lui propose ne lui convient pas, la cliente ... retire. — J'aime à écouter ... que les vieilles gens racontent. — Paulo ... intéresse à tout ... qu'il entreprend. — Monsieur Angelli ne ... souvient plus de ... qu'il convient de répondre à ... questionnaire.

517 **Écris trois phrases dans lesquelles tu emploieras à la fois se (ou s') et ce (ou c').**

518 **Vocabulaire à retenir**

le ski — l'anorak — le stock — mûr, mûre (adjectif) — le mur

85e leçon

c'est, s'est, c'était, s'était

Elle **s'**est rappelée sa promesse : **c'**est l'essentiel.
Tu **t'**étais rappelée ta promesse : **c'**était l'essentiel.

RÈGLES

Devant le verbe **être** :

1. on écrit **se** (ou **s'**) s'il s'agit du pronom personnel réfléchi à la 3e personne ; il fait partie d'un verbe pronominal. En conjuguant le verbe, on peut le remplacer par un autre pronom (me, te) :
   elle **s'**est rappelée → je me suis rappelée, tu t'es rappelée…

2. on écrit **ce** (ou **c'**) s'il s'agit du pronom démonstratif. Il a le sens de **cela** :
   c' (cela) est l'essentiel   **c'** (cela) était l'essentiel.

EXERCICES

519 Conjugue au passé composé et au plus-que-parfait.

se laver   se lever à l'aube   se jouer des obstacles
se salir   se servir modérément   se perdre dans le vieux quartier

520 Complète par ce, c' ou se, s'. Explique l'emploi de se, s' en écrivant l'infinitif du verbe pronominal entre parenthèses.

Ex. : C'est en marquant un panier que ce joueur s'est blessé (se blesser).
… est en forgeant qu'on devient forgeron. — … est un pompier qui … est porté au secours de la fillette. — … est la meilleure équipe qui … est fait battre ; … est le public qui est étonné. — La salle … est vidée dès la fin du spectacle. — … est vraiment extraordinaire : l'avion … est posé sans avoir sorti son train d'atterrissage. — Monsieur Robert … est installé au volant de sa nouvelle voiture, … est un modèle confortable. — … est à Marseille que ce gardien de but … est fait connaître du public. — … est en réparant sa bicyclette qu'il … est coupé au doigt.

521 Complète par ce, c' ou se, s'. Explique l'emploi de se, s' en écrivant l'infinitif du verbe pronominal entre parenthèses.

La barque … est écrasée sur les rochers, … est une lourde perte pour le pêcheur. — … est un trappeur qui … est installé dans la clairière. — Les fillettes … étaient endormies au milieu de la fête. — … était avec joie que les amis … étaient rendus à la fête foraine. — Les camions … étaient embourbés dans le chemin. — … est très volontiers que Blandine … est resservie car la tarte était excellente. — La bougie … est éteinte, nous sommes dans le noir. — Les randonneurs … étaient allongés à l'ombre de la haie.

522 **Complète par ce, c' ou se, s'.**

Les arbres ... étaient dénudés, les oiseaux ... étaient enfuis, la neige ... était mise à tomber, ... était l'hiver. — Dès que le vent ... fut levé, les voiles du catamaran ... gonflèrent. — Les carriers parvinrent à extraire le bloc de pierre, ... fut un rude travail. — Quand la dernière étoile ... fut éteinte, ... fut le soleil qui parut. — Les roses ... flétrirent, puis ... fut le tour des dahlias. — ... était un hérisson qui ... était caché dans l'herbe. — Comme les concurrents étaient de même valeur, ... fut une arrivée très disputée. — Une véritable tornade ... est abattue sur la région, les cultures ont beaucoup souffert.

523 **Complète par ce, c' ou se, s'.**

... fut une joie pour moi d'apprendre votre réussite. — Dès que le chanteur ... fut présenté, ... fut un vacarme joyeux dans la salle. — Quand les camarades ... furent séparés, chacun retourna chez soi. — ... eût été dommage de ne pas assister à ce spectacle. — ... sera aimable à vous de venir nous voir. — Je choisirai un costume pour cette fête ; ... sera le plus élégant. — Le gymnaste ... serait mieux classé, s'il n'avait été blessé à l'épaule. — ... sera bientôt au tour de Ludovic de chanter, il sera agréable de l'entendre. — Le lièvre ... est cru le plus rapide et il ... est amusé à laisser partir la tortue, il ... est aperçu trop tard de son erreur. — La découverte des cadeaux de Noël au pied du sapin, ... est toujours un réel moment de bonheur.

524 **Complète par ce, c' ou se, s'.**

Il ... serait entraîné avec plus de sérieux, s'il avait été mieux conseillé. — ... sera bien la première fois que ... torrent sera à sec. — ... beau vase ... est brisé, ... est regrettable car ... était un souvenir de famille. — ... eût été un séjour idéal, sans ces pluies fréquentes. — ... est parce qu'ils ... sont appliqués qu'ils ont confectionné ... magnifique coffret. — Le candidat ... est troublé et n'a pas répondu ; ... est dommage, car ... était une question facile. — ... est le temps des vacances, ... sera bientôt celui des retours. — Dès que la brume ... fut dissipée, ... fut une féerie de couleurs. — Te rencontrer à la piscine, ... est une surprise pour moi qui croyais que tu avais peur de l'eau ! — ... est dans cette pâtisserie que ... trouvent les meilleurs gâteaux du quartier. — Quand la demoiselle d'honneur ... est pris les pieds dans la traîne de la mariée, tous les invités ont souri ; ... n'était pas bien grave et la cérémonie ... est déroulée normalement.

525 **Écris deux phrases dans lesquelles tu emploieras à la fois c'est et s'est et deux phrases avec c'était et s'était.**

526 **Vocabulaire à retenir**

le secours, le parcours, le recours, le cours
battre, imbattable, le combattant, le batteur, la batterie, combatif

86e leçon

leur, lui, placés près du verbe

Tu **leur** donnes un coup de main. Fais-**leur** plaisir.
Ils aident **leurs** amis. Ils prennent **leur** temps.

RÈGLES

1. **leur** placé près du verbe, quand il est le pluriel de **lui**, est un pronom personnel et s'écrit toujours **leur** :
   Tu **leur** (lui) donnes un coup de main. Fais-**leur** (lui) plaisir.

2. Il ne faut pas confondre **leur**, pronom personnel, avec **leur**, déterminant possessif, qui prend un **s** quand il se rapporte à un nom pluriel :
   Ils aident **leurs** amis. Ils prennent **leur** temps.
   Il aide ses amis. Il prend son temps.

EXERCICES

527 Conjugue au présent de l'indicatif et au passé composé.

leur dire bonjour
leur faire plaisir
leur choisir un cadeau
leur scier du bois
leur tenir la main
leur offrir à boire
leur vendre un œuf
leur donner du pain
leur sourire gentiment

528 Complète par leur ou leurs ; accorde, s'il y a lieu.

Les vignes offrent ... grappe... juteuse... aux vendangeurs. — Racontez-... ce que vous avez vu au cours de votre voyage ; je suis certaine que cela ... plaira. — Les rafales glacées cinglent la face des skieurs et ... rougissent le nez. — Les hommes aiment ... région... natale... . — L'oiseau apprend à ses petits à sortir du nid et ... montre comment battre des ailes. — Ils cherchent dans ... mémoire... des souvenirs de ... jeunesse... . — Les rouges-gorges laissent la trace de ... petite... patte... dans la neige. — Ces plages sont réputées pour ... sécurité... et ... calme... .

529 Complète par leur ou leurs ; accorde, s'il y a lieu.

Les locataires ont été inondés ; les assurances ... versent ... indemnités. — Prête-... les livres qu'ils t'ont demandés. — Ces coiffures ... vont à merveille. — Les habitants ferment ... volet... dès que la nuit tombe. — Les automobilistes ralentissent à la vue du drapeau rouge qui ... signale un danger. — Récitez-... la fable que vous venez d'apprendre. — Annonce-... tes intentions. — Nos parents sont irremplaçables, nous devons les aimer et ... obéir. — Les canards vont à la mare, suivis de ... caneton... . — La maison et son jardin, les ruelles du village, tout ... rappelle ... enfance... heureuse... . — Ces oisillons affamés tendent ... bec... vers ... parents qui ... apportent des vers.

530 **Écris les mots en bleu au pluriel et fais les accords nécessaires.**

Mon frère a de la difficulté à faire son problème, je le lui explique. — Le gendarme arrête le mauvais conducteur et lui demande ses papiers. — Le cycliste se trompe de route, montre-lui le chemin. — Le chien est réputé pour sa fidélité à son maître. — La rose ouvre ses pétales de satin et aussitôt un subtil parfum se répand. — Le routier allume ses veilleuses. — Le randonneur avance sous un soleil de feu qui lui brûle la peau et lui dessèche la gorge.

531 **Écris les mots en bleu au pluriel et fais les accords nécessaires.**

La lumière lui blesse les yeux. — Annonce-lui la bonne nouvelle. — La maman endort son bébé en lui murmurant des chansons. — Le nageur effectue ses premières longueurs. — L'hirondelle frôlait le sol de son vol rasant. — La châtaigne fait craquer sa bogue épineuse. — Autrefois, le berger landais, monté sur ses échasses, surveillait son troupeau. — L'enfant part en promenade, nous lui recommandons d'être prudent. — La douleur lui arrache un cri et il s'évanouit.

532 **Complète par leur ou leurs.**

Mes parents sont à la campagne, je ... écris une longue lettre. — Les enfants en vacances lavent ... visage et ... mains dans l'eau du ruisseau. — Le chien revoit ses maîtres et ... manifeste sa joie. — Les coqs se dressent sur ... ergots et lancent ... cocoricos. — Quand les arbres sont trop frêles, on ... met des tuteurs. — L'hiver, ayez pitié des oiseaux ; distribuez- ... des morceaux de pain. — L'hôtesse place les voyageurs et ... offre des magazines. — Tous les êtres ont besoin du soleil ; il ... prodigue la force.

533 **Complète par leur ou leurs.**

Les clients se pressent autour des voitures, le représentant ... donne des conseils. — Les enfants soigneux brossent ... vêtements, cirent ... souliers, préparent ... cartable. — Les chiens montraient ... crocs pointus au cambrioleur. — À la fin de l'entracte, les spectateurs regagnent ... place. — Les moineaux transis ébouriffaient ... plumes. — La grand-mère attend ses petits-enfants et ... prépare une tarte aux cerises. — Nos amis doivent venir ce soir, nous ... ménageons une surprise.

534 **Emploie leur, pronom personnel, dans trois phrases et leur (ou leurs), déterminant possessif, dans trois courtes phrases.**

535 **Vocabulaire à retenir**

coiffer, la coiffure, décoiffer, le coiffeur
la glace, glacé, le glaçon, la glacière, verglacé, le verglas

87e leçon

si, s'y   ni, n'y

L'affaire est **si** compliquée qu'on **s'y** perd.
Ni eux **ni** moi **n'y** comprenons rien.

RÈGLES

Il ne faut pas confondre **si** avec **s'y**.

1. **si** est un adverbe ou une conjonction :
si compliquée → trop compliquée.

2. **s'y**, formé de deux mots, peut se décomposer en « **se y** ». Le **s** apostrophe fait partie d'un verbe pronominal et on peut remplacer **s'y** par **m'y**, **t'y** : qu'on **s'y** perd → que je m'y perds.

Il ne faut pas confondre **ni** avec **n'y**.

1. **ni** est une conjonction négative : **ni** eux **ni** moi → eux et moi.

2. **n'y**, formé de deux mots, peut se décomposer en « **ne y** ».
Le **n** apostrophe est la première partie d'une négation :
nous **n'y** comprenons rien → nous y comprenons quelque chose.

EXERCICES

536 **Conjugue au présent et à l'imparfait de l'indicatif.**

au stade, s'y rendre à pied
à la campagne, s'y installer
à la situation, n'y rien changer
dans le noir, n'y rien voir
à ce problème, n'y rien comprendre
contre la porte, s'y appuyer avec force

537 **Complète par** si **ou** s'y**. Justifie l'emploi de** s'y **en écrivant le verbe pronominal entre parenthèses.**

Ex. : La Bretagne est si agréable qu'on s'y rend (se rendre) avec plaisir.
Le lièvre aperçoit des touffes d'herbe et ... cache. — Tout homme a des obligations envers autrui et nul ne peut ... soustraire. — L'enfant se jette dans les bras de sa mère et ... blottit. — Qui ... frotte ... pique. — Les papillons voltigent autour des roses et ... posent. — Le nageur trempe un pied dans l'eau pour voir ... elle est bonne.

538 **Complète par** si **ou** s'y**. Justifie l'emploi de** s'y **en écrivant le verbe pronominal entre parenthèses.**

Il chante ... juste et ... bien qu'on l'écouterait des heures. — Le mur est tapissé de lierre, les moineaux aiment à ... nicher. — Le jeune Basque joue à la pelote ; pour être ... adroit, il faut qu'il ... exerce chaque jour. — Mes parents ont passé un mois à la campagne ; ils ... trouvent ... bien qu'ils pensent ... retirer quand ils seront à la retraite.

539 **Complète par** si **ou** s'y. **Justifie l'emploi de** s'y **en écrivant le verbe pronominal entre parenthèses.**

Le pont de bois paraît … vermoulu que le conducteur hésite à … risquer. — Il fait froid depuis … longtemps que l'on … habitue. — Le navire s'approcha trop près des récifs et … brisa ; les naufragés atteignirent des épaves et … accrochèrent. — Le singe s'agrippe à une branche et … balance. — Les peupliers bordent l'étang et … reflètent.

540 **Complète par** si **ou** s'y. **Justifie l'emploi de** s'y **en écrivant le verbe pronominal entre parenthèses.**

N'écoutez pas les flatteurs, … sincères qu'ils paraissent ; ceux qui … fient deviennent leurs dupes. — La souris s'approche du piège … attirant avec son morceau de lard et … laisse prendre. — Le vent a été … violent qu'il a renversé des arbres en travers de la route ; ce sera un rude travail de la dégager, des ouvriers … emploient activement. — La chaleur invite à entrer dans la forêt … proche ; ce sera un plaisir de … promener.

541 **Complète par** ni **ou** n'y. **Justifie l'emploi de** n'y **en écrivant le verbe et la négation entre parenthèses.**

Ex. : Le gouffre est profond ; on n'y descend pas (ne pas descendre).

J'ai fait réparer la clôture du jardin, … les chiens … les chats … pénétreront plus. — … ses regrets … ses larmes … firent rien, il fut puni pour avoir refusé de ranger ses affaires. — … les cerisiers … les pêchers n'ont donné de fruits cette année. — Votre travail est bien ainsi, … ajoutez rien, … une phrase … un mot ; … changez rien. — L'ordinateur est en panne ; … le clavier … l'écran ne fonctionnent : personne … comprend rien. — Ce vieil arbre est tout vermoulu, … grimpez pas.

542 **Complète par** ni **ou** n'y. **Justifie l'emploi de** n'y **en écrivant le verbe et la négation entre parenthèses.**

Le temps s'assombrit, on … voit plus rien. — Une fête se prépare, nous … assisterons … les uns … les autres, car nous devons partir incessamment. — Cette viande n'est … tendre … dure, elle n'est tout simplement pas cuite. — De splendides fleurs poussent au bord du lac et la tentation est grande de les cueillir, mais … allez pas : il y a trop de boue. — … la pluie … le brouillard n'empêcheront les avions de prendre l'air.

543 **Écris trois phrases dans lesquelles tu emploieras à la fois** si **et** s'y **et trois phrases dans lesquelles tu emploieras à la fois** ni **et** n'y.

544 **Vocabulaire à retenir**

assombrir — assister — assécher — associer — assembler
la boue — la joue — la roue — la proue — la toux
le genou — le hibou — le clou — le cou — le trou

88e leçon

sans, s'en dans, d'en

Son devoir est **sans** erreurs : il **s'en** félicite.
Il est **dans** une situation délicate, il tente **d'en** sortir.

RÈGLES

1. Il ne faut pas confondre la préposition **sans** avec **s'en** qui, formé de deux mots, peut se décomposer en « **se en** ». Comme le **s** apostrophe fait partie d'un verbe pronominal, on peut remplacer **s'en** par **m'en**, **t'en** : Il **s'en** félicite. → Je **m'en** félicite. Tu **t'en** félicites.

Remarque : On écrira :
• une ville sans habitant**s** (au pluriel) parce que s'il y en avait, il y aurait **plusieurs** habitants ;
• un jour sans soleil (au singulier) parce que s'il y en avait, il y aurait **du** soleil.

2. Il ne faut pas confondre la préposition **dans** avec **d'en** qui, formé de deux mots, peut se décomposer en « **de en** » :
Il tente **d'en** sortir → Il tente de sortir de là.

EXERCICES

545 Conjugue au présent et à l'imparfait de l'indicatif.
Ex. : De sa nourrice, s'en souvenir → De ma nourrice, je m'en souviens…
Le gouffre de Padirac, s'en approcher — Des actions passées, s'en repentir — Les réparations du véhicule, s'en occuper.

546 Complète par sans **et accorde, s'il y a lieu.**

un ciel … nuage…	un jour … soleil…	un discours … fin…
des lumières … éclat…	un lit … drap…	une maison … fenêtre…
une plaine … arbre…	un arbre … feuille…	un escalier … éclairage…
une nuit … lune…	un travail … soin…	un nid … oiseau…

547 Complète par sans **ou** s'en**. Justifie l'emploi de** s'en **en écrivant le verbe pronominal entre parenthèses.**
Ex. : Nous cueillons du lilas, il s'en dégage (se dégager) un doux parfum.
Jules ouvre la porte de la cage et le serin … échappe … se faire prier. — Des parapluies, il … perd tous les jours ; on les retrouve parfois aux objets trouvés … que personne les réclame d'ailleurs. — Ce magazine, autrefois passionnant, est maintenant … intérêt ; Damien … étonne et il ne renouvellera pas son abonnement. — … soin, … ordre, … méthode, pas de progrès, pas de réussite. — Les jeunes gens … vont le long des routes … se presser.

548 Complète par sans **ou** s'en**. Justifie l'emploi de** s'en **en écrivant le verbe pronominal entre parenthèses.**

L'exercice était plus difficile que d'habitude ; Géraldine ... doutait bien un peu mais elle a réussi à faire tous les calculs ... utiliser sa calculatrice. — Il voudrait bien ... aller chez lui, mais il a encore le matériel à ranger. — Madame Savet a acheté un magnétoscope et ... déclare satisfaite. — Les arbres jaunissent et les feuilles ... détachent : c'est l'automne. — Il fait beau, le soleil brille dans un ciel ... nuages, tout le monde ... réjouit.

549 Complète par sans **ou** s'en**. Justifie l'emploi de** s'en **en écrivant le verbe pronominal entre parenthèses.**

... votre aide, il n'aurait pas pu obtenir des places pour le concert. — Ses amis sont partis ... le saluer, il ne ... console pas. — Quand on a commis une faute, il faut ... accuser ... hésiter. — La falaise tombe à pic ; il est prudent de ne pas ... approcher. — Le malade a un peu de fièvre, il n'y a pas lieu de ... effrayer. — Madame Latarget ne peut plus lire ... lunettes mais elle ... accommode fort bien.

550 Complète par dans **ou** d'en**.**

La maison ... face est entourée d'un magnifique jardin. — Monsieur Sarda voudrait entrer ... cette pièce mais la porte est fermée à clé, il essaie ... forcer la serrure. — Je souffle ... une vieille trompette mais il m'est impossible ... faire sortir le moindre son. — Le marchand nous invite à goûter un fruit afin ... apprécier la saveur. — Je presse un citron afin ... extraire le jus. — Mes parents m'offrent un voyage ... les Pyrénées, ils me laissent le soin ... tracer l'itinéraire. — L'insecte entre ... le lis afin ... pomper le suc.

551 Complète par dans **ou** d'en**.**

L'avion pris ... la tourmente s'efforce ... sortir. — Le coteau est couvert de villas blotties ... le feuillage, celles ... haut sont ensoleillées toute la journée. — Des abeilles se tiennent à l'entrée de la ruche, elles sont chargées ... protéger l'accès et gare aux intrus, ils risquent ... souffrir. — Nous sommes entrés ... une période de pluie, il n'est pas possible ... prévoir la fin. — Les employés dégagent la neige devant l'entrée du magasin afin ... faciliter l'accès. — Il n'y a pas de cassette ... le magnétoscope, Fabrice a oublié ... mettre une.

552 Écris trois phrases dans lesquelles tu emploieras à la fois sans **et** s'en **et trois phrases dans lesquelles tu emploieras à la fois** dans **et** d'en**.**

553 Vocabulaire à retenir

un intrus — le refus — le talus — le rébus — l'abus — l'obus
voir, prévoir, apercevoir — devoir — savoir — croire — boire

89e leçon

quel(s), quelle(s), qu'elle(s)

Quelle belle histoire ! Voici l'histoire **qu'elle** lit.
Quel beau conte ! Voici l'histoire **qu'il** lit.

RÈGLES

1. **quel** est un déterminant ou un pronom variable en genre et en nombre :
   quel beau conte, **quelle** belle histoire, **quelles** belles histoires.

2. Il ne faut pas confondre **quel**, déterminant, variable en genre et en nombre, avec **qu'elle(s)** ayant une apostrophe, qui est la contraction de « que elle(s) » et que l'on peut remplacer par **qu'il** ou **que lui** :
   l'histoire **qu'elle** lit → l'histoire qu'il lit.

EXERCICES

554 Complète par quel(s), quelle(s) **ou** qu'elle(s). **Justifie l'emploi de** qu'elle(s) **en écrivant** qu'il(s) **entre parenthèses.**

Ex. : Je viens voir mes tantes ; je sais qu'elles sont là (qu'ils sont là).
Les caissières vérifient tous les chèques ... reçoivent. — Je vous offre des truffes au chocolat, je crois ... vous feront plaisir. — Protégez vos salades afin ... ne soient pas mangées par les escargots. — ... sont les plus belles régions du monde ? Celles que l'on ne connaît pas encore ! — Maman est sortie, attends ... rentre. — ... était jolie, la petite chèvre de monsieur Seguin ! — ... sont les disques que vous préférez ? — ... élégants costumes ! Décidément la mode est formidable cette année.

555 Complète par quel(s), quelle(s) **ou** qu'elle(s).

Je vous porte des fleurs ; ... soient le témoignage de ma bonne amitié ! — ... sont vos lectures actuelles ? — Avec ... adresse et ... souplesse le joueur de pelote rattrape et lance la balle ! — ... brouhaha dans la gare au moment de l'arrivée du TGV. — À ... vitesse roulait cet automobiliste quand les gendarmes l'arrêtèrent ? — La vendeuse emballe la robe ... vient de vendre. — Avec ... courage et ... abnégation le pompier se jette dans les flammes pour sauver les malheureux. — ... sont les grands fleuves de l'Europe ?

556 Écris six phrases où tu emploieras quel(s), quelle(s) **ou** qu'elle(s).

557 Vocabulaire à retenir

le brouhaha — le dahlia — cahin-caha
la station — l'équitation — la natation — l'observation — la récréation

la, là, l'a ou, où

Le chêne se prenait pour le roi de **la** forêt ;
le vent **l'a** brisé. Le roseau, lui, est toujours **là**.
Où feras-tu tes courses ? Au marché **ou** au magasin ?

RÈGLES

Il ne faut pas confondre **la**, **là** et **l'a**.

1. **la**, article ou pronom, peut être remplacé par **le** ou **les** : il **la** (le) voit.
2. **là**, adverbe ou interjection, marque le lieu ou le temps : il est **là**.
3. **l'a**, est une contraction de « le a » ou de « la a » ; on peut la remplacer par **l'avait** : il l'a (l'avait) vu.

Il ne faut pas confondre **ou** et **où**.

1. **ou**, conjonction sans accent, peut se remplacer par **ou bien** : un chien **ou** (ou bien) un chat.
2. **où**, pronom ou adverbe avec un accent, indique le lieu et parfois le temps : la maison **où** il vit.

EXERCICES

558 **Complète par** ou, où. **Justifie l'emploi de** ou **en écrivant** ou bien **entre parenthèses.**

... désirez-vous passer la soirée ? au théâtre ... au cinéma ? ... il vous plaira, répondit la marquise. — J'ai acheté la maison ... je suis né, ... j'ai passé mes années d'enfance ; je l'habiterai ... je la louerai. — Dans le cas ... tu ne trouverais personne à la maison, viens me chercher au stade ... au club de karaté. — Le jour ... la nuit, le médecin va ... les malades l'appellent. — Dans le village suisse ... je vais passer mes vacances, les habitants parlent le français ... l'allemand. — C'est à prendre ... à laisser, mais je ne peux plus attendre car je ne sais pas ... vous voulez en venir.

559 **Complète par** ou, où. **Justifie l'emploi de** ou **en écrivant** ou bien **entre parenthèses.**

Gérard est distrait ... il n'a pas d'agenda, car il oublie tous ses rendez-vous. — Quelles sont tes musiques préférées ? le rap ... la salsa ? — Pour te rendre à la Bastille, tu prendras le métro ... l'autobus. — Sylvain a retrouvé ses affaires là ... il les avait laissées, sous le lit ! — ... avez-vous ramassé ces champignons ? dans un bois ... dans un pré ? — De la ville ... je me rends, je rapporterai des gâteaux ... des nougats ; vous avez deviné qu'il s'agit de Montélimar ! — Maman se rend à la clinique ... elle doit accoucher ; j'aurai bientôt un petit frère ... une petite sœur.

560 Complète par ou, où. **Justifie l'emploi de** ou **en écrivant** ou bien **entre parenthèses.**

De ma fenêtre ... fleurissent des géraniums, je regarde passer les péniches qui remontent ... descendent la Seine. — Je sèmerai des graines de salades ... de radis à l'emplacement ... je mettais d'habitude des poireaux. — Dans la cafétéria ... Catherine déjeune, on choisit le menu touristique ... le plat du jour. — Pour la maison de campagne ... vous séjournerez, achetez des meubles de bois blanc ... des meubles peints. — À la gare ... vous descendrez, vous prendrez l'autocar ... une automobile pour vous rendre au colloque. — Vous emportez l'appareil dans l'état ... il se trouve. — Je ferai un bouquet ... les œillets, les roses et les lilas marieront leurs couleurs.

561 Complète par la, l'a **ou** là. **Justifie l'emploi de** l'a **en écrivant** l'avait **entre parenthèses.**

Cette veste-... était ... dernière ; ... marchande me ... vendue avec une bonne remise. — Arnaud se mit en colère et, ...-dessus, il prit ... porte et s'en alla sans dire un mot. — Le principal a appelé le délégué de ... classe et ... interrogé sur ... préparation de notre fête annuelle. — ...-haut dans ... montagne, on trouve des œillets sauvages et des fleurs parfumées. — Julien dormait profondément ; ... sonnerie ... réveillé en sursaut. — Walter avait oublié de fermer la porte à clé ; son père ... grondé, mais il ne ... pas puni. — C'est ..., dans cette région paisible, que je passerai ... plus grande partie de mes vacances. — ... visite de Lucas à ... tour Eiffel ... fortement impressionné. — Norbert cueillit ... pomme et ... mangea.

562 Complète par la, l'a **ou** là. **Justifie l'emploi de** l'a **en écrivant** l'avait **entre parenthèses.**

Cette chanson-... me plaît et puis j'adore ... chanteuse qui ... enregistrée. —Le Petit Chaperon rouge aperçut ... maison de sa grand-mère ...-bas, à l'entrée du village mais nulle trace du loup ; heureusement ! — Vous porterez ces lettres-... et ce paquet au bureau de poste ; ..., ils seront pesés et enregistrés. — J'ai porté ... bicyclette chez le mécanicien qui ... réparée. — Retournerai-je à ... rivière, ... où j'ai pris tant de poissons, dans ... forêt, ... où j'ai ramassé de si bons champignons ? — Claudine a préparé ... galette des Rois et ... mise au four. — Cette année-..., l'hiver fut terrible ; ... centenaire du village ne ... pas oublié. — ... règle du jeu est précise mais Amar ne ... pas lue.

563 Écris trois phrases dans lesquelles tu emploieras ou **et** où, **puis trois phrases dans lesquelles tu emploieras** la, l'a **ou** là.

564 Vocabulaire à retenir

la bicyclette, le cycle, un tricycle, un cyclomoteur, le cycliste
la falaise — le malaise — la punaise — la chaise — la glaise

près, prêt plus tôt, plutôt

Les nageurs alignés **près** du bord sont **prêts** à plonger.
Plutôt que de courir, essayez de partir **plus tôt**.

RÈGLES

1. Il faut écrire **prêt(s)** quand on peut mettre ce mot au féminin : prête(s), car c'est un adjectif qualificatif qui s'accorde avec le nom qu'il accompagne : Ils sont **prêts** (elles sont prêtes).
Dans le cas contraire, on écrit **près** : Ils sont **près** du bord.

2. On écrit **plus tôt** en deux mots lorsqu'il est le contraire de **plus tard** ; sinon on l'écrit en un seul mot, **plutôt** :
plutôt que de courir, partir **plus tôt** (plus tard).

EXERCICES

565 Conjugue au présent et à l'imparfait de l'indicatif.
être prêt à sortir — être prêt à sauter — être près du pont — être près du mur.

566 Complète avec près **ou** prêt **; accorde, s'il y a lieu. Justifie l'emploi de** prêt **en écrivant le féminin entre parenthèses.**
Ex. : Nous ne sommes pas prêts (prêtes), attendez-nous près du collège.
Ils sont si ... du but qu'ils sont ... à faire un dernier effort. — Nous nous tenions tout ... du filet, ... à renvoyer la balle dans le camp adverse. — Nous étions ... à photographier le cerf quand il passerait ... de l'étang. — Les voiliers rangés ... de la jetée sont ... au départ. — Je suis ... à vous accorder ma confiance, si vous êtes ... à tenir vos engagements.

567 Complète par plus tôt **ou** plutôt**. Justifie l'emploi de** plus tôt **en écrivant** plus tard **entre parenthèses.**
Si je pouvais l'attendre, je rentrerais ... . — ... réfléchir que de se précipiter pour écrire la réponse inexacte. — Si tu étais parti un peu ... tu n'aurais pas manqué le train. — ... que de jeter ces vêtements, vous auriez dû les donner. — Je préfère ... la glace à la vanille que celle au chocolat. — L'humanité se passerait ... d'or que de fer. — Je lis ... les romans que les bandes dessinées.

568 Écris trois phrases comportant à la fois près **et** prêt**, puis trois phrases comportant à la fois** plus tôt **et** plutôt**.**

569 Vocabulaire à retenir

envoyer, l'envoi — ennuyer, l'ennui — essayer, l'essai

92e leçon

peu, peut

L'athlète, **peu** essoufflé, **peut** courir encore longtemps.

RÈGLES

1. peu est un adverbe de quantité invariable, qui peut être remplacé par un autre adverbe : l'athlète **peu** (très) essoufflé.

2. peut est la forme conjuguée du verbe **pouvoir** (3e personne du singulier du présent de l'indicatif). On peut le remplacer par une autre forme conjuguée de ce verbe (pouvait, pourra, pourrait...) :
Il **peut** (pouvait) courir.

Attention, aux deux premières personnes du singulier du présent, le verbe **pouvoir** s'écrit **peux** : Je peux, tu peux courir.

EXERCICES

570 Conjugue au présent et à l'imparfait de l'indicatif.

pouvoir regarder le feuilleton — être peu fatigué
pouvoir flâner à sa guise — être un peu gourmand

571 Complète par peu **ou** peut (peux)**. Justifie l'emploi de** peut (peux) **en écrivant** pouvait (pouvais) **entre parenthèses.**

J'ai ... de temps et je ne ... pas me permettre d'attendre. — La récolte d'asperges a été ... abondante, le maraîcher ne ... pas vendre beaucoup de bottes. — Cet élève ... mieux organiser son travail ; il faut qu'il programme un ... plus ses devoirs. — Si ... que vous puissiez faire pour aider ces enfants africains, faites-le, cela ne ... que leur rendre un ... d'espoir.

572 Complète par peu **ou** peut (peux)**. Justifie l'emploi de** peut (peux) **en écrivant** pouvait (pouvais) **entre parenthèses.**

Je suis sûre que ... à ... on connaîtra la vérité et qu'on découvrira le coupable. — Ce commerçant ne ... livrer que ... de marchandises ; son stock est épuisé. — L'eau est ... profonde, tu ... te baigner sans crainte. — Ce pont est ... solide, je ne sais si l'on ... s'y aventurer sans risque. — ... à ... la tempête se calme et le skipper ... renvoyer les voiles.

573 Écris trois phrases comportant à la fois peu **et** peut **(ou** peux**).**

574 Vocabulaire à retenir

le stock — le skipper — le ski — le klaxon — le kangourou
la conscience, consciencieux — la tranquillité, tranquille

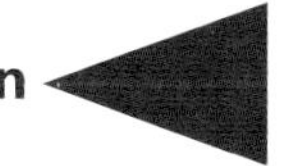

quand, quant à, qu'en

Quant à moi, j'irai te voir **quand** il fera beau.
Qu'en dis-tu ?

RÈGLES

1. **quand** exprime le temps. On peut généralement le remplacer par **lorsque** : quand (lorsque) il fera beau.

2. **qu'en** est la contraction de « que en » :
Qu'en dis-tu ? → Tu en dis quelque chose.

3. **quant** peut être remplacé par « en ce qui concerne ». Il est toujours suivi d'une préposition : **à**, **au** ou **aux** :
quant à moi (en ce qui me concerne).

EXERCICES

575 Complète par quand, quant **ou** qu'en. **Justifie** quand **en écrivant** lorsque **entre parenthèses.**

… on a travaillé toute une année, on est bien content de prendre des vacances. — … vous achetez comptant, vous ne payez la facture … une seule fois. — Je ne pourrai utiliser la tondeuse à gazon … prenant des précautions et surtout … la pluie aura cessé. — L'hiver, les Lapons ne se déplacent … traîneaux. — Cette maison n'est habitée … partie mais … elle sera restaurée, on pourra y installer deux nouveaux logements.

576 Complète par quand, quant **ou** qu'en. **Justifie** qu'en **en écrivant** que en **entre parenthèses.**

… viendra l'automne, j'irai cueillir des cèpes. — Si je te prête ce livre, … feras-tu ? Le liras-tu … tu auras fini ton travail ? — Tous mes camarades font du football, … à moi, je préfère le judo. — … tu auras un moment de libre, téléphone-moi. — Madame Bretin ne voyage … train car elle est morte de peur … elle prend l'avion. — … les hirondelles seront de retour, la douceur reviendra. — Il n'y a … se plongeant dans l'eau que l'on peut apprendre à nager.

577 Écris deux phrases dans lesquelles tu emploieras quand, **deux dans lesquelles tu emploieras** quant **et deux avec** qu'en.

578 Vocabulaire à retenir

donner — abandonner — chantonner — savonner — téléphoner
un an, l'année, annuel, annuellement, l'anniversaire, l'annuaire

Révision

579 Complète par eaux, aux, s ou x.

Les vieu... chât... ont des portail... couverts de clou... ; pour éviter les intrusion..., peut-être ? — Honteu..., le corbeau de la fable a perdu son fromage. — L'automobiliste regarde les pann... de signalisation. — Chaque jour, je lis plusieurs journ... afin d'être mieux informée. — Le jeune enfant, pas encore bien assuré, a égratigné ses genou... sur les caillou... pointus du chemin : il pleure à chaudes larme... . — L'or est un métal précieu... . — Louis-Alexandre a des cheveu... blonds comme les blé... . — Pour percer des trou... dans ce mur, il faut utiliser une perceuse à percussion.

580 Accorde les adjectifs entre parenthèses.

des paroles (amical) — des constructions (féodal) — des fleurs (naturel) — des plantes (tropical) — des caresses (maternel) — des tigresses (cruel) — des réunions (familial) — des curiosités (régional) — des lignes (vertical) — des dépenses (annuel) — des langues (universel) — des compétitions (mondial) — des trafics (normal) — des assurances (social).

581 Accorde les participes passés entre parenthèses.

L'armoire et le meuble sont (sculpté). — Les tables et les chaises avaient été (ciré). — La conférence et le spectacle furent (interrompu) suite à une panne d'électricité. — Les rues et les boulevards ont été (décoré) pour Noël. — La maison des Questier et celle des Foulon sont (isolé) dans la montagne.

582 Accorde les participes passés entre parenthèses.

(Chassé) par le vent, les nuages filent. — (Assoupli) et (façonné), les brins d'osier deviennent corbeilles et paniers. — (Grossi) par ses affluents, le fleuve déborde. — (Conduit) de main de maître, la voiture évite l'embardée de justesse. — (Perdu) dans la montagne, les alpinistes retrouvent enfin leur chemin. — (Griffonné) sur un bout de papier, ces quelques mots sont illisibles.

583 Écris ces noms composés au pluriel. Utilise un dictionnaire.

un chou-fleur	un canapé-lit	un wagon-restaurant	un chef-lieu
une plate-forme	une jupe-culotte	un presse-purée	un rouge-gorge
un pont-levis	un porte-bonheur	un timbre-poste	un arc-en-ciel
un rabat-joie	un remue-ménage	un Saint-Marcellin	un sous-marin
un demi-cercle	un sergent-chef	un vice-président	un tapis-brosse

584 Accorde les adjectifs qualificatifs et les participes passés.

Ces œillets et ces roses sont (artificiel), mais ils sont bien (imité). — Cette maison et ce jardin sont (vendu). — Pour transporter les voyageurs, les diligences et les chariots ont été (abandonné) depuis longtemps. — Les tapis et les moquettes ont été (soldé) ; c'était le moment de faire des affaires. — La crainte et la peur seront (vaincu) avec un peu de sang-froid. — En ce dimanche de juin, les rues et les boulevards de la ville sont (désert).

585 Écris correctement tout dans ces expressions.

(tout) le temps
(tout) les ans
(tout) les soirs
(tout) les nuits
(tout) nos frères
(tout) mes dents
(tout) les livres
(tout) vos idées
(tout) leur force
(tout) ceux qui parlent
(tout) celles qui rient
(tout) cet or
des enfants (tout) attendris
des filles (tout) jeunes
des légumes (tout) frais
des livres (tout) neufs
une table (tout) propre
une figure (tout) maquillée

586 Écris en lettres les nombres entre parenthèses.

À travers les plaines de l'Ouest, les (4) chevaux tiraient le chariot des pionniers. — Tous les (20) mètres il y a un panneau indicateur, on ne peut pas se tromper ! — Ces (4) frères se ressemblent. — Les enfants partent pour l'école vers les (8) heures. — J'écoute sonner les (12) coups de minuit au vieux clocher du village. — Les (15) joueurs de cette équipe de rugby s'entendent bien et gagnent la partie. — Ma lettre pèse (58) grammes, je colle un timbre de (6,70) francs. — Tous les (4) ans, l'année compte (366) jours.

587 Écris les participes passés des verbes. Pense aux accords.

Notre tante nous a (expédier) des colis qui nous sont bien (parvenir). — Ils seraient (venir) nous voir, s'ils avaient (connaître) notre adresse. — Les jeux, que j'ai (avoir) pour mon anniversaire, m'ont (divertir) pendant des heures. — La troisième étoile que j'ai (obtenu) à l'issue de la classe de neige, m'a (faire) plaisir. — Comme il y avait des travaux sur la ligne, les voyageurs ont longuement (attendre) le train Bordeaux-Paris. — Tu n'as pas (croire) bon de me prévenir de ton changement d'adresse.

588 Écris les participes passés des verbes. Pense aux accords.

Les pays tropicaux sont souvent (ravager) par les ouragans. — Les bulldozers ont (ravager) la pelouse du jardin public. — Les vergers ont été (ravager) par de fortes gelées. — La région, que le cyclone a (ravager), n'a plus un seul arbre debout. — Rien n'aurait (briser) le charme qu'avaient (créer) les musiciens. — Nous sommes (briser) de fatigue. — Nous tenions beaucoup aux bibelots que le chat a (briser). — Les barques ont été (briser) sur les rochers par des vagues énormes. — De vieux outils sont (entasser) dans le grenier de monsieur Arnaud mais lui seul sait à quoi ils servaient. — Le responsable de la déchetterie trie les objets (entasser) par les habitants.

589 Écris les participes passés des verbes. Pense aux accords.

Sa toilette (finir), Céline ira déjeuner. — Comme les travaux sont (finir), les automobilistes peuvent de nouveau emprunter cette route. — Quand les mauvaises herbes auront (disparaître), le gazon retrouvera un aspect plus présentable. — La corniche (casser) menace la sécurité des passants puisqu'elle risque de tomber à tout instant. — La branche que le vent a (casser) était pourtant d'une taille respectable. — Le ministre a (déclarer) que la circulation dans Paris serait (réglementer) à cause de la pollution.

Révision

590 Écris les participes passés des verbes. Pense aux accords.

Ces bolides, (conduire) par des pilotes professionnels, participent au rallye du Portugal. — Nous avons été (conduire) à changer les piles du transistor parce que le son n'était plus audible. — Les touristes étrangers sont (conduire) devant le lit de Louis XIV par un guide parlant l'anglais ; ils écoutent ses explications avec attention. — Les traces nous ont (conduire) jusqu'au bord de la falaise ; les animaux sont peut-être (tomber) dans le vide. — Nous avons (conduire) nos amis devant les ruines du château de Tramayes mais ils n'ont pas (apprécier) cet amas de pierres.

591 Complète avec le participe passé en -é ou l'infinitif en -er.

Il faudra chang... ces bougies encrass... . — On voit brill... les étoiles dans le ciel dégag... . — Les poissons écaill..., enfarin..., vont être plong... dans l'huile bouillante. — Le cavalier fait galop... son cheval sur la route détremp... . — Monsieur Tronchet ne veut pas achet... une maison aussi délabr... ; il préfère attendre. — Le champ, bien arros..., produira des légumes de qualité. — J'envisage de m'abonn... à ce journal ; les articles sont intéressants et il est abondamment illustr... .

592 Complète avec le participe passé en -é ou l'infinitif en -er.

Le frein à main n'était pas serr... alors la voiture a roul... sur la pente. — Tu penseras à ferm... le robinet sinon la baignoire va débord... . — La secrétaire a prépar... le courrier qu'elle doit tap... avant la fin de la journée. — Madame Jonquières passe des heures à brod... des napperons depuis qu'elle est à la retraite. — L'écureuil a grimp... à l'arbre, il a mang... des noisettes. — Pour travers... en toute sécurité, il faut emprunt... les passages souterrains. — Prendre un petit déjeuner équilibr..., il n'y a rien de meilleur pour la santé.

593 Complète avec le participe passé en -i ou le verbe en -it.

Le garagiste fin... la réparation ; la voiture sera en état de marche. — Son travail fin..., William regarde la télévision. — Sur le soir, le vent fraîch... ; la pluie n'est pas loin. — Le lilas épanou... ses grappes mauves au soleil printanier. — Le visage épanou..., Margaux annonce sa réussite au brevet. — Surg... d'on ne sait où, le coureur anglais franch... la ligne d'arrivée en vainqueur. — Mun... seulement d'une truelle, d'un seau et d'une pelle, le maçon bât... le hangar : quel courage !

594 Complète le participe passé en -i, -is ou le verbe en -it.

L'apiculteur recueill... le miel de ses abeilles. — Les chiens recueill... par la SPA sont placés dans un chenil. — L'amandier fleur... dès le mois de février. — Le rosier fleur... est l'orgueil du jardinier. — Le bibliothécaire lisait des parchemins jaun... par le temps. — Ce papier peint jaun... très rapidement, il faudra le remplacer. — Le visage meutr... par la fatigue, nous rentrons à la tombée de la nuit.

595 **Écris les verbes entre parenthèses à l'imparfait de l'indicatif.**

Toi qui (avoir) une peau bronzée, tu as perdu ton teint hâlé. — Moi qui (être) si patient d'habitude, voilà que je m'(emporte). — Une joie trop forte, un petit chagrin, tout la (contrarier). — Les avions qui (raser) le sol (prendre) des risques inutiles. — Skier, sauter les bosses, voilà ce qui lui (plaire). — Menaces ou injures, rien ne me (faire) peur. — Tableaux et masques africains (décorer) le salon de mes grands-parents.

596 **Écris les verbes entre parenthèses au présent de l'indicatif.**

Les bagages sont prêts, je les (charger) dans le coffre de la voiture. — L'électricien (démonter) les prises et les (réparer). — Les maçons (préparer) le béton et le (verser) dans les coffrages. — Les bûcherons (abattre) le vieux chêne et le (débiter) à la tronçonneuse. — Le banquier (compter) les billets et les (ranger) par paquets de dix. — Les rayons du soleil (éclairer) la terre et la (réchauffer). — Le pharmacien (détacher) les vignettes des boîtes de médicaments et les (coller) sur la feuille de maladie.

597 **Complète les verbes à l'infinitif.**

Les cars de ramassage sont en retard, les élèves vont les attend... . — Les pâtissiers préparent les galettes et s'apprêtent à les mett... au four. — Les cartons sont placés si hauts dans le placard que je ne peux les atteind... . — Les rideaux sont trop longs, il faudra les raccourci... . — Les menteurs ont beau protester, on ne peut plus les croi... . — Il ne faut pas confond... les vipères et les couleuvres. — Dix francs, cela devrait suffi... pour cet achat. — La nuit, on peut apercevoi... des satellites artificiels en plein ciel.

598 **Complète par c'est, ce sont ; s'est, se sont.**

Les sauveteurs ... découragés. — ... des moniteurs qui animent les veillées du centre de vacances. — Le chemin qu'il faut prendre, ... un tout petit sentier bordé de buissons. — ... deux camions qui ... heurtés ; ... un miracle que les conducteurs ne soient pas blessés. — La fleur s'épanouit, l'air est léger, ... les beaux jours qui commencent. — ... le loup qui ... jeté sur la petite chèvre de monsieur Seguin. — ... avec beaucoup d'attention que les habitants ... informés sur la construction d'un nouveau pont urbain.

599 **Complète par a ou à.**

Le blessé ... un pansement ... la tête ; mais il ... la chance de ne pas avoir perdu connaissance. — Jean ... tort de vouloir rester ... la maison alors qu'il fait si beau ... l'extérieur. — Mon oncle ... une maison ... la campagne qu'il essaie de restaurer pendant les vacances. — Monsieur Grammond ... manqué son train alors il rentre ... pied ; il n'... pas peur de marcher pendant huit kilomètres. — Le plombier n'... pas le temps de venir ... la maison parce qu'il ... trop de travail. — Le présentateur ... la parole facile et il réussit ... retenir l'attention de l'auditoire.

Révision

600 **Complète par** son **ou** sont.

La lionne et … lionceau … endormis dans les hautes herbes de la savane. — Xavier a fort bien résumé la situation, tous ses amis … de … avis : il faut faire vite sinon la nuit surprendra le groupe au milieu de la forêt. — Les papiers d'identité de monsieur Fladier … restés dans la poche de … veston. — Le brocanteur a disposé … trésor de vieilles reliques découvertes dans un grenier, néanmoins les visiteurs … très intéressés !

601 **Complète par** on **ou** ont.

… regarde volontiers les films qui … du succès peut-être parce qu'… est influencé par la critique. — … écoute avec plaisir ceux qui … beaucoup voyagé car ils … de l'expérience. — Les enfants sont pâles, … voit qu'ils … besoin d'air et de soleil. — Les danseurs … enchanté toute la salle ; … les applaudit. — … aide ceux qui … perdu leur emploi à retrouver un travail. — … ne doit pas conduire quand … a bu de l'alcool, même en très petite quantité. — Les auteurs d'histoires policières … de l'imagination ; … se demande où ils trouvent toutes leurs idées.

602 **Complète par** ses **ou** ces.

Il faut aider … parents dans l'exécution des multiples tâches ménagères. — … pompiers sont courageux et toujours disponibles. — L'ouvrier nettoie … outils avec soin. — Dans … régions, on cultive le maïs et le colza. — Par … temps de neige et de froid, chacun met … bottes fourrées. — Le peintre expose … tableaux ; … œuvres sont connues dans le monde entier. — Marie-Claire range … disques avec méthode : c'est indispensable car elle en possède beaucoup. — … chants me rappellent mon village et … traditions. — … fruits sont juteux ; ils viennent des Antilles.

603 **Complète par** ce, c' **ou** se, s'.

… que tu lis sur le panneau d'affichage doit … retenir facilement. — … dont vous parlez avec vos amis m'intéresse. — Des nuages … étaient amoncelés au lointain, … était le début de l'orage. — Il … abrite sous … vieux parapluie, … qui le protège un peu mais je suis sûre qu'il … mouillera. — … est jour de marché, les vendeurs de fruits et légumes … sont installés sur la place. — … est à l'entrée de l'autoroute que les routiers … sont arrêtés. — … portrait est plus vrai que la réalité, … est tout à fait toi.

604 **Complète par** leur **ou** leurs **et accorde, s'il y a lieu.**

Lorsque je joue au basket avec des débutants, je … fais des passes pour les mettre en confiance. — Les usines des plaines du Nord dressent vers le ciel … cheminée… géante… . — Autrefois, les dentellières transformaient de … doigt… agile… le fil en napperons ou en rubans. — Les voisins nous ont invités ; il faudrait … répondre. — Les randonneurs partent de bonne heure ; le vent matinal … fouette le visage et … gonfle la poitrine. — Les loups effraient les brebis, aussi les bergers … font-ils une chasse continuelle.

Conjugaison

Classification des verbes

je respire, je cueille, j'offre   je finis, je vois, je prends

RÈGLES

On peut classer les verbes en deux grandes catégories selon leur terminaison à la 1re personne du singulier du présent de l'indicatif :

1. Ceux qui prennent un **e** :
• les verbes en **-er** (1er groupe) : respirer → je respire ;
• quelques verbes comme **cueillir**, **offrir**, **ouvrir**… : je cueille, j'offre, j'ouvre.

2. Ceux qui prennent un **s** :
• les verbes en **-ir** (2e groupe, dont le participe présent est en **-issant**) :
finir → je finis, en finissant ;
• les verbes du 3e groupe :
sortir → je sors, en sortant ; voir → je vois ; prendre → je prends.

Remarques :

1. L'infinitif des verbes dont le participe présent est en -issant est toujours en **-ir** ; ces verbes sont du 2e groupe : agissant → ag**ir**.

2. Dans le 3e groupe, les verbes qui se terminent par le son :
• [waʀ] s'écrivent **-oir** : voir, devoir. Exceptions : boire, croire ;
• [ɥiʀ] s'écrivent **-uire** : luire, nuire. Exceptions : fuir et s'enfuir ;
• [ɛʀ] s'écrivent **-aire** : faire, plaire...

3. Quelques verbes s'écrivent **-ire** : lire, écrire, rire, suffire...

EXERCICES

605 **Écris l'infinitif de douze verbes terminés par -uire, de douze verbes terminés par -aire et de douze verbes terminés par -oir.**

606 **Écris l'infinitif de ces verbes et indique le groupe de conjugaison auquel ils appartiennent.**

je dors	je souris	je ralentis	je pars	je descends	j'agis
j'étudie	je balaie	je remue	je joue	je lis	je perds

607 **Écris l'infinitif et le participe présent de dix verbes du 2e groupe.**

608 **Complète la terminaison de l'infinitif de ces verbes.**

ri…	suffi…	construi…	fui…	vouloi…	mouri…
couri…	sorti…	détrui…	boi…	réussi…	parcouri…
veni…	lui…	s'évanoui…	di…	produi…	recevoi…

Le présent de l'indicatif

je chante, il copie tu bondis, elle attend, on écrit

RÈGLES

1. Au présent de l'indicatif, les verbes se divisent en deux grandes catégories :
- les verbes en **-er** qui prennent -e, -es, -e : je chante, il étudie ;
- les autres verbes qui prennent -s, -s, -t (ou -d) : tu bondis, elle attend.

2. Pour bien écrire un verbe au présent de l'indicatif il faut penser à l'infinitif, puis à la personne : je copie (copier) → e ;
je bondis (bondir) → s.

Attention : quelques verbes ne suivent pas cette règle et ont des terminaisons particulières : pouvoir → je peux ; vouloir → je veux ; aller → il va.

chanter		copier		bondir		attendre	
je	chante	je	copie	je	bondis	j'	attends
tu	chantes	tu	copies	tu	bondis	tu	attends
elle	chante	il	copie	elle	bondit	il	attend
nous	chantons	nous	copions	nous	bondissons	nous	attendons
vous	chantez	vous	copiez	vous	bondissez	vous	attendez
ils	chantent	elles	copient	ils	bondissent	elles	attendent

verbes en -ier		en -ouer	en -uer	en -ir	
envier	plier	avouer	continuer	avertir	grossir
épier	publier	clouer	remuer	fléchir	guérir
étudier	remercier	échouer	suer	frémir	saisir
falsifier	supplier	louer	tuer	garnir	surgir

EXERCICES

609 **Conjugue les verbes au présent de l'indicatif.**

scier une bûche — balbutier quelques mots — oublier l'heure — fleurir sa chambre — bâtir un mur — établir un plan — remercier son camarade — plier des serviettes — trier le courrier — noircir le tableau — remplir un verre — pétrir l'argile — distribuer des nougats — saluer son voisin.

610 **Écris les verbes aux trois personnes du singulier du présent de l'indicatif. La 3e personne sera représentée par un nom.**

convier des amis à dîner	négocier une affaire	franchir un obstacle
tuer le temps	réagir rapidement	avouer son erreur
démolir une cabane	crier à tue-tête	lier une amitié

611 **Écris les verbes au présent de l'indicatif et justifie la terminaison en écrivant l'infinitif entre parenthèses.**

Ex. : La gelée durcit (durcir) la terre.

Il grandi... à vue d'œil. — Tu bondi... comme un chat. — Elle amorti... sa chute. — Tu bruni... facilement. — Je ski... dans le brouillard. — Elle simplifi... les opérations. — Le sucre adouci... le goût du yaourt. — J'applaudi... des deux mains.

612 **Écris les verbes au présent de l'indicatif et justifie la terminaison en écrivant l'infinitif entre parenthèses.**

On appréci... les desserts au chocolat. — Le castor bâti... sa hutte au bord du torrent. — L'infirmière se dévou... sans compter son temps. — Le projet mûri... lentement dans la tête du professeur Tournesol. — La machine li... les piles de journaux. — Monsieur Rouan s'expatri... pour travailler au Brésil. — Le vent secou... les antennes et les paraboles. — Le commerçant expédi... des marchandises. — Au début des vacances, la foule afflu... dans les gares. — Le photographe pâli... en apercevant le désastre provoqué par le tremblement de terre. — La pluie contrari... les pilotes.

613 **Écris les verbes au présent de l'indicatif et justifie la terminaison en écrivant l'infinitif entre parenthèses.**

Le chef d'orchestre salu... le public. — Tu étudi... la carte routière. — Tu applaudi... le chanteur. — L'enfant remu... ses petites mains comme des marionnettes. — Je su... à grosses gouttes. — Tu t'habitu... à ton nouveau travail. — Le chien mendi... une caresse. — Je me réfugi... sous le porche de l'église pendant l'orage. — Je rougi... de plaisir en écoutant les résultats. — L'homme prévoyant se souci... de l'avenir. — Tu bénéfici... d'une réduction importante. — Tu pli... les feuilles en quatre. — Tu te meurtri... les mains en transportant ces pierres.

614 **Écris les verbes au présent de l'indicatif et justifie la terminaison en écrivant l'infinitif entre parenthèses.**

L'orage stri... le ciel de ses éclairs, grossi... la rivière, anéanti... les récoltes. — L'agent de police effectu... sa tournée habituelle. — Le fauve se tapi... dans les hautes herbes et épi... sa proie. — Je fini... mon travail et je vérifi... les résultats. — Chaque matin, tu assoupli... et fortifi... tes muscles en effectuant quelques mouvements. — Le bambin balbuti... quelques mots, puis s'assoupi... . — Le micro amplifi... les paroles du conférencier. — Ce comprimé purifi... l'eau ; elle est désormais buvable. — Le plâtre durci... en peu de temps.

615 **Vocabulaire à retenir**

fortifier — balbutier — amplifier — bénéficier
assouplir — s'assoupir — accomplir — meurtrir

Le présent de l'indicatif des verbes comme cueillir

Elle cueille des fleurs et nous offre des fruits.

RÈGLE

Les verbes comme **cueillir**, **offrir**, **ouvrir** se conjuguent au présent de l'indicatif comme les verbes en -er : je cueille, tu cueilles, elle cueille ; j'offre, j'ouvre.

cueillir	je	cueille	nous	cueillons
	tu	cueilles	vous	cueillez
	il/elle	cueille	ils/elles	cueillent

verbes se conjuguant comme cueillir					
accueillir	couvrir	entrouvrir	ouvrir	recueillir	tressaillir
assaillir	découvrir	offrir	recouvrir	souffrir	défaillir

EXERCICES

616 **Conjugue les verbes au présent de l'indicatif.**

accueillir des amis — entrouvrir la fenêtre — souffrir de maux de tête
recueillir un avis — recouvrir le lit — tressaillir de joie

617 **Écris les verbes aux trois personnes du singulier du présent de l'indicatif. La 3e personne sera représentée par un nom.**

recueillir des graines — découvrir l'énigme — tressaillir de peur
frapper au carreau — penser à ses parents — garder un secret
couvrir un livre — offrir des cadeaux — assaillir le vainqueur

618 **Écris les verbes entre parenthèses au présent de l'indicatif.**

Sylvie (découvrir) de vieilles marmites dans le grenier. — Tu (écouter) dix fois de suite la même chanson. — Tu (cueillir) des framboises et tu les (offrir) à ta petite sœur. — En fin d'après-midi, il fait moins chaud, elle (entrouvrir) les volets. — Les feuilles de papier (voltiger) parce que tu n'as pas fermé la fenêtre. — Les bandes de brigands (assaillir) et (piller) le village. — À la vue d'une seringue, David (défaillir) et (refuser) toute piqûre.

619 **Vocabulaire à retenir**

souffrir, la souffrance, souffrant, un souffre-douleur
cueillir, la cueillette, accueillir, l'accueil, recueillir, le recueil

Le présent de l'indicatif des verbes en -yer

Il appuie sur le bouton.

RÈGLES

1. Les verbes en **-yer** changent le **y** en **i** devant un e muet :
   il aboie, j'appuie, tu appuies, il appuie, elles appuient.
   nous appuyons, vous appuyez.
2. Les verbes en **-ayer** peuvent conserver le **y** devant un e muet :
   je balaye ou je balaie ; tu balayes ou tu balaies…

Remarque : Pour simplifier l'apprentissage de l'orthographe, il est préférable d'appliquer la même règle à tous les verbes en **-yer**.

appuyer		nettoyer	
j' appuie	nous appuyons	je nettoie	nous nettoyons
tu appuies	vous appuyez	tu nettoies	vous nettoyez
il/elle appuie	ils/elles appuient	il/elle nettoie	ils/elles nettoient

verbes en -oyer			en -ayer		en -uyer
broyer	noyer	renvoyer	balayer	essayer	appuyer
déployer	octroyer	tournoyer	bégayer	payer	ennuyer
envoyer	ployer	tutoyer	égayer	rayer	essuyer

EXERCICES

620 **Conjugue les verbes au présent de l'indicatif.**

essuyer le pare-brise — ennuyer ses camarades — nettoyer ses vêtements
choyer ses invités — tutoyer son voisin — broyer du noir
payer une facture — balayer la cour — vouvoyer les adultes

621 **Écris les verbes aux 1re et 2e personnes du singulier et à la 1re personne du pluriel du présent de l'indicatif.**

appuyer sur l'accélérateur — envoyer une télécopie — employer un mot — rayer les verbes — octroyer des avantages.

622 **Écris les verbes entre parenthèses au présent de l'indicatif.**

Tu (cadrer) bien les personnages et tu (appuyer) sur le déclic. — Nous (envoyer) une lettre à nos correspondants d'Alençon. — Comme Patrick ne connaît pas la réponse, il (noyer) le poisson en parlant d'autre chose. — Ce papier peint très coloré (égayer) votre chambre.

623 Écris les verbes entre parenthèses au présent de l'indicatif.

Je (délayer) de la farine dans du lait. — Vous vous (frayer) difficilement un chemin dans les buissons épineux. — Le cow-boy brutal (rudoyer) son cheval. — Les gardiens (convoyer) le fourgon blindé. — Vous (nettoyer) votre bicyclette. — Vous (côtoyer) des personnes peu fréquentables. — Nous (essayer) des chaussures. — Les ailes volantes (tournoyer) dans le ciel clair.

624 Complète la terminaison de ces verbes conjugués au présent de l'indicatif et justifie-la en écrivant l'infinitif entre parenthèses.

Ex. : Le soleil flamboie (flamboyer) et boit (boire) la rosée du matin.

Au printemps, les feuilles verdoi... ; la nature s'éveill... . — Mon père doi... rentrer à sept heures. — Les spectateurs voi... souffrir les coureurs dans la montée du col du Galibier. — Les fabricants envoi... des échantillons aux commerçants pour les convaincre de la qualité de leurs produits. — Les joueurs d'une même équipe se tutoi... ; cela paraît normal. — La blonde chevelure de Lorène ondoi... sous la caresse du vent. — Les femmes africaines broi... les grains de maïs à l'aide d'un pilon.

625 Complète la terminaison de ces verbes conjugués au présent de l'indicatif et justifie-la en écrivant l'infinitif entre parenthèses.

Quand on manqu... de preuves, on se tai... et on n'accus... personne sans raison. — Le maçon étai... la vieille bâtisse qui risqu... de s'écrouler. — Je suis attentif, j'essai... de comprendre comment fonctionn... ce moteur et je sai... que j'y arriverai. — Comme il travaill... régulièrement, Rodolphe pourvoi... aux besoins de ma famille. — Tu nous ennui... avec tes remarques stupides. — Tu voi... tes espoirs de victoire s'envoler. — Tu envoi... des cartes postales à tes amis. — Le chien aboi... quand s'approch... un visiteur inconnu. — Monsieur Fouillet ne boi... que de l'eau minérale. — Tu effrai... tout le monde avec ce masque de King-Kong.

626 Complète la terminaison de ces verbes conjugués au présent de l'indicatif et justifie-la en écrivant l'infinitif entre parenthèses.

La soupe cui... sur la cuisinière. — La carabine s'enrai... au premier coup de feu. — Tu aperçoi... une silhouette sombre. — Tu ploi... sous les reproches. — Je me plai... dans ce quartier. — Tu pai... ce bijou bien trop cher. — Je balai... la terrasse. — L'artisan soustrai... tous les frais de transport avant de calculer le montant de son bénéfice. — Au feu vert, le conducteur embrai... rapidement. — Le clown distrai... les enfants. — Je suis peut-être naïve, mais je croi... ce que vous dites. — Le spéléologue déblai... l'entrée du souterrain. — Bien embarassée, je bégai... quelques excuses.

627 Vocabulaire à retenir

une silhouette — un souhait — un véhicule — la cohérence
bégayer — effrayer — essayer — payer — balayer

Le présent de l'indicatif des verbes comme espérer et lever

L'élève lève le doigt et espère avoir la parole.

RÈGLES

1. Les verbes comme **espérer** changent l'accent aigu de l'avant-dernière syllabe en accent grave devant une terminaison muette : j'espère, tu espères ; nous espérons, vous espérez.

2. Les verbes comme **lever** prennent un accent grave à l'avant-dernière syllabe devant une terminaison muette : je lève, tu lèves.

espérer				lever			
j'	espère	nous	espérons	je	lève	nous	levons
tu	espères	vous	espérez	tu	lèves	vous	levez
il/elle	espère	ils/elles	espèrent	il/elle	lève	ils/elles	lèvent

verbes comme espérer			comme lever	
aérer	énumérer	posséder	aérer	peser
compléter	inquiéter	succéder	emmener	semer
digérer	persévérer	tempérer	achever	soupeser

EXERCICES

628 **Conjugue les verbes au présent de l'indicatif.**
aérer la pièce — vénérer ses ancêtres — régler sa montre — ébrécher un pot.

629 **Conjugue aux 1re et 2e personnes du singulier et du pluriel du présent de l'indicatif.**
abréger l'entretien — céder du terrain — s'inquiéter à tort — protéger les semis — malmener ses jouets — énumérer les détails — exagérer un peu.

630 **Écris les verbes entre parenthèses au présent de l'indicatif.**
Le cycliste (accélérer) en vue de l'arrivée. — Nous (posséder) une cassette du film *les Visiteurs*. — Le 14 juillet, on (célébrer) la prise de la Bastille. — Tu (se promener) au bord du canal. — Le linge (sécher) sur le balcon.

631 **Vocabulaire à retenir**
le bord, border, aborder, l'abordage — adhérer, l'adhésion, un adhérent

Le présent de l'indicatif de quelques verbes du 3e groupe

Ils courent sous le préau ou lisent en classe.

courir		rompre		lire		conclure	
je	cours	je	romps	je	lis	je	conclus
tu	cours	tu	romps	tu	lis	tu	conclus
il/elle	court	il/elle	rompt	il/elle	lit	il/elle	conclut
nous	courons	nous	rompons	nous	lisons	nous	concluons
vous	courez	vous	rompez	vous	lisez	vous	concluez
ils/elles	courent	ils/elles	rompent	ils/elles	lisent	ils/elles	concluent

verbes se conjuguant comme lire				courir	conclure
élire	déduire	instruire	produire	accourir	exclure
relire	détruire	introduire	réduire	concourir	inclure

EXERCICES

632 Conjugue les verbes au présent de l'indicatif.

interrompre son travail — conduire une voiture — saluer la foule
rire aux éclats — secourir un blessé — se suffire de peu
relire un chapitre — élire un délégué — lier une sauce

633 Écris les verbes aux trois personnes du pluriel du présent de l'indicatif.

détruire les preuves — maigrir de cinq kilos
faiblir tout près du but — produire un spectacle
obéir au doigt et à l'œil — lire un roman

634 Complète la terminaison des verbes conjugués au présent de l'indicatif ; justifie-la en indiquant l'infinitif entre parenthèses.

À l'entrée du village, tu rédui... ta vitesse. — Comme Isabelle parle couramment l'allemand, elle tradui... toutes les explications du guide. — Les projecteurs sont en panne, l'arbitre interromp... la partie. — En apercevant l'oasis, un espoir lui... dans les yeux du caravanier épuisé. — Une cuillerée à café de sirop suffi... pour calmer ta toux. — Furieux, le piéton injuri... l'automobiliste qui ne s'est pas arrêté au stop. — Le bruit cour... que la reine d'Espagne visitera la région cet été. — Tu accour... à mon appel.

635 Vocabulaire à retenir

le silence — l'agence — l'absence — l'essence — l'innocence

100e leçon

Le présent de l'indicatif des verbes en -dre

Je te réponds qu'il t'attend depuis une heure.

RÈGLES

1. Les verbes en **-dre** conservent généralement le **d** au présent de l'indicatif : je répon**d**s, il atten**d**.

2. À la troisième personne du singulier, le verbe se termine par ce **d** : il compren**d**, il appren**d**.

Remarque : Les verbes qui se terminent par le son [ɑ̃dʀ] s'écrivent **-endre** : prendre, tendre, vendre.

Exceptions : **épandre** et **répandre**.

répondre		**attendre**	
je répond**s**	nous répond**ons**	j' attend**s**	nous attend**ons**
tu répond**s**	vous répond**ez**	tu attend**s**	vous attend**ez**
il/elle répond	ils/elles répond**ent**	il/elle attend	ils/elles attend**ent**

verbes en -ondre		en -endre		en -andre	en -ordre
confondre	répondre	descendre	étendre	épandre	mordre
fondre	tondre	entendre	suspendre	répandre	tordre

EXERCICES

636 Conjugue au présent de l'indicatif.

rendre la monnaie — correspondre avec Luc — descendre l'escalier.

637 Conjugue les verbes aux trois personnes du singulier du présent de l'indicatif. La 3e personne sera représentée par un nom.

perdre des points — détendre l'atmosphère — mordre la poussière — coudre un bouton.

638 Trouve la terminaison du présent de l'indicatif.

L'avocat défen... l'accusé avec beaucoup de conviction. — Le gendarme surpren... le malfaiteur la main dans le sac. — Après son accident, monsieur Girard réappren... à marcher avec des béquilles. — Le brouillard s'évapor... lentement. — J'enten... un bruit suspect en provenance du moteur.

639 Vocabulaire à retenir

la provenance — l'enfance — la chance — la balance — l'aisance

Le présent de l'indicatif des verbes en -indre, en -oindre et en -soudre

Il ne craint pas la difficulté et atteint ses objectifs.

RÈGLES

1. Les verbes en -**indre**, -**oindre** et -**soudre** perdent le **d** aux trois personnes du singulier du présent de l'indicatif :

j'atteins, tu atteins, il atteint.

2. Les terminaisons des personnes du pluriel du présent de l'indicatif des verbes en -**indre** et -**oindre** sont précédées de **gn** :

nous attei**gn**ons, vous attei**gn**ez, ils attei**gn**ent.

Remarques :

1. Les verbes qui se terminent par le son [ɛ̃dʀə] s'écrivent -**eindre** sauf **plaindre**, **craindre** et **contraindre**.

2. Il ne faut pas confondre les verbes en -**indre** ou en -**soudre** avec les autres verbes en -**dre** qui conservent le **d** :

il résout ; il cou**d**. il éteint ; il éten**d**.

atteindre		joindre		résoudre	
j'	atteins	je	joins	je	résous
tu	atteins	tu	joins	tu	résous
il/elle	atteint	il/elle	joint	il/elle	résout
nous	attei**gn**ons	nous	joi**gn**ons	nous	réso**lv**ons
vous	attei**gn**ez	vous	joi**gn**ez	vous	réso**lv**ez
ils/elles	attei**gn**ent	ils/elles	joi**gn**ent	ils/elles	réso**lv**ent

verbes se conjuguant comme atteindre				joindre	résoudre
ceindre	éteindre	geindre	contraindre	disjoindre	absoudre
empreindre	étreindre	peindre	craindre	enjoindre	dissoudre
enfreindre	feindre	teindre	plaindre	rejoindre	résoudre

EXERCICES

640 **Conjugue les verbes au présent de l'indicatif.**

peindre la porte
joindre les deux bouts
éteindre la bougie
étendre le bras
rejoindre ses parents
plaindre les mineurs
se résoudre à partir
résoudre une énigme
craindre le froid
fendre la foule
coudre un insigne
feindre la surprise

641 **Écris aux trois personnes du singulier et à la 1re personne du pluriel du présent de l'indicatif.**

teindre ses cheveux — descendre de l'avion — peindre le mur en blanc
tendre une perche — détendre l'atmosphère — pendre la crémaillère

642 **Écris les verbes entre parenthèses au présent de l'indicatif.**

J'(éteindre) la lumière ; la projection (commencer). — L'ouvrier (peindre) les volets de la maison. — Les agriculteurs (se plaindre) de l'absence de pluie. — Je (résoudre) les difficultés une à une. — Le gouvernement (restreindre) son budget. — Le chat (geindre) faiblement : où peut-il avoir mal ? — Le sel (se dissoudre) dans l'eau. — La bourrasque (disjoindre) les planches qui (fermer) l'entrée de la cabane. — Dans certains villages africains, on (teindre) encore les étoffes de manière artisanale.

643 **Écris les verbes entre parenthèses au présent de l'indicatif.**

Le voyageur (attendre) l'arrêt complet du train pour descendre. — La poule (pondre) un œuf chaque matin. — Le soleil (poindre) à l'horizon, (embraser) le ciel, (descendre), puis (s'éteindre). — Le boxeur (étendre) son adversaire pour le compte ! — Escartefigue (fendre) le cœur de César en oubliant de couper la carte de Panisse ! — L'actrice (feindre) de s'évanouir mais personne n'est dupe. — Avant de célébrer le mariage, le maire (ceindre) son écharpe tricolore. — Le navire (rejoindre) son port d'attache.

644 **Écris les verbes entre parenthèses au présent de l'indicatif.**

La tempête (contraindre) l'avion à atterrir. — Tu (entendre) la sirène des pompiers. — On (éteindre) la bougie en soufflant dessus. — Ali Baba (surprendre) les voleurs ; il (retenir) la formule magique. — Tu (s'étendre) sur le sable chaud. — Tu (teindre) une mèche de tes cheveux en bleu. — Une odeur de brûlé (se répandre) autour du barbecue ; on a dû oublier les saucisses ! — Je (craindre) l'arrivée d'une vague de froid. — Si tu (enfreindre) le règlement, tu risques un blâme.

645 **Écris les verbes entre parenthèses au présent de l'indicatif.**

Nous (tendre) un piège à nos adversaires. — Nous (atteindre) l'objectif visé. — Vous (peigner) votre épaisse chevelure. — Vous (peindre) le buffet de la cuisine. — Vous (suspendre) le lustre. — Le motard (craindre) la pluie. — Je (plaindre) les malheureux enfants qui (travailler) dès l'âge de six ans. — Tu ne (comprendre) pas nos explications. — L'élève (répondre) à l'appel de son nom. — Le fruit (pendre) au bout du rameau. — Monsieur Angel (peindre) ses tableaux au couteau.

646 **Vocabulaire à retenir**

l'objectif — l'apéritif — le récif — le motif — le massif
craindre, la crainte, craintif — plaindre, la plainte, plaintif

Le présent de l'indicatif des verbes en -tre

Il connaît la réponse et met une croix dans la case.

RÈGLE

Les verbes dont l'infinitif se termine par le son [tʀə], comme **mettre**, **connaître**, **accroître**, perdent un **t** de leur infinitif au singulier du présent de l'indicatif : je mets → un seul **t** ; je connais → sans **t**.

Remarques :
1. Les verbes comme **connaître** et **accroître** conservent l'accent circonflexe quand le **i** du radical est suivi d'un t : il connaît, il accroît.
2. Le verbe **croître** conserve l'accent circonflexe quand il peut être confondu avec le verbe **croire** : je croîs (croître) ; je crois (croire).

mettre		**connaître**	
je mets	nous mettons	je connais	nous connaissons
tu mets	vous mettez	tu connais	vous connaissez
il/elle met	ils/elles mettent	il/elle connaît	ils/elles connaissent

verbes en -tre			en -aître		en -oître
admettre omettre	soumettre transmettre	abattre combattre	apparaître connaître	naître reparaître	accroître décroître

EXERCICES

647 Conjugue au présent de l'indicatif.
promettre une récompense   reconnaître ses erreurs   accroître ses ressources

648 Écris les verbes aux trois personnes du singulier du présent de l'indicatif. La 3e personne sera représentée par un nom.
comparaître   rabattre   s'abattre   reparaître   se débattre   croître

649 Écris les verbes entre parenthèses au présent de l'indicatif.
Au printemps, la nature (renaître). — Je (battre) la semelle en attendant l'autobus. — Ainsi, je ne (compromettre) pas mes chances de réussite. — L'antilope (paître) tranquillement. — Tu (commettre) une faute en oubliant l'accent sur le i. — Anne (croire)-elle encore au Père Noël ?

650 Vocabulaire à retenir
croître, la croissance, un croissant, accroître, décroître

103e leçon

Le présent de l'indicatif des verbes du 3e groupe en -tir

Je sors de chez moi et je pars à pied.

RÈGLES

1. Les verbes en **-tir** du 3e groupe, comme **sortir**, **partir**, etc. perdent le **t** de leur infinitif au singulier du présent de l'indicatif : je pars.

2. Il ne faut pas les confondre avec les verbes en **-tir** du 2e groupe : ralentir → je ralentis ; sortir → je sors.

Remarque : D'autres verbes du 3e groupe perdent la consonne qui précède la terminaison de l'infinitif au singulier du présent de l'indicatif : dor**m**ir → je dors ; sui**v**re → je suis.

partir	je	pars	nous	partons
	tu	pars	vous	partez
	il/elle	part	ils/elles	partent

verbes en -tir			
consentir	repartir	démentir	se repentir
départir	ressortir	mentir	ressentir
partir	sentir	pressentir	sortir

EXERCICES

651 **Conjugue au présent de l'indicatif.**

démentir une nouvelle — consentir un rabais — sortir par un beau soleil

652 **Écris les verbes entre parenthèses au présent de l'indicatif.**

Tu (sentir) le doux parfum de la rose. — Tu (sortir) du vestiaire en maillot de bain. — Tu (consentir) à répondre. — En stage dans une école anglaise, je (vivre) une aventure merveilleuse. — Tu (poursuivre) le récit de tes exploits.

653 **Complète les verbes au présent de l'indicatif et justifie la terminaison en écrivant l'infinitif entre parenthèses.**

Tu ser... la main de ton ami. — Tu ser... un rafraîchissement à ton ami. — Le maître d'hôtel ser... les convives. — Le mécanicien ser... les boulons du moteur. — Le campeur dor... sur un matelas pneumatique.

654 **Vocabulaire à retenir**

multicolore, bicolore, tricolore, unicolore, incolore

Le présent de l'indicatif des verbes vouloir, pouvoir, valoir

Je veux lui parler. Peux-tu l'appeler au téléphone ?

RÈGLE

Les verbes **vouloir**, **pouvoir**, **valoir** ont pour terminaisons -x, -x, -t au singulier du présent de l'indicatif : je veux, tu peux, elle vaut.

Remarque : Il ne faut pas confondre **peut (peux)**, du verbe **pouvoir** avec **peu**, adverbe de quantité. Si l'on peut mettre l'imparfait **pouvait (pouvais)**, il faut écrire **peut (peux)** :

On ne **peut** (pouvait) pas réussir si l'on ne travaille pas un **peu**.

EXERCICES

655 Conjugue les verbes au présent de l'indicatif.

vouloir se rendre utile — valoir plus cher — pouvoir traduire en grec.

656 Écris la terminaison des verbes au présent de l'indicatif.

Tu (pouvoir) couper le gâteau en huit parts, c'est facile. — Je (vouloir) apprendre le polonais, mais il n'y a pas de professeur au collège. — Cet objet en étain (valoir) plus que tu ne penses. — Cet élève ne (pouvoir) pas réussir car il ne (vouloir) pas apprendre ses leçons. — Cette façon de résoudre le problème en (valoir) bien une autre et je suis sûre que tu (pouvoir) trouver la solution.

657 Complète par peu ou peut (peux). Justifie l'emploi de peut (peux) en écrivant pouvait (pouvais) entre parenthèses.

Le joueur, ... fatigué, ... reprendre la partie. — Elle ne ... manger cette viande car elle est trop ... cuite. — Il s'en est fallu de ... pour que le voyage soit annulé. — Ce détour ... important ne ... pas nous retarder. — Que ... l'aviateur ... expérimenté contre la tempête ? Il ne ... qu'atterrir. — Je ne ... que me réjouir de cette heureuse nouvelle. — Si on veut très fort quelque chose, on ... le faire. — Madame Gandin a si ... de loisirs qu'elle ne ... plus lire son magazine préféré. — L'élève trop ... attentif ne ... comprendre les explications.

658 Vocabulaire à retenir

expérimenté, l'expérience, l'expérimentateur, expérimental
l'attention, attentionné, attentif, attentivement — attendre, l'attente

105e leçon

Le présent de l'indicatif des verbes être et avoir et de quelques verbes particuliers

être	avoir	faire	aller
je suis	j' ai	je fais	je vais
tu es	tu as	tu fais	tu vas
il est	elle a	il fait	elle va
nous sommes	nous avons	nous faisons	nous allons
vous êtes	vous avez	vous faites	vous allez
elles sont	ils ont	elles font	ils vont

voir	prendre	venir	pouvoir
je vois	je prends	je viens	je peux
tu vois	tu prends	tu viens	tu peux
il voit	elle prend	il vient	elle peut
nous voyons	nous prenons	nous venons	nous pouvons
vous voyez	vous prenez	vous venez	vous pouvez
elles voient	ils prennent	elles viennent	ils peuvent

dire	asseoir[1]	boire	croire
je dis	j' assieds	je bois	je crois
tu dis	tu assieds	tu bois	tu crois
il dit	elle assied	il boit	elle croit
nous disons	nous asseyons	nous buvons	nous croyons
vous dites	vous asseyez	vous buvez	vous croyez
elles disent	ils asseyent	elles boivent	ils croient

fuir	se taire	bouillir	coudre
je fuis	je me tais	je bous	je couds
tu fuis	tu te tais	tu bous	tu couds
il fuit	elle se tait	il bout	elle coud
nous fuyons	nous nous taisons	nous bouillons	nous cousons
vous fuyez	vous vous taisez	vous bouillez	vous cousez
elles fuient	ils se taisent	elles bouillent	ils cousent

moudre	s'émouvoir	mourir	haïr
je mouds	je m'émeus	je meurs	je hais
tu mouds	tu t'émeus	tu meurs	tu hais
il moud	elle s'émeut	il meurt	elle hait
nous moulons	nous ns émouvons	nous mourons	nous haïssons
vous moulez	vous vs émouvez	vous mourez	vous haïssez
elles moulent	ils s'émeuvent	elles meurent	ils haïssent

plaire	acquérir	vaincre	écrire
je plais	j' acquiers	je vaincs	j' écris
tu plais	tu acquiers	tu vaincs	tu écris
il plaît	elle acquiert	il vainc	elle écrit
nous plaisons	nous acquérons	nous vainquons	nous écrivons
vous plaisez	vous acquérez	vous vainquez	vous écrivez
elles plaisent	ils acquièrent	elles vainquent	ils écrivent

1. Autre conjugaison possible : j'assois, tu assois, il assoit, nous assoyons, vous assoyez, ils assoient.

EXERCICES

659 Conjugue les verbes au présent de l'indicatif.

défaire les nœuds — mourir de frayeur — acquérir de l'expérience
distraire ses amis — moudre du café — s'asseoir à l'ombre

660 Conjugue les verbes au présent de l'indicatif.

parvenir à ses fins — venir dans un instant — se souvenir des paroles
revenir de loin — prévenir les pompiers — convenir d'un rendez-vous

661 Conjugue les verbes au présent de l'indicatif.

contenir sa joie — retenir ses rires — appartenir au club de tennis
détenir la vérité — entretenir le doute — soutenir le contraire

662 Conjugue les verbes au présent de l'indicatif.

apprendre à nager — comprendre l'italien — prendre un café
reprendre un gâteau — surprendre ses amis — entreprendre une réparation

663 Écris les verbes entre parenthèses au présent de l'indicatif.

Vous (faire) un détour pour éviter les travaux. — Vous (dire) toujours la même chose. — Vous (être) de bonne humeur. — Ce jeune enfant (aller) à l'école maternelle pour la première fois. — Tu (être) d'une politesse extrême. — Elle (bouillir) d'impatience. — Je (s'asseoir) dans la zone non-fumeurs. — Le cascadeur (vaincre) sa peur. — Le film (plaire) aux enfants bien que la fin soit un peu triste. — Au petit déjeuner, vous (boire) un grand verre de jus d'orange. — Impressionnés par l'arrivée du nouveau chef d'orchestre, les musiciens (se taire) et (attendre) ses instructions.

664 Écris les verbes entre parenthèses au présent de l'indicatif.

Vous (se taire) par crainte de dire une bêtise. — L'homme économe (acquérir) une maison pour ses vieux jours. — À l'approche de l'hiver, les cigognes (s'enfuir) vers les pays chauds. — Le coureur échappé (voir) son avance diminuer au fil des kilomètres. — L'énorme machine (se mouvoir) facilement. — Je (haïr) la guerre. — Tu (avoir) une bonne santé. — Nous (écrire) avec un stylo feutre. — Nous (croire) que la panne d'électricité ne durera pas longtemps.

665 Rédige un texte où tu utiliseras le plus grand nombre possible de verbes étudiés dans cette leçon.

666 Vocabulaire à retenir

le fourré, fourrer, la fourrure, le fourreur
l'accent, accentuer, l'accentuation
le matériel — le pluriel — le logiciel — l'essentiel

106e leçon

L'imparfait de l'indicatif

Les candidats attendaient leurs résultats.

RÈGLE

À l'imparfait, tous les verbes prennent les mêmes terminaisons :
-ais, -ais, -ait, -ions, -iez, -aient :

ils attendaient, ils chantaient, ils bondissaient.

chanter		bondir		attendre	
je	chantais	je	bondissais	j'	attendais
tu	chantais	tu	bondissais	tu	attendais
il/elle	chantait	il/elle	bondissait	il/elle	attendait
nous	chantions	nous	bondissions	nous	attendions
vous	chantiez	vous	bondissiez	vous	attendiez
ils/elles	chantaient	ils/elles	bondissaient	ils/elles	attendaient

1er groupe		2e groupe		3e groupe	
aiguiser	hasarder	arrondir	noircir	conclure	recevoir
continuer	honorer	bondir	réussir	mettre	rompre

EXERCICES

667 Conjugue à l'imparfait de l'indicatif.

avouer son ignorance — rougir de plaisir — sortir de l'eau — perdre son temps.

668 Conjugue aux trois personnes du pluriel du présent et de l'imparfait.

réagir sans s'énerver — atterrir en douceur — couper ses cheveux — retenir son étonnement — rompre le silence — mourir de peur — secouer les maracas — recevoir un message.

669 Écris les verbes entre parenthèses à l'imparfait de l'indicatif.

Gargantua (engloutir) des tonnes de nourriture à chaque repas. — Le conférencier (répondre) aux questions du public. — La truite (happer) le moucheron et (se retrouver) prise à l'hameçon. — La brise (fraîchir) vers le soir. — Dans l'Empire romain, les esclaves (accomplir) les tâches les plus pénibles. — Avec cette mauvaise grippe, je (perdre) toutes mes forces. — Chaque jour le train (entrer) en gare à midi. — Autrefois le facteur (trier) le courrier, maintenant des machines s'en chargent.

670 Vocabulaire à retenir

étonner, l'étonnement — abonner, l'abonnement

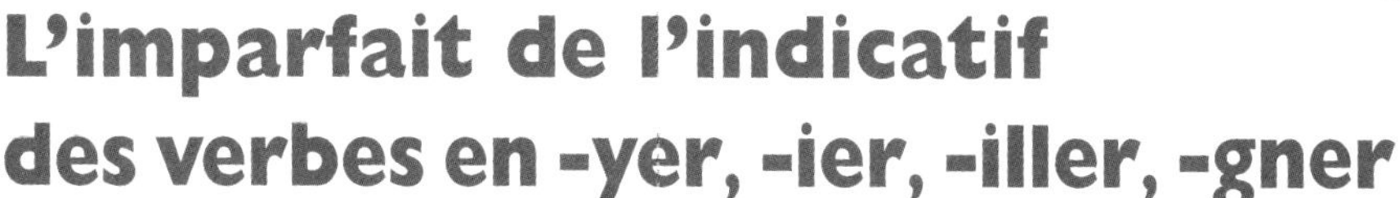

L'imparfait de l'indicatif des verbes en -yer, -ier, -iller, -gner

Nous copiions et nous rayions les articles.

RÈGLES

1. Aux deux premières personnes du pluriel de l'imparfait de l'indicatif :
- les verbes en -**yer** s'écrivent avec un **y** suivi d'un **i** :
  nous nous ennu**y**ions, vous ra**y**iez ;
- les verbes en -**ier** s'écrivent avec deux **i** :
  nous copi**i**ons, vous cri**i**ez ;
- les verbes en -**iller** s'écrivent avec un **i** après **ill** : nous grillions ;
- les verbes en -**gner** s'écrivent avec un **i** après **gn** : vous gagniez.

2. Les verbes en -**yer**, -**ier**, -**iller**, -**gner** ont une prononciation presque semblable aux deux premières personnes du pluriel du présent et de l'imparfait de l'indicatif. Pour éviter la confusion, il faut penser à la personne correspondante du singulier :
   nous criions → je criais ; nous crions → je crie.

Remarque :
Certains verbes du 3e groupe se conjuguent avec ces mêmes particularités : voir → vous vo**y**iez ; rire → nous r**i**ions.

employer	**crier**	**griller**	**gagner**
j' employais	je criais	je grillais	je gagnais
tu employais	tu criais	tu grillais	tu gagnais
elle employait	elle criait	il grillait	il gagnait
nous employions	nous criions	nous grillions	nous gagnions
vous employiez	vous criiez	vous grilliez	vous gagniez
ils employaient	ils criaient	elles grillaient	elles gagnaient

verbes en -yer		en -ier		en -iller	en -gner
appuyer	essayer	certifier	manier	détailler	aligner
balayer	larmoyer	confier	mendier	effeuiller	cogner
broyer	noyer	copier	oublier	fouiller	désigner
délayer	payer	étudier	remercier	tailler	égratigner
employer	rayer	expédier	trier	tortiller	enseigner

verbes du 3e groupe s'écrivant				
-yions, -yiez			-iions, -iiez	-llions, -lliez
asseoir	fuir	distraire	rire	bouillir
croire	prévoir	extraire	sourire	cueillir
s'enfuir	voir	soustraire		tressaillir

EXERCICES

671 Conjugue les verbes à l'imparfait de l'indicatif.

essuyer un meuble — croire en l'avenir — aligner des chiffres
écailler un poisson — cueillir un dahlia — verrouiller la porte
trier des vis — tressaillir de peur — effeuiller une marguerite

672 Conjugue les verbes à l'imparfait de l'indicatif.

oublier l'heure — rire aux éclats — fuir les bavards
nettoyer le carburateur — payer une dette — soigner une plaie
extraire du sable — voir ses amies — balbutier une excuse

673 Écris les verbes aux deux premières personnes du pluriel du présent et de l'imparfait de l'indicatif.

s'appuyer sur un mur — saigner abondamment — sommeiller légèrement
expédier des chèques — justifier une dépense — accueillir la nouvelle
voir ses espoirs déçus — signer une lettre — se cogner le genou
fouiller dans l'armoire — essayer un costume — entrevoir une solution

674 Écris les verbes entre parenthèses à l'imparfait de l'indicatif.

Nous (côtoyer) beaucoup de monde en nous rendant à l'école. — Vous (essuyer) la carrosserie de la voiture. — Nous (envoyer) chercher le médecin. — Nous (tutoyer) nos amis, bien évidemment. — Les branches (ployer) sous le poids des fruits mûrs. — Nous (bâiller) à nous décrocher la mâchoire. — Nous (balayer) devant notre porte. — Vous (peigner) vos cheveux. — Vous (crier) à l'injustice et vous (avoir) raison. — Nous (manier) le pinceau aussi bien que le rouleau. — Vous (entortiller) un ruban autour du paquet-cadeau. — Vous (distraire) vos camarades pour qu'ils patientent. — Nous (balbutier) des remerciements.

675 Écris les phrases en mettant les pronoms personnels en bleu à la personne correspondante du pluriel. Garde le même temps et pense aux accords.

Autrefois, tu payais en espèces, maintenant tu utilises une carte bancaire. — J'étudie la leçon de géographie. — Je plie la toile de tente. — Tu riais aux larmes. — Tu recueilles des renseignements sur le pays que tu vas visiter. — En l'absence de sucre en poudre, tu broyais des morceaux. — Tu sautillais à petits pas chassés. — Tu renvoyais le ballon en touche. — Tu vérifies le bon état des pneus. — J'accompagne un ami à la gare. — Je m'éloignais du lieu de l'accident. — Je travaillais avec ardeur.

676 Vocabulaire à retenir

le contrôle, contrôler, le contrôleur, incontrôlable, incontrôlé
merci, remercier, le remerciement, être à la merci de

Le présent et l'imparfait de l'indicatif des verbes en -eler et en -eter

Elle se rappelle qu'ils projetaient de déménager.

RÈGLES

1. Les verbes en -**eler** et en -**eter** prennent généralement deux **l** ou deux **t** devant un **e** muet. Dans les autres cas, ils s'écrivent avec un seul **l** ou un seul **t** :

je me rappe**ll**e ; nous nous rappe**l**ons ; je me rappe**l**ais
je proje**tt**e ; nous proje**t**ions ; je proje**t**ais.

2. Pourtant, quelques verbes en -**eler** et en -**eter** ne doublent pas le **l** ou le **t** devant un **e** muet, mais s'écrivent avec un accent grave sur le **e** :

j'ach**èt**e ; nous achetons ; j'achetais
je p**èl**e un fruit ; nous pelons un fruit ; je pelais un fruit.

appeler		jeter	
Présent	**Imparfait**	**Présent**	**Imparfait**
j' appe**ll**e	j' appelais	je je**tt**e	je jetais
tu appe**ll**es	tu appelais	tu je**tt**es	tu jetais
elle appe**ll**e	elle appelait	il je**tt**e	il jetait
nous appelons	nous appelions	nous jetons	nous jetions
vous appelez	vous appeliez	vous jetez	vous jetiez
ils appe**ll**ent	ils appelaient	elles je**tt**ent	elles jetaient

-elle / -ette				-èle / -ète	
amonceler	épeler	renouveler	empaqueter	celer	marteler
atteler	étinceler	ressemeler	épousseter	ciseler	modeler
carreler	ficeler	breveter	étiqueter	déceler	peler
chanceler	harceler	cacheter	projeter	geler	acheter
dételer	morceler	décacheter	souffleter	écarteler	fureter
ensorceler	niveler	déchiqueter	voleter	démanteler	haleter

EXERCICES

677 **Conjugue les verbes au présent et à l'imparfait de l'indicatif.**

appeler un ami
atteler le cheval
marteler ses mots
projeter un film
râteler le gazon
fureter partout
épeler un mot
peler un fruit
carreler la cuisine
empaqueter du thé
ficeler un rôti
cacheter une lettre

678 Conjugue au présent et à l'imparfait de l'indicatif.

dégeler le robinet — fêler une tasse — arrêter sa voiture
étiqueter un objet — acheter du pain — guetter le signal

679 Écris les verbes à la 1re personne du singulier et du pluriel du présent et de l'imparfait de l'indicatif.

amonceler un véritable trésor — démanteler une vieille bâtisse
chanceler à l'annonce des résultats — déceler une erreur
feuilleter un catalogue — breveter une invention

680 Écris les verbes à la 3e personne du singulier et du pluriel du présent et de l'imparfait de l'indicatif.

acheter un nouvel ordinateur — étiqueter des produits
niveler par le bas — congeler des haricots verts

681 Écris les verbes au présent et à l'imparfait de l'indicatif.

Le cordonnier (ressemeler) des chaussures. — L'artiste (ciseler) une statuette de bronze. — Le cavalier (dételer) son cheval. — Nous (épeler) un mot difficile. — Vous (niveler) un terrain. — Les héritiers (morceler) la propriété de leurs ancêtres. — Les eaux de l'étang (geler) en hiver.

682 Écris les verbes au présent et à l'imparfait de l'indicatif.

Je (renouveler) ma réclamation parce que l'appareil ne (fonctionner) toujours pas. — Le soleil (étinceler) dans le ciel clair. — Les enfants (jeter) des graines aux oiseaux. — Les choristes (répéter) une dernière fois avant le concert. — Les photographes (guetter) la sortie de la vedette, mais ils ne (voir) rien venir. — Sylvie et Katia (râteler) les feuilles mortes.

683 Écris les verbes au présent puis à l'imparfait de l'indicatif.

Tu (fureter) dans le grenier à la recherche d'un objet insolite. — Vous (amonceler) des connaissances inutiles, apprises par cœur sans aucune réflexion. — Je (cacheter) une lettre. — Les journalistes (harceler) l'actrice de questions. — Tu (épousseter) les bibelots de la vitrine.

684 Écris les verbes au présent puis à l'imparfait de l'indicatif.

Tu (empaqueter) soigneusement la veste que tu (retourner) au fournisseur. — Tu (peler) une pêche bien mûre. — L'usine de matières plastiques (rejeter) des produits toxiques dans la rivière ; les écologistes (être) furieux. — La méchante fée (ensorceler) les jeunes gens. — Au retour de la campagne de pêche, les marins (congeler) les poissons.

685 Vocabulaire à retenir

le sang, saigner, sanguin, le saignement, sanglant, ensanglanter
inquiet, l'inquiétude, s'inquiéter, inquiétant

L'imparfait de l'indicatif des verbes être et avoir et de quelques verbes particuliers

être	avoir	faire	aller
j' **ét**ais	j' **av**ais	je **fais**ais	j' **all**ais
tu **ét**ais	tu **av**ais	tu **fais**ais	tu **all**ais
il **ét**ait	elle **av**ait	il **fais**ait	elle **all**ait
nous **ét**ions	nous **av**ions	nous **fais**ions	nous **all**ions
vous **ét**iez	vous **av**iez	vous **fais**iez	vous **all**iez
elles **ét**aient	ils **av**aient	elles **fais**aient	ils **all**aient
voir	**prendre**	**venir**	**pouvoir**
je **voy**ais	je **pren**ais	je **ven**ais	je **pouv**ais
tu **voy**ais	tu **pren**ais	tu **ven**ais	tu **pouv**ais
il **voy**ait	elle **pren**ait	il **ven**ait	elle **pouv**ait
nous **voy**ions	nous **pren**ions	nous **ven**ions	nous **pouv**ions
vous **voy**iez	vous **pren**iez	vous **ven**iez	vous **pouv**iez
elles **voy**aient	ils **pren**aient	elles **ven**aient	ils **pouv**aient
dire	**éteindre**	**boire**	**conduire**
je **dis**ais	j' **éteign**ais	je **buv**ais	je **conduis**ais
tu **dis**ais	tu **éteign**ais	tu **buv**ais	tu **conduis**ais
il **dis**ait	elle **éteign**ait	il **buv**ait	elle **conduis**ait
nous **dis**ions	nous **éteign**ions	nous **buv**ions	nous **conduis**ions
vous **dis**iez	vous **éteign**iez	vous **buv**iez	vous **conduis**iez
elles **dis**aient	ils **éteign**aient	elles **buv**aient	ils **conduis**aient
coudre	**résoudre**	**écrire**	**paraître**
je **cous**ais	je **résolv**ais	j' **écriv**ais	je **paraiss**ais
tu **cous**ais	tu **résolv**ais	tu **écriv**ais	tu **paraiss**ais
il **cous**ait	elle **résolv**ait	il **écriv**ait	elle **paraiss**ait
nous **cous**ions	nous **résolv**ions	nous **écriv**ions	nous **paraiss**ions
vous **cous**iez	vous **résolv**iez	vous **écriv**iez	vous **paraiss**iez
elles **cous**aient	ils **résolv**aient	elles **écriv**aient	ils **paraiss**aient

EXERCICES

686 **Conjugue les verbes à l'imparfait de l'indicatif.**

être de bonne humeur
voir la fin du film
dire la vérité
paraître joyeux
résoudre un problème
apprendre à lire
faire son travail
coudre un ourlet
craindre le froid

687 **Conjugue les verbes au présent et à l'imparfait de l'indicatif.**

rejoindre la sortie de l'autoroute
comprendre le chinois
se plaindre de la chaleur
feindre l'étonnement
peindre le couloir en jaune
se résoudre à avaler le comprimé
reprendre des forces
boire un jus d'orange

688 Écris les verbes entre parenthèses à l'imparfait de l'indicatif.

Lors des inaugurations officielles, le maire (ceindre) son écharpe. — L'eau (dissoudre) le sel. — Les chercheurs (atteindre) enfin leur but : ils avaient mis au point un vaccin contre le paludisme. — Le blessé (geindre) en attendant l'arrivée du SAMU. — Vous (apprendre) une heureuse nouvelle. — Je (boire) le thé brûlant à petites gorgées. — Ils (vaincre) leur appréhension. — Vous (résoudre) la difficulté avec beaucoup d'habileté. — Les produits toxiques (détruire) la flore autour de l'usine. — En classe de mer, vous (écrire) à vos parents. — Nous (décrire) le paysage avec beaucoup de précision. — Le ministre (satisfaire) toutes les revendications des syndicats.

689 Écris les verbes entre parenthèses à l'imparfait de l'indicatif.

À la verticale de l'équateur, les satellites géostationnaires (disparaître) à la vue des astronautes. — Cet objet en étain (valoir) beaucoup plus que tu ne le (penser). — Avant d'être à la retraite, madame Monterrat (aller) chaque mercredi au marché à pied ; cela (faire) un petit bout de chemin surtout qu'elle (revenir) en portant ses paniers ! — Même à sept ans, tu (pouvoir) couper la galette des Rois en huit parts sans faire de savants calculs. — Lorsqu'il (voir) des images trop violentes, monsieur Castalan (éteindre) immédiatement la télévision.

690 Écris les verbes entre parenthèses à l'imparfait de l'indicatif.

Aucune émotion ne (transparaître) sur le visage du plongeur, comme s'il (s'agir) d'un saut ordinaire, alors qu'il (se trouver) au sommet d'une falaise ! — Vous (crier) de douleur en ôtant l'écharde de votre pouce. — Ton nouveau lecteur de disque possède un son numérique mais tu (se satisfaire) de l'ancien, souvenir de ton huitième anniversaire. — Devant le château de Versailles, nous (assaillir) le guide de questions. — Il y a un siècle, personne ne (se douter) que les Pyramides d'Égypte (receler) de tels trésors.

691 Écris les verbes entre parenthèses à l'imparfait de l'indicatif.

Les bâtisseurs de cathédrales (conduire) leur chantier avec un sens de l'organisation peu commun, compte tenu des moyens matériels mis à leur disposition. — Je (déficeler) toujours les cadeaux de Noël avec impatience. — Sans parabole, monsieur Merlin ne (pouvoir) pas recevoir les chaînes de télévision allemandes. — Nous (cogner) sur les clous pour bien les enfoncer.

692 Rédige un texte dans lequel tu utiliseras les verbes des leçons 106, 107, 108 et 109 au présent et à l'imparfait de l'indicatif.

693 Vocabulaire à retenir

le temps, temporaire, temporel, contemporain, un contretemps
le paysage, le pays, le paysan, le paysagiste, un espace paysagé

Le passé simple

Ils rirent et ils chantèrent à la fin du repas.

RÈGLES

1. Au passé simple, tous les verbes du 1er groupe prennent les mêmes terminaisons : -ai, -as, -a, -âmes, -âtes, -èrent : nous chantâmes.

2. Au passé simple, tous les verbes du 2e groupe prennent les mêmes terminaisons : -is, -is, -it, -îmes, -îtes, -irent : ils bondirent.

3. Au passé simple, beaucoup de verbes du 3e groupe, notamment la plupart des verbes en **-dre**, prennent les mêmes terminaisons que les verbes du 2e groupe : ils prirent.

Remarque : La 1re personne du singulier du passé simple et celle de l'imparfait de l'indicatif des verbes en **-er** ont pratiquement la même prononciation. Pour éviter la confusion, il faut penser à la personne correspondante du pluriel :

je marchais, nous marchions → imparfait
je marchai, nous marchâmes → passé simple.

	chanter		bondir		attendre
je	chantai	je	bondis	j'	attendis
tu	chantas	tu	bondis	tu	attendis
il/elle	chanta	il/elle	bondit	il/elle	attendit
nous	chantâmes	nous	bondîmes	nous	attendîmes
vous	chantâtes	vous	bondîtes	vous	attendîtes
ils/elles	chantèrent	ils/elles	bondirent	ils/elles	attendirent

1er groupe : en -ai		2e groupe : en -is		3e groupe : en -is	
acheter	ficeler	bâtir	nourrir	battre	rire
achever	habiller	bondir	réjouir	cueillir	sentir
balayer	hésiter	franchir	remplir	descendre	servir
balbutier	jeter	garantir	resplendir	mentir	suivre
créer	secouer	garnir	surgir	perdre	tressaillir
ennuyer	sommeiller	noircir	vieillir	répandre	voir

EXERCICES

694 **Conjugue les verbes au passé simple.**

nettoyer le placard
remercier le serveur
remplir son panier
ouvrir le coffre
perdre son temps

payer par chèque
casser des noix
dire la vérité
farcir la dinde
revoir une émission

pénétrer dans la cour
projeter un film
partir en voyage
tondre la pelouse
souffrir en silence

695 Écris les verbes aux 1re et 3e personnes du singulier et à la 3e personne du pluriel du passé simple.

désherber les allées — sommeiller à l'ombre — danser le rock
accomplir un exploit — répondre au téléphone — suspendre son activité
apprécier les friandises — mordre la poussière — recueillir un témoignage

696 Écris les verbes à la 1re personne du singulier et du pluriel de l'imparfait de l'indicatif et du passé simple.

attendre une décision — essuyer une averse — combattre la sécheresse
rire dans sa barbe — tressaillir dans le noir — appeler à l'aide
scier les planches — se servir modérément — s'enfuir en courant

697 Écris les verbes à la 2e personne du singulier et du pluriel du présent de l'indicatif et du passé simple.

partir à midi — obéir à l'arbitre — hasarder une objection
réagir vite — abattre ses cartes — recueillir des conseils
brunir au soleil — répandre la nouvelle — se dégourdir les jambes

698 Écris les verbes à la 3e personne du singulier et du pluriel du passé simple.

choisir une cravate — sauter à pieds joints — sentir le vent tourner
évacuer la salle — grelotter sous la neige — descendre la piste rouge

699 Écris les verbes entre parenthèses au passé simple.

Écoutant les conseils du loup de la fable, le chien (rompre) sa chaîne et (partir) à l'aventure. — Les enfants (écouter) la chanson interprétée par l'institutrice. — Épuisé, le navigateur (grignoter) simplement un morceau de fromage. — Tu (apprendre) un duo avec ton frère. — La rafale (tordre) les branches du vieux chêne. — À l'annonce des résultats du match, nous (prêter) l'oreille. — L'avocat (défendre) l'accusé avec beaucoup de conviction.

700 Écris les verbes entre parenthèses à l'imparfait de l'indicatif puis au passé simple.

Le boucher (aiguiser) ses couteaux. — Les oies (pondre) de gros œufs. — Après un séjour à la montagne, Boris (resplendir) de santé. — Tu (observer) les abeilles affairées à butiner les fleurs. — La lumière (vaciller) dans le lointain. — J'(examiner) la proposition avec attention. — Elles (cueillir) des coquelicots mais ils (se faner) immédiatement. — Tu (ouvrir) le livre pour consulter la table des matières. — Quand nous (déménager), nous (envelopper) les verres avec soin.

701 Vocabulaire à retenir

envelopper, une enveloppe, développer, le développement
l'accusé, accuser, l'accusation, accusateur

Le présent, l'imparfait et le passé simple des verbes en -cer

J'avançai prudemment sur la neige.

RÈGLE

Les verbes en **-cer** prennent une cédille sous le **c** devant **a** et **o** pour conserver à la lettre **c** le son [s] : nous avan**ç**ons, j'avan**ç**ais, nous avan**ç**âmes.

Présent		Imparfait		Passé simple	
j'	avance	j'	avan**ç**ais	j'	avan**ç**ai
tu	avances	tu	avan**ç**ais	tu	avan**ç**as
il	avance	elle	avan**ç**ait	il	avan**ç**a
nous	avan**ç**ons	nous	avancions	nous	avan**ç**âmes
vous	avancez	vous	avanciez	vous	avan**ç**âtes
elles	avancent	ils	avan**ç**aient	elles	avancèrent

verbes en -cer					
amorcer	commencer	espacer	forcer	lacer	remplacer
avancer	déplacer	évincer	gercer	pincer	rincer
bercer	distancer	foncer	influencer	rapiécer	tracer

EXERCICES

702 Conjugue au passé simple, au présent et à l'imparfait de l'indicatif.
exercer un métier — remplacer les piles — froncer le sourcil — évincer les bavards — tracer un quadrillage — espacer ses visites — lancer une balle — déplacer ses pions.

703 Écris les verbes au présent et à l'imparfait de l'indicatif.
Le ministre (se déplacer) en train. — Pierrick (distancer) ses adversaires. — La machine (rincer) le linge à l'eau froide. — L'avion (tracer) de longues lignes blanches dans le ciel. — Les agriculteurs (ensemencer) les champs de blé. — La girouette rouillée (grincer) au sommet du clocher. — Les services de la météorologie (annoncer) le passage d'une dépression. — Cette touche (effacer) la mémoire de l'ordinateur. — Tu (s'efforcer) de respecter le sommeil des autres campeurs. — Il (lacer) ses baskets.

704 Vocabulaire à retenir

quatre, quatrième, le quadrillage, quadriller, le quadrilatère
le respect, respecter, respectueux, respectable, l'irrespect

112e leçon

Le présent, l'imparfait et le passé simple des verbes en -ger

Nous voyageâmes dans de bonnes conditions.

RÈGLE

Les verbes en **-ger** prennent un **e** muet après le **g** devant a et o pour conserver à la lettre **g** le son [ʒ] : nous voyage**ons**, je voyage**ais**.

Remarque : Les verbes terminés par le son [ɑ̃ʒe] s'écrivent **-anger**, sauf **venger**.

Présent	Imparfait	Passé simple
je voyage	je voyageais	je voyageai
tu voyages	tu voyageais	tu voyageas
elle voyage	elle voyageait	elle voyagea
nous voyageons	nous voyagions	nous voyageâmes
vous voyagez	vous voyagiez	vous voyageâtes
ils voyagent	ils voyageaient	ils voyagèrent

verbes en -ger					
arranger	diriger	héberger	mélanger	plonger	soulager
avantager	encourager	loger	ménager	protéger	vendanger
changer	exiger	longer	obliger	saccager	voltiger

EXERCICES

705 **Conjugue au passé simple, au présent et à l'imparfait de l'indicatif.**

héberger un ami — ranger ses livres — manger un fruit — ronger son frein.

706 **Écris les verbes à la 1re personne du pluriel du présent et de l'imparfait de l'indicatif.**

charger le camion — interroger l'ordinateur — allonger le pas — nager le crawl — soulager la douleur.

707 **Écris les verbes au présent puis à l'imparfait de l'indicatif.**

Vous (échanger) vos numéros de téléphone. — Nous (manger) avec modération. — Nous (plonger) dans le grand bassin. — Les élèves (songer) aux vacances. — Le professeur nous (interroger) tous les jours.

708 **Écris les verbes au passé simple puis à l'imparfait de l'indicatif.**

Le cavalier (ménager) son cheval. — L'équipe de Bourgoin (engranger) les bons résultats. — Je (ranger) les provisions dans le réfrigérateur. — Mes élèves ne (négliger) jamais la présentation de leur travail.

Le présent, l'imparfait et le passé simple des verbes en -quer et -guer

Ils embarquaient à Brest et naviguaient ensemble.

RÈGLE

Les verbes en -**quer** et en -**guer** se conjuguent régulièrement.
La lettre **u** de leur radical se retrouve à toutes les personnes et à tous les temps de leur conjugaison juste avant la terminaison : ils embar**qu**aient, ils navi**gu**aient.

embarquer

Présent	Imparfait	Passé simple
j' embarque	j' embarquais	j' embarquai
tu embarques	tu embarquais	tu embarquas
elle embarque	elle embarquait	il embarqua
nous embarquons	nous embarquions	nous embarquâmes
vous embarquez	vous embarquiez	vous embarquâtes
ils embarquent	ils embarquaient	elles embarquèrent

naviguer

Présent	Imparfait	Passé simple
je navigue	je naviguais	je naviguai
tu navigues	tu naviguais	tu naviguas
elle navigue	elle naviguait	il navigua
nous naviguons	nous naviguions	nous naviguâmes
vous naviguez	vous naviguiez	vous naviguâtes
ils naviguent	ils naviguaient	elles naviguèrent

verbes en -guer			verbes en -quer		
déléguer	droguer	irriguer	appliquer	embarquer	risquer
distinguer	élaguer	narguer	attaquer	expliquer	suffoquer
divaguer	endiguer	prodiguer	calquer	marquer	trafiquer
draguer	fatiguer	reléguer	croquer	pratiquer	vaquer

EXERCICES

709 Conjugue les verbes au passé simple, au présent et à l'imparfait de l'indicatif.

expliquer un problème
appliquer le règlement
fabriquer des meubles
traquer les erreurs
draguer la rivière
remarquer les détails
prodiguer des soins
marquer des buts
indiquer la sortie

710 Écris les verbes à la 2e personne du singulier du présent, de l'imparfait et du passé simple de l'indicatif.

fabriquer des meubles — remarquer les détails — indiquer la sortie
croquer des dragées — pratiquer un sport — se risquer dans le marais
subjuguer l'auditoire — divulguer un secret — vaquer à ses occupations

711 Écris les verbes entre parenthèses au présent et à l'imparfait de l'indicatif, puis au passé simple.

L'orateur (haranguer) la foule d'une voix grave. — Au printemps, les glaces (se disloquer) avec fracas. — Les gendarmes (draguer) la rivière à la recherche d'indices. — Les pompiers (suffoquer) tant la fumée (être) épaisse. — Les barques ne (naviguer) que par temps calme. — Tu (indiquer) le chemin au voyageur égaré. — Les avions (piquer) droit sur l'aérodrome. — Les imprudents (risquer) leur vie en skiant hors des pistes balisées. — Dans la brume, le promeneur (distinguer) à peine les tours du château.

712 Écris les verbes entre parenthèses au présent de l'indicatif, puis au passé simple.

Les imitateurs (se moquer) des hommes politiques et (caricaturer) leurs discours. — Tu (viser) la boule et tu la (manquer). — Les bûcherons (élaguer) les chênes pour éclaircir la forêt. — Incontrôlable, la voiture (zigzaguer) sur la plaque de verglas. — Nous (trinquer) à la santé de toute l'assemblée. — Une tenture noire (masquer) l'entrée du cabinet de consultation du marabout. — Tu (se fatiguer) à attendre le passage de la caravane publicitaire et tu (quitter) les abords du vélodrome.

713 Écris les verbes au présent et à l'imparfait de l'indicatif, puis au passé simple.

Abandonnés, les chiens (divaguer) dans les terrains vagues. — Nous (calquer) notre conduite sur celle de notre chef de file et nous (avoir) raison. — Ce bruit en provenance du grenier (m'intriguer). — Plusieurs candidats (briguer) le fauteuil de maire, comme le dit l'expression populaire.

714 Écris trois phrases dans lesquelles tu emploieras des verbes en -guer conjugués au passé simple.

715 Écris un texte dans lequel tu emploieras des verbes en -guer ou -quer. Tu choisiras les temps de ces verbes mais tu seras attentif(ve) à leur concordance.

716 Vocabulaire à retenir

la photographie, le photographe, la photocopie, la photocopieuse
l'aérodrome, l'aérogare, l'aéroglisseur, aérer, aérien, l'aération, l'aérateur, l'aéro-club, aérodynamique

Le passé simple en -us et en -ins

Tu parus satisfait : tu revins à plusieurs reprises.

RÈGLES

1. Un certain nombre de verbes comme **courir**, **valoir**, font leur passé simple en -us, -us, -ut, -ûmes, -ûtes, -urent.

2. Au passé simple, les verbes des familles de **tenir** et de **venir** prennent : -ins, -ins, -int, -înmes, -întes, -inrent.

courir	disparaître	tenir	revenir
je courus	je disparus	je tins	je revins
tu courus	tu disparus	tu tins	tu revins
elle courut	elle disparut	il tint	il revint
nous courûmes	nous disparûmes	nous tînmes	nous revînmes
vous courûtes	vous disparûtes	vous tîntes	vous revîntes
ils coururent	ils disparurent	elles tinrent	elles revinrent

passé simple en -us			passé simple en -ins		
apercevoir	décevoir	recevoir	contenir	maintenir	s'abstenir
apparaître	mourir	secourir	devenir	obtenir	soutenir
croître	parcourir	vouloir	intervenir	prévenir	survenir

EXERCICES

717 **Conjugue les verbes au passé simple.**
revenir de vacances — lire un plan — parvenir au but — paraître fatigué.

718 **Écris les verbes entre parenthèses au passé simple.**
Je (vouloir) apprendre à jouer à la belote. — Grâce à ta persévérance, tu (parvenir) à tes fins. — Ils (parcourir) de nombreux kilomètres. — On (connaître) soudain un instant de panique. — Avant d'écrire leur texte, les élèves (lire) un passage de l'œuvre. — L'avion (disparaître) dans les nuages.

719 **Écris les verbes à l'imparfait de l'indicatif et au passé simple.**
Le présumé coupable (comparaître) devant les juges mais l'avocat (intervenir) pour présenter sa défense. — Il (revenir) sur sa décision. — Tu (contenir) ton indignation mais tu n'en (penser) pas moins. — Tu (se souvenir) de tes dernières vacances. — L'entreprise (accroître) ses bénéfices.

720 **Vocabulaire à retenir**

décider, la décision, décisif, indécis, l'indécision

Le passé simple des verbes être et avoir et de quelques verbes particuliers

être	avoir	faire	aller
je fus	j' eus	je fis	j' allai
tu fus	tu eus	tu fis	tu allas
il fut	elle eut	il fit	elle alla
nous fûmes	nous eûmes	nous fîmes	nous allâmes
vous fûtes	vous eûtes	vous fîtes	vous allâtes
elles furent	ils eurent	elles firent	ils allèrent

voir	prendre	pouvoir	vivre
je vis	je pris	je pus	je vécus
tu vis	tu pris	tu pus	tu vécus
il vit	elle prit	il put	elle vécut
nous vîmes	nous prîmes	nous pûmes	nous vécûmes
vous vîtes	vous prîtes	vous pûtes	vous vécûtes
elles virent	ils prirent	elles purent	ils vécurent

mettre	plaindre	boire	conduire
je mis	je plaignis	je bus	je conduisis
tu mis	tu plaignis	tu bus	tu conduisis
il mit	elle plaignit	il but	elle conduisit
nous mîmes	nous plaignîmes	nous bûmes	nous conduisîmes
vous mîtes	vous plaignîtes	vous bûtes	vous conduisîtes
elles mirent	ils plaignirent	elles burent	ils conduisirent

coudre	résoudre	écrire	plaire
je cousis	je résolus	j' écrivis	je plus
tu cousis	tu résolus	tu écrivis	tu plus
il cousit	elle résolut	il écrivit	elle plut
nous cousîmes	nous résolûmes	nous écrivîmes	nous plûmes
vous cousîtes	vous résolûtes	vous écrivîtes	vous plûtes
elles cousirent	ils résolurent	elles écrivirent	ils plurent

savoir	devoir	croire	taire
je sus	je dus	je crus	je tus
tu sus	tu dus	tu crus	tu tus
il sut	elle dut	il crut	elle tut
nous sûmes	nous dûmes	nous crûmes	nous tûmes
vous sûtes	vous dûtes	vous crûtes	vous tûtes
elles surent	ils durent	elles crurent	ils turent

moudre	asseoir	naître	acquérir
je moulus	j' assis	je naquis	j' acquis
tu moulus	tu assis	tu naquis	tu acquis
il moulut	elle assit	il naquit	elle acquit
nous moulûmes	nous assîmes	nous naquîmes	nous acquîmes
vous moulûtes	vous assîtes	vous naquîtes	vous acquîtes
elles moulurent	ils assirent	elles naquirent	ils acquirent

EXERCICES

721 **Conjugue les verbes au passé simple.**

avoir de la patience — être dans le doute — savoir cuisiner
taire sa peine — résoudre une difficulté — moudre du poivre

722 **Conjugue les verbes au passé simple.**

écrire un roman — éteindre la radio — craindre une épidémie
conduire les travaux — coudre un ourlet — acquérir une maison
boire du sirop — pouvoir travailler — aller à la campagne

723 **Écris les verbes aux 1re et 3e personnes du singulier et à la 3e personne du pluriel du passé simple.**

souscrire une assurance — transcrire un message
séduire par sa gentillesse — se taire définitivement
s'instruire par la lecture — perdre une dent
ne rien comprendre aux échecs — décrire un paysage
suspendre la cloche de l'entrée — reprendre sa liberté

724 **Écris les verbes à la 3e personne du singulier et aux 1re et 3e personnes du pluriel du passé simple.**

se permettre une petite escapade — promettre la lune
se tuer au travail — s'adjoindre des avis amicaux
admettre une opinion contraire — attendre la fin des cours
revenir aux choses sérieuses — ne pas croire aux sornettes
soutenir ses amis malheureux — convaincre de sa bonne foi

725 **Écris les verbes entre parenthèses au passé simple.**

L'arbitre (commettre) une erreur et (accorder) un penalty injustifié. — Les apprentis conducteurs (apprendre) par cœur le code de la route et ils (réussir) leur permis du premier coup. — Jean Bart (naître) à Dunkerque. — Tu (reconduire) le représentant à la porte de l'appartement sans rien lui commander. — Je (détruire) les nids de frelons.

726 **Écris les verbes entre parenthèses au passé simple.**

Tu ne (savoir) pas quoi répondre lorsqu'on te (demander) le nom de la capitale du Bénin. — Tu (peindre) les détails du paysage avec beaucoup d'application. — La petite fille (peigner) sa poupée mannequin. — Nous (être) contents de retrouver la terre ferme après cette promenade en bateau mouvementée. — Il (devoir) attendre le métro pendant vingt minutes.

727 **Vocabulaire à retenir**

attendre — attaquer — attirer — attabler — attribuer
la dent, la dentition, le dentiste, édenté, le dentifrice

116e leçon

Le futur simple

Nous étudierons toutes les propositions.

RÈGLES

1. Au futur simple, tous les verbes prennent les mêmes terminaisons : -ai, -as, -a, -ons, -ez, -ont, toujours précédées de la lettre r :
je chanterai, tu chanteras ; je bondirai, tu bondiras.

2. Au futur simple, les verbes des 1er et 2e groupes conservent généralement l'infinitif en entier : j'étudier-ai, nous entrer-ons.

3. Ceux du 3e groupe perdent souvent le **e** de leur infinitif : j'attendr-ai, j'écrir-ai.

Remarque : Pour bien écrire un verbe au futur simple, il faut penser à l'infinitif, puis à la personne.

chanter	copier	bondir	attendre
je chanterai	je copierai	je bondirai	j' attendrai
tu chanteras	tu copieras	tu bondiras	tu attendras
elle chantera	elle copiera	il bondira	il attendra
nous chanterons	nous copierons	nous bondirons	nous attendrons
vous chanterez	vous copierez	vous bondirez	vous attendrez
ils chanteront	ils copieront	elles bondiront	elles attendront

1er groupe			2e groupe	3e groupe	
compter	balbutier	remuer	choisir	attendre	croire
filmer	se marier	saluer	franchir	battre	interrompre
hésiter	mendier	avouer	garnir	conduire	naître
laver	plier	jouer	gravir	connaître	peindre
respecter	supplier	secouer	pâlir	craindre	permettre

EXERCICES

728 Écris les verbes entre parenthèses au futur simple.

La rafale (secouer) les antennes de télévision. — Le tailleur (recoudre) la manche du manteau. — Le plombier (couder) les tuyaux avant de les installer. — Les organisations humanitaires (distribuer) des vivres aux populations du désert. — Les entreprises (bâtir) un barrage. — Je suis certain que ce perchiste (battre) prochainement le record du monde. — Le marinier (rompre) la glace qui cerne la péniche. — J'espère que le vendeur nous (garantir) la qualité de la marchandise. — Nous (multiplier) nos efforts pour organiser la fête de fin d'année. — S'il ne s'entraîne pas, cet explorateur (échouer) dans sa tentative de rejoindre le pôle Sud en traîneau.

729 Conjugue les verbes au futur simple.

vérifier le niveau d'huile — ne pas se ronger les ongles — coudre un ruban à son revers — s'occuper de tout — franchir le fleuve en barque — rompre l'équilibre — nier l'évidence — avouer son impuissance — démolir le château de sable — ne pas s'énerver stupidement — éclater en sanglots — battre les cartes — éteindre les phares — rendre des services inestimables — grimper aux arbres — aider l'UNICEF.

730 Écris les verbes à la 2e et à la 3e personne du singulier du futur simple.

défendre son camp d'arrache-pied
noter ses rendez-vous
choisir une nouvelle paire de lunettes
respecter le code de la route
assouplir ses articulations
manier les baguettes avec brio

731 Écris les verbes au futur simple et justifie la terminaison en écrivant l'infinitif entre parenthèses.

Tu li... un panneau indicateur. — Tu li... une solide amitié avec un correspondant belge. — Monsieur Manez distribu... des compliments à tout le monde. — Le directeur de cette usine conclu... une affaire importante avec des industriels américains. — Bien entendu, nous nous pli... aux décisions de l'arbitre. — Nous rempli... correctement les feuilles de Sécurité sociale. — Madame Culas expédi... son aspirateur en panne à Nantes pour qu'il y soit réparé. — Vous applaudi... la bonne nouvelle des deux mains. — Les électriciens interromp... le courant pour changer la prise cassée.

732 Écris les verbes entre parenthèses au futur simple.

Le journaliste (châtier) son langage. — Nous (combattre) toujours la haine et le racisme. — Nous (gratter) le sol à la recherche de fossiles. — Tu (recopier) ce programme informatique et tu (réaliser) une disquette de sauvegarde. — À la fin du film, vous ne (s'éterniser) pas dans la salle. — Comme à l'ordinaire, les marmottes (hiverner) dans le massif de la Vanoise. — Pour effectuer cette opération, je (convertir) les mètres en kilomètres. — Pour être à l'heure, nous (se rendre) à la gare en taxi.

733 Écris les verbes entre parenthèses au futur simple.

Nous (prier) nos amis de rester à dîner. — Vous (étudier) le règlement du concours. — Vous (remercier) vos parents. — Le vent (rabattre) la fumée sur le quartier des Gautriats. — Nous (unir) nos efforts et nous (arriver) peut-être à terminer le travail avant la nuit. — À la belle saison, les légumes (abonder) sur les marchés de la ville.

734 Vocabulaire à retenir

la fosse, le fossé, le fossile, le fossoyeur, la fossette
terminer, la terminaison, le terminal, le terminus, interminable

Le futur simple des verbes en -eler, en -eter et de quelques verbes du 3e groupe

Nous appellerons les athlètes qui courront demain.

RÈGLES

Au futur simple :

1. De nombreux verbes en **-eler** et en **-eter** prennent deux **l** ou deux **t** : nous appel**le**rons ; je jet**te**rai.
2. Ceux qui font exception prennent un accent grave :
   il ach**ète**ra, il g**èle**ra.
3. Les verbes en **-yer** changent le **y** en **i** :
   il appu**ie**ra, il emplo**ie**ra.
4. Les verbes **mourir**, **courir**, **acquérir** et ceux de leur famille ont deux **r**, alors qu'ils n'en prennent qu'un à l'imparfait :

futur :	il mou**r**ra,	il cou**r**ra,	il acque**r**ra
imparfait :	il mou**r**ait,	il cou**r**ait,	il acqué**r**ait.

appeler	jeter	acheter	peler
j' appellerai	je jetterai	j' achèterai	je pèlerai
tu appelleras	tu jetteras	tu achèteras	tu pèleras
elle appellera	il jettera	elle achètera	il pèlera
nous appellerons	nous jetterons	nous achèterons	nous pèlerons
vous appellerez	vous jetterez	vous achèterez	vous pèlerez
ils appelleront	elles jetteront	ils achèteront	elles pèleront

nettoyer	courir	mourir	acquérir
je nettoierai	je courrai	je mourrai	j' acquerrai
tu nettoieras	tu courras	tu mourras	tu acquerras
il nettoiera	il courra	il mourra	elle acquerra
nous nettoierons	nous courrons	nous mourrons	nous acquerrons
vous nettoierez	vous courrez	vous mourrez	vous acquerrez
elles nettoieront	elles courront	elles mourront	ils acquerront

verbes comme					verbes du 3e groupe
appuyer		appeler/jeter		geler/acheter	
balayer	essuyer	chanceler	ficeler	congeler	concourir
broyer	nettoyer	décacheter	marteler	écarteler	conquérir
choyer	payer	empaqueter	projeter	fureter	parcourir
ennuyer	ployer	épeler	rejeter	haleter	requérir
essayer	tournoyer	étiqueter	ruisseler	marteler	secourir

EXERCICES

735 Conjugue les verbes au futur simple.

se noyer dans un verre d'eau
bégayer en présence du directeur
employer une formule
s'apitoyer sur le sort des animaux
délayer de la peinture
payer trois fois le prix

736 Écris les verbes à la 1re personne du singulier et à la 3e personne du pluriel du futur simple.

rejeter toutes les propositions
commencer le tournoi des benjamins
ressemeler des chaussures
acheter des vêtements en soldes
piqueter le terrain
amonceler des vieilles casseroles

737 Écris les verbes à la 2e et à la 3e personne du singulier du futur simple, du présent et de l'imparfait de l'indicatif.

acquérir de l'expérience
parcourir les allées du parc
secourir les oiseaux échoués
mourir de rire
accourir au coup de sifflet
concourir à titre individuel

738 Écris les verbes au futur simple et justifie la terminaison en écrivant l'infinitif entre parenthèses.

Je ne m'ennui... pas avec un livre.
Tu essai... de régler la télévision.
Elle déploi... des trésors de patience.
Nous boi... une boisson chaude.
Vous vous effrai... à la vue du loup.
Je ne nui... pas à tes intérêts.
Tu te tai... pendant une minute.
Elle ne croi... pas votre histoire.
Nous emploi... des termes savants.
Vous vous distrai... d'un rien.

739 Écris les verbes entre parenthèses au futur simple.

Avant le départ, tu (atteler) la caravane. — Le brouillard (noyer) les routes départementales ; nous (redoubler) de vigilance. — La mer (rejeter) les algues sur la plage. — J'(acheter) des crevettes grises. — Si un voleur s'approche de la maison, je suis sûr que les chiens (aboyer). — On n'(extraire) plus de charbon à Montceau, le puits Darcy est fermé.

740 Écris les verbes entre parenthèses au futur simple.

Au fil des années, ces artisans (acquérir) une habileté sans égale. — Je suis persuadée qu'au centre aéré tu ne (s'ennuyer) pas. — Nous (décongeler) la viande avant de la faire cuire. — Le maire de la ville (appuyer) votre demande. — Tu (feuilleter) le catalogue à la recherche d'une paire de baskets. — Sullivan ne (rudoyer) pas son cheval, il le (conduire) avec douceur.

741 Vocabulaire à retenir

l'art, un artiste, un artisan, l'artisanat, artisanal
le catalogue — le monologue — le radiologue — l'astrologue

118e leçon

Le futur simple des verbes être et avoir et de quelques verbes particuliers

être	avoir	faire	aller
je **se**rai	j' **au**rai	je **fe**rai	j' **i**rai
tu **se**ras	tu **au**ras	tu **fe**ras	tu **i**ras
il **se**ra	elle **au**ra	il **fe**ra	elle **i**ra
nous **se**rons	nous **au**rons	nous **fe**rons	nous **i**rons
vous **se**rez	vous **au**rez	vous **fe**rez	vous **i**rez
elles **se**ront	ils **au**ront	elles **fe**ront	ils **i**ront

voir	prendre	venir	pouvoir
je **ver**rai	je **prend**rai	je **viend**rai	je **pour**rai
tu **ver**ras	tu **prend**ras	tu **viend**ras	tu **pour**ras
il **ver**ra	elle **prend**ra	il **viend**ra	elle **pour**ra
nous **ver**rons	nous **prend**rons	nous **viend**rons	nous **pour**rons
vous **ver**rez	vous **prend**rez	vous **viend**rez	vous **pour**rez
elles **ver**ront	ils **prend**ront	elles **viend**ront	ils **pour**ront

cueillir	recevoir	asseoir[1]	envoyer
je **cueille**rai	je **recev**rai	j' **assié**rai	j' **enver**rai
tu **cueille**ras	tu **recev**ras	tu **assié**ras	tu **enver**ras
il **cueille**ra	elle **recev**ra	il **assié**ra	elle **enver**ra
nous **cueille**rons	nous **recev**rons	nous **assié**rons	nous **enver**rons
vous **cueille**rez	vous **recev**rez	vous **assié**rez	vous **enver**rez
elles **cueille**ront	ils **recev**ront	elles **assié**ront	ils **enver**ront

savoir	tenir	devoir	vouloir
je **sau**rai	je **tiend**rai	je **dev**rai	je **voud**rai
tu **sau**ras	tu **tiend**ras	tu **dev**ras	tu **voud**ras
il **sau**ra	elle **tiend**ra	il **dev**ra	elle **voud**ra
nous **sau**rons	nous **tiend**rons	nous **dev**rons	nous **voud**rons
vous **sau**rez	vous **tiend**rez	vous **dev**rez	vous **voud**rez
elles **sau**ront	ils **tiend**ront	elles **dev**ront	ils **voud**ront

1. Autre conjugaison possible : j'assoirai, tu assoiras, il assoira, nous assoirons, vous assoirez, ils assoiront.

EXERCICES

742 **Conjugue au futur simple.**

aller au marché
faire un saut périlleux
recevoir un appel
vouloir plus de temps
cueillir des mûres
retenir son souffle
devoir reculer
voir le train partir
savoir s'orienter
être en danger
prévenir ses parents
envoyer une télécopie

743 Conjugue les verbes à la 3e personne du singulier et du pluriel du futur simple.

contenir sa colère
être dans de beaux draps
entretenir sa maison
obtenir satisfaction sans délai
appartenir au club des supporters
subvenir aux besoins de la famille
accueillir des correspondants
pouvoir éviter les encombrements

744 Conjugue les verbes à la 1re personne du singulier et à la 3e personne du pluriel du futur simple.

devoir relire tout le texte
s'asseoir en tailleur
refaire dix fois le même trajet
revoir les détails du montage électrique
entrevoir une porte de sortie honorable
voir fondre ses économies

745 Écris les verbes entre parenthèses au futur simple.

Je (faire) des pieds et des mains pour éviter de le rencontrer. — Dans dix ans, cette armoire (valoir) une petite fortune. — Tu (envoyer) une carte à un camarade. — Nous (parvenir) au refuge à midi. — Les auditeurs (retenir) aisément les paroles de cette chanson. — Les élèves (aller) au théâtre ; ils (regarder) les acteurs qui (jouer) une pièce de Molière. — Les touristes (devoir) payer l'entrée du musée. — Tu (pouvoir) essayer de m'appeler après 18 heures. — Les auto-stoppeurs (s'asseoir) au bord de la route en attendant une voiture.

746 Écris les verbes entre parenthèses au futur simple.

Elles (se souvenir) toute leur vie des bonnes journées passées au camping de Pramousquier. — Patrick Ledieu (se maintenir) longtemps dans les premiers du peloton. — Tu (recevoir) une décharge électrique si tu ne prends pas un minimum de précautions. — Les poules ne (couver) pas leurs œufs ; ils (être) mangés avant. — Nous (devoir) prendre de l'essence avant le péage de l'autoroute. — Vous (venir) nous voir.

747 Écris les verbes entre parenthèses au futur simple.

Nous leur (savoir) gré de leur participation. — Il nous (voir) de temps en temps. — Nous leur (retenir) des places au cinéma. — Ces cadeaux nous (faire) plaisir. — Nous leur (envoyer) un bouquet de fleurs. — Ton père te (payer) des disques. — Il est certain que Pauline nous (recevoir) avec cordialité. — Tu (savoir) ta leçon de conjugaison. — Les personnes (s'asseoir) à l'avant du car car elles craignent les longs trajets. — S'il fait beau, nous (aller) à la pêche. — Rachid vous (accueillir) avec beaucoup de gentillesse. — Après une brève halte, les routiers (poursuivre) leur route.

748 Vocabulaire à retenir

un album — le minimum — le maximum — le géranium — l'aquarium
le maraîcher, le marais, le marécage, marécageux

119e leçon

Les temps composés du mode indicatif

RÈGLES

1. Un temps composé est formé de l'auxiliaire **avoir** ou de l'auxiliaire **être** et du participe passé du verbe conjugué.

Passé composé :	présent de l'indicatif de l'auxiliaire	+ participe passé du verbe
Plus-que-parfait :	imparfait de l'indicatif de l'auxiliaire	+ participe passé du verbe
Passé antérieur :	passé simple de l'auxiliaire	+ participe passé du verbe
Futur antérieur :	futur simple de l'auxiliaire	+ participe passé du verbe

2. Le participe passé employé avec **avoir**, sans complément, reste invariable : j'ai chanté, nous avons chanté, ils ont ri, elles ont ri.

3. Le participe passé employé avec **être** s'accorde en genre et en nombre avec le sujet du verbe : ils sont nés, elles sont nées.

chanter	naître	être	avoir
Passé composé	**Passé composé**	**Passé composé**	**Passé composé**
j' ai chanté	je suis né(e)	j' ai été	j' ai eu
tu as chanté	tu es né(e)	tu as été	tu as eu
il a chanté	elle est née	il a été	elle a eu
nous avons chanté	nous sommes né(e)s	nous avons été	nous avons eu
vous avez chanté	vous êtes né(e)s	vous avez été	vous avez eu
elles ont chanté	ils sont nés	elles ont été	ils ont eu
Plus-que-parfait	**Plus-que-parfait**	**Plus-que-parfait**	**Plus-que-parfait**
j' avais chanté	j' étais né(e)	j' avais été	j' avais eu
tu avais chanté	tu étais né(e)	tu avais été	tu avais eu
il avait chanté	elle était née	il avait été	elle avait eu
nous avions chanté	nous étions né(e)s	nous avions été	nous avions eu
vous aviez chanté	vous étiez né(e)s	vous aviez été	vous aviez eu
ils avaient chanté	elles étaient nées	ils avaient été	elles avaient eu
Futur antérieur	**Futur antérieur**	**Futur antérieur**	**Futur antérieur**
j' aurai chanté	je serai né(e)	j' aurai été	j' aurai eu
tu auras chanté	tu seras né(e)	tu auras été	tu auras eu
elle aura chanté	il sera né	elle aura été	il aura eu
nous aurons chanté	nous serons né(e)s	nous aurons été	nous aurons eu
vous aurez chanté	vous serez né(e)s	vous aurez été	vous aurez eu
ils auront chanté	elles seront nées	ils auront été	elles auront eu
Passé antérieur	**Passé antérieur**	**Passé antérieur**	**Passé antérieur**
j' eus chanté	je fus né(e)	j' eus été	j' eus eu
tu eus chanté	tu fus né(e)	tu eus été	tu eus eu
elle eut chanté	il fut né	elle eut été	elle eut eu
nous eûmes chanté	nous fûmes né(e)s	nous eûmes été	nous eûmes eu
vous eûtes chanté	vous fûtes né(e)s	vous eûtes été	vous eûtes eu
elles eurent chanté	ils furent nés	ils eurent été	ils eurent eu

verbes conjugués avec avoir			avec être		
attendre	écouter	grandir	aller	mourir	repartir
atteindre	écrire	mettre	arriver	naître	revenir
conduire	embellir	offrir	entrer	partir	tomber

EXERCICES

749 Conjugue les verbes au passé composé.
embrocher les merguez — poursuivre la conversation — arriver au musée d'Orsay — intervenir dans la discussion — se rendre à Nantes.

750 Conjugue les verbes de l'exercice précédent au plus-que-parfait.

751 Écris les verbes entre parenthèses au plus-que-parfait.
Monsieur Léonetti (confondre) le nom de ces deux rues et il (se perdre). — Les voyageurs (attendre) le train resté en panne près de Montchanin. — Le ministre (promettre) la construction d'une piscine. — Malgré les très mauvaises conditions atmosphériques, le pilote (réussir) à poser l'Airbus sans dommages. — Les élèves du cours moyen (écrire) une longue lettre à leurs correspondants. — La foudre (démolir) le pylône électrique. — Vous (mettre) une robe neuve.

752 Écris les verbes entre parenthèses au passé antérieur.
L'enfant put lire seul des histoires dès qu'il (comprendre) que la lecture est un merveilleux refuge contre l'ennui. — Quand le cavalier (saisir) les rênes, il enleva sa monture d'une légère pression des talons. — Quand les chauffeurs (conduire) les autobus au garage, ils revinrent à leur domicile. — Quand nous (éteindre) la lampe, nous nous couchâmes et nous nous endormîmes aussitôt. — Lorsque Napoléon 1er (conquérir) la moitié de l'Europe, commença son déclin.

753 Écris les verbes entre parenthèses au futur antérieur.
Quand tu (prendre) l'habitude de mettre un bonnet, tu ne souffriras plus du froid. — Lorsque je (gâcher) des kilos de peinture, je me déciderai peut-être à faire appel à un professionnel ! — Quand nous (battre) les cartes, nous les distribuerons. — Dès que vous (répondre) au questionnaire, vous pourrez le poster. — Lorsque les musiciens (entrer) en scène, le concert débutera. — Dès que l'enfant (balbutier) ses premiers mots, ses parents s'empresseront de les enregistrer au magnétophone pour les lui faire entendre plus tard.

754 Vocabulaire à retenir

la question, le questionnaire, questionner, le questionnement
le concert, le concerto, le concertiste, se concerter, déconcerter

Le présent du conditionnel

Si tu avais plus de temps, tu jouerais du piano.

RÈGLES

1. Au présent du conditionnel, tous les verbes prennent les mêmes terminaisons : -ais, -ais, -ait, -ions, -iez, -aient, toujours précédées de la lettre r :

je jouerais, je bondirais, je partirais.

2. Au présent du conditionnel comme au futur simple, les verbes du 1er et du 2e groupe conservent généralement l'infinitif en entier :

j'expédier-ais, je ralentir-ais.

Remarque :
Pour bien écrire un verbe au présent du conditionnel, il faut penser à l'infinitif, puis à la personne.

3. Avec la conjonction **si**, le verbe de la subordonnée au présent appelle le futur pour le verbe de la principale ; s'il est à l'imparfait, il appelle le présent du conditionnel :

Si tu **as** plus de temps, tu joueras du piano.
Si tu **avais** plus de temps, tu jouerais du piano.

4. Il ne faut pas confondre la 1re personne du singulier du futur simple avec la même personne du conditionnel présent. Pour cela, il faut penser à la personne correspondante du pluriel :

Si j'avais plus de temps, je jouerais (nous jouerions) du piano.
Si j'ai plus de temps, je jouerai (nous jouerons) du piano.

	chanter		**bondir**		**attendre**
je	chanterais	je	bondirais	j'	attendrais
tu	chanterais	tu	bondirais	tu	attendrais
il/elle	chanterait	il/elle	bondirait	il/elle	attendrait
nous	chanterions	nous	bondirions	nous	attendrions
vous	chanteriez	vous	bondiriez	vous	attendriez
ils/elles	chanteraient	ils/elles	bondiraient	ils/elles	attendraient

1er groupe		2e groupe		3e groupe	
atténuer	échouer	agir	franchir	abattre	écrire
baigner	parier	applaudir	garantir	admettre	lire
certifier	pincer	blanchir	réjouir	attendre	rétablir
déshabiller	précipiter	éblouir	rugir	disparaître	rompre

EXERCICES

755 Conjugue les verbes au présent du conditionnel.

étudier une proposition — vérifier la fermeture des portes — apprécier une bonne paella — secouer la tête — avouer sa faiblesse — s'habituer à ce nouveau quartier — interrompre la discussion.

756 Conjugue les verbes à l'imparfait de l'indicatif et au présent du conditionnel.

conduire un cheval attelé — établir un état des lieux précis — sourire de plaisir — attendre la mi-temps pour sortir — vider l'eau du réservoir.

757 Écris la terminaison du présent du conditionnel. Écris ensuite l'infinitif entre parenthèses.

Ex. : Si tu lançais mieux la boule, tu abattrais (abattre) les dix quilles.
Si Mamie avait une meilleure vue, elle li... le journal sans lunettes. — Avec un minimum d'installations d'épuration, les usine pollu... moins les rivières. — Sans votre agenda, vous oubli... tous vos rendez-vous.

758 Écris le premier verbe de chaque phrase au présent de l'indicatif et les autres au temps convenable.

Si vous (partir) à temps, vous (rejoindre) vos amis. — Si les frontières (s'ouvrir), les personnes (circuler) plus rapidement d'un pays à l'autre. — J'(espérer) que vous (profiter) de votre séjour pour vous reposer. — Il (paraître) que les vendanges (commencer) plus tôt que prévu cette année.

759 Écris le premier verbe de chaque phrase à l'imparfait de l'indicatif et les autres au temps convenable.

On (croire) que la pluie (cesser) et que le soleil (favoriser) la pousse des champignons. — Si Pierre (arriver) en retard, il (perdre) sa place. — Si nous (étudier) la carte avec soin, nous (éviter) les bouchons de l'autoroute. — Si vous (suivre) les conseils du médecin, vous (guérir) en quelques jours.

760 Écris les verbes au temps convenable, puis écris ces mêmes verbes à la personne correspondante du pluriel.

Si le temps se mettait au beau, je (partir) en vacances. — S'il y a de la place, je (ranger) les outils de jardin dans le hangar. — Je (se lever) dès que le réveil sonnera. — Je vous (aider) volontiers à traduire cette lettre si je connaissais l'espagnol. — J'(entrer) dans la maison, si je n'avais pas oublié la clé. — J'(allumer) bien le feu, mais il n'y a plus de bois.

761 Vocabulaire à retenir

le conseil, conseiller — le réveil, se réveiller — le sommeil, sommeiller
rejoindre, joindre, la jointure, la jonction, le disjoncteur

Le présent du conditionnel des verbes être et avoir et de quelques verbes particuliers

être	**avoir**	**faire**	**aller**
je serais	j'aurais	je ferais	j'irais
tu serais	tu aurais	tu ferais	tu irais
il serait	elle aurait	il ferait	elle irait
nous serions	nous aurions	nous ferions	nous irions
vous seriez	vous auriez	vous feriez	vous iriez
elles seraient	ils auraient	elles feraient	ils iraient
voir	**prendre**	**venir**	**pouvoir**
je verrais	je prendrais	je viendrais	je pourrais
tu verrais	tu prendrais	tu viendrais	tu pourrais
il verrait	elle prendrait	il viendrait	elle pourrait
nous verrions	nous prendrions	nous viendrions	nous pourrions
vous verriez	vous prendriez	vous viendriez	vous pourriez
elles verraient	ils prendraient	elles viendraient	ils pourraient
cueillir	**recevoir**	**asseoir**	**envoyer**
je cueillerais	je recevrais	j'assiérais	j'enverrais
tu cueillerais	tu recevrais	tu assiérais	tu enverrais
il cueillerait	elle recevrait	il assiérait	elle enverrait
nous cueillerions	nous recevrions	nous assiérions	nous enverrions
vous cueilleriez	vous recevriez	vous assiériez	vous enverriez
elles cueilleraient	ils recevraient	elles assiéraient	ils enverraient
savoir	**devoir**	**tenir**	**vouloir**
je saurais	je devrais	je tiendrais	je voudrais
tu saurais	tu devrais	tu tiendrais	tu voudrais
il saurait	elle devrait	il tiendrait	elle voudrait
nous saurions	nous devrions	nous tiendrions	nous voudrions
vous sauriez	vous devriez	vous tiendriez	vous voudriez
elles sauraient	ils devraient	elles tiendraient	ils voudraient
appeler	**jeter**	**acheter**	**peler**
j'appellerais	je jetterais	j'achèterais	je pèlerais
tu appellerais	tu jetterais	tu achèterais	tu pèlerais
il appellerait	elle jetterait	il achèterait	elle pèlerait
nous appellerions	nous jetterions	nous achèterions	nous pèlerions
vous appelleriez	vous jetteriez	vous achèteriez	vous pèleriez
elles appelleraient	ils jetteraient	elles achèteraient	ils pèleraient
nettoyer	**courir**	**mourir**	**acquérir**
je nettoierais	je courrais	je mourrais	j'acquerrais
tu nettoierais	tu courrais	tu mourrais	tu acquerrais
il nettoierait	elle courrait	il mourrait	elle acquerrait
nous nettoierions	nous courrions	nous mourrions	nous acquerrions
vous nettoieriez	vous courriez	vous mourriez	vous acquerriez
elles nettoieraient	ils courraient	elles mourraient	ils acquerraient

EXERCICES

762 Conjugue les verbes au présent du conditionnel.
essuyer l'assiette — mourir de rire — côtoyer des sportifs — reproduire un dessin — courir à vive allure — accueillir un ami — empaqueter du riz — recevoir un colis — aller au cinéma — acheter des yaourts — savoir sa leçon — morceler un champ — faire la soupe — revenir du marché.

763 Écris les verbes à la 2e personne du singulier et aux 2e et 3e personnes du pluriel du présent du conditionnel. Utilise la forme interrogative.
Ex. : Irais-tu au cinéma ? Iriez-vous au cinéma ? Iraient-ils au cinéma ?
croire encore au Père Noël — essuyer la vaisselle — vouloir encore un peu de tarte — s'asseoir au dernier rang — se satisfaire d'une tranche de pain — renvoyer l'ascenseur — déblayer l'entrée du garage — pouvoir sauter à la perche — se souvenir du code — recueillir les oiseaux blessés.

764 Écris les verbes entre parenthèses à l'imparfait de l'indicatif, puis au présent du conditionnel.
Je (se nourrir) uniquement de fruits que je (cueillir) moi-même. — Le chien perdu (apitoyer) les passants. — En procédant calmement, on (obtenir) un meilleur résultat. — Le magasinier (ficeler) les colis, il les (étiqueter) et les (envoyer) au dépôt. — Nous (avancer) avec prudence. — Vous (venir) nous voir. — Les voyageurs (monter) dans le TGV, ils (chercher) leur place et (s'asseoir). — Les biches (entendre) du bruit et (fuir).

765 Écris les verbes entre parenthèses au présent du conditionnel.
Alexia m'avait promis qu'elle ne m'(oublier) pas et qu'elle m'(envoyer) une carte postale de son lieu de vacances. — Si nous vivions dans une maison isolée, nous (prendre) un chien de garde. — Si elle se levait, la tramontane (chasser) rapidement les nuages. — On nous avait assuré qu'on (construire) une déviation pour éviter cette ville. — J'(acheter) volontiers ce blouson, mais il est trop cher.

766 Écris les verbes entre parenthèses au temps convenable.
Ma mère disait qu'elle (lire) quand elle aurait fini son travail. — Je pensais que vous (accepter) mon offre, dommage ! — Si l'on me demande mon avis, je le (donner). — Nous (cueillir) les fruits, s'ils étaient mûrs. — Je (pouvoir) atteindre la boule si je la vise soigneusement. — Nous (s'asseoir) au bord de la rivière, s'il fait beau.

767 Vocabulaire à retenir

promettre, la promesse, promis, un compromis
gagner, le gagnant, gagneur, le gain, regagner

Les temps composés du conditionnel

Si je n'avais pas été enroué, j'aurais **chanté**.
Si tu l'avais écouté, tu serais **venu**.

RÈGLE

Le conditionnel passé est formé du présent du conditionnel de l'auxiliaire **avoir** ou **être** et du participe passé du verbe conjugué.

chanter			venir		
j' aurai chanté	nous aurions chanté		je serais venu(e)	nous serions venu(e)s	
tu aurais chanté	vous auriez chanté		tu serais venu(e)	vous seriez venu(e)s	
elle aurait chanté	ils auraient chanté		elle serait venue	ils seraient venus	

être		avoir	
j' aurais été	nous aurions été	j' aurais eu	nous aurions eu
tu aurais été	vous auriez été	tu aurais eu	vous auriez eu
il aurait été	ils auraient été	il aurait eu	ils auraient eu
elle aurait été	elles auraient été	elle aurait eu	elles auraient eu

verbes se conjuguant avec avoir			avec être		
balbutier	mettre	recevoir	venir	s'emparer	s'entendre
employer	ouvrir	redouter	partir	se plaindre	se repentir
entendre	plaindre	salir	arriver	s'apercevoir	se battre

EXERCICES

768 Conjugue les verbes au conditionnel passé.

enfoncer un poteau — apercevoir la fusée — offrir des fleurs à sa mère — se blesser au doigt en pelant des fruits — devenir pâle — arriver à l'heure.

769 Écris le 1er verbe de chaque phrase au plus-que-parfait de l'indicatif et le second au conditionnel passé.

Si j'(écouter) les conseils, je ne (pas prendre) ma voiture. — S'il (emprunter) l'ascenseur, il (se fatiguer) moins. — Si le couvreur (venir), il (réparer) la toiture endommagée par l'orage. — Si nous (partir) à temps, nous (avoir) le train. — Si vous (programmer) correctement votre ordinateur, vous (obtenir) des résultats exacts. — Si j'(timbrer) correctement mon envoi, tu l'(recevoir) plus tôt.

770 Vocabulaire à retenir

la sphère, l'hémisphère, le planisphère, l'atmosphère

il eut, il aurait — il fut, il serait

Lorsqu'elle **fut** sortie, le calme revint.
Si elle avait obtenu une autorisation, elle **serait** sortie.

RÈGLES

1. Dans une proposition qui commence par si, on n'utilise pas le **conditionnel** mais l'**indicatif**.

2. Quand l'action exprimée dans la proposition qui commence par si n'a pas eu lieu, le verbe de la proposition principale se met au **conditionnel passé**.
Ainsi la tournure : *Si j'aurais cherché, j'aurais trouvé* est incorrecte.
On doit dire : si j'avais cherché, j'aurais trouvé.

3. Il ne faut pas confondre l'emploi du **passé antérieur** avec l'emploi du **conditionnel passé**.

Après qu'il eut travaillé	→ passé dans le passé
il put jouer.	→ passé
S'il avait travaillé davantage	→ condition passée qui n'a pas eu lieu
il aurait réussi.	→ conditionnel passé

La difficulté vient du fait que la **condition** est exprimée à l'indicatif et les **conséquences** de cette condition au **conditionnel**.

EXERCICES

771 **Écris les verbes entre parenthèses au temps qui convient.**
Patrick Conti (se couvrir) de gloire s'il avait gagné le tournoi de Zurich. — J'(réagir) différemment si j'avais connu les raisons de votre choix. — Si Ingrid n'avait pas été aussi pressée de quitter la maison, elle (penser) à prendre un parapluie. — Quand les ouvriers (réparer) l'installation électrique, le travail reprit normalement dans l'usine d'embouteillage. — Si les micros n'avaient pas été coupés, l'orateur (pouvoir) se faire entendre.

772 **Complète ces phrases en employant un verbe de ton choix.**
S'il avait été plus rapide, le photographe .... .
Mon oncle découvrit l'Amérique quand .... .
Si elle était restée tranquille, Maéva .... .
Le spectacle tourna à la farce lorsque .... .

773 **Vocabulaire à retenir**
différent, différemment — décent, décemment — ardent, ardemment
installer, l'installation — distiller, la distillation

Le présent de l'impératif

Prends un imperméable et change de chaussures.

RÈGLES

1. L'impératif sert à exprimer un ordre, une prière, un conseil. Il ne se conjugue qu'à trois personnes, sans sujets exprimés :
   change, changeons, changez.

2. À la 2e personne du singulier, les verbes du 1er groupe (et les verbes comme **cueillir**, **ouvrir**, **offrir**, **savoir**) se terminent par **e**. Les autres verbes se terminent par **s** :
   change (changer : 1er groupe) ; cueille, ouvre, offre, sache.
   finis (finir : 2e groupe) ;
   prends (prendre : 3e groupe).

Exceptions : aller → **va** ; avoir → **aie** ; être → **sois**.

Remarque :
Pour une meilleure harmonie des sons, on met un **s** à la 2e personne du singulier des verbes qui se terminent par **e**, et à **va**, quand ils sont suivis des pronoms **en** ou **y** :
coupe**s**-en, va**s**-y ; retourne**s**-y ; etc.

chanter	**bondir**	**apprendre**	**être**	**avoir**
chante	bondis	apprends	sois	aie
chantons	bondissons	apprenons	soyons	ayons
chantez	bondissez	apprenez	soyez	ayez

faire	**aller**	**voir**	**venir**	**cueillir**
fais	va	vois	viens	cueille
faisons	allons	voyons	venons	cueillons
faites	allez	voyez	venez	cueillez

savoir	**courir**	**appeler**	**acheter**	**se changer**
sache	cours	appelle	achète	change-toi
sachons	courons	appelons	achetons	changeons-nous
sachez	courez	appelez	achetez	changez-vous

EXERCICES

774 Conjugue les verbes au présent de l'impératif.

dételer le poney
savoir s'expliquer
s'habiller avec goût
déplacer ses pions

accueillir son ami
descendre l'escalier
éteindre la lampe
saisir l'occasion

aller au cirque
avoir confiance en soi
se procurer un dépliant
applaudir à tout rompre

775 Conjugue à la forme négative au présent de l'impératif.

encombrer la table
manquer la cible
se compliquer la vie
être dans la lune
s'inquiéter pour rien

salir son mouchoir
oublier son livre
faire un détour
s'endormir
se pencher au-dehors

tuer le papillon
jouer brutalement
se moquer de tout le monde
se balancer sur sa chaise
accélérer dans le virage

776 Écris les verbes entre parenthèses à la 2e personne du singulier du présent de l'impératif.

(Ne pas hésiter), (acheter) ce disque. — (Ne pas bondir), (rester) calme. — (Ne pas se troubler), (répondre) posément. — (Ne pas boire) cette boisson glacée, (attendre) un peu qu'elle se réchauffe. — (Ne pas écrire) trop vite, (réfléchir) d'abord. — (Ne pas se découvrir), (garder) ton bonnet. — (Ne pas nier) l'évidence, (dire) plutôt la vérité.

777 Écris les verbes entre parenthèses au présent de l'impératif.

Ne (cueillir) pas ces fleurs, (laisser)-les embellir ton jardin. — Maintenant que ton travail est terminé, (jouer) à ta guise. — (Apprendre) à écouter les autres quand ils vous parlent. — (Suivre) les conseils des personnes âgées, ils vous profiteront. — (Être) d'une politesse extrême si vous voulez être appréciés de vos voisins. — (Savoir) t'excuser quand tu fais une bêtise. — (Ranger) nos fiches par ordre alphabétique.

778 Écris les verbes à la 2e personne du singulier du présent de l'impératif.

Ex. : Ne courez pas dans l'escalier. → Ne cours pas dans l'escalier.

Ne coupez pas le gâteau en huit parts puisque nous ne sommes que cinq ! — Ne souffrez aucun désordre dans votre chambre. — Ne portez plus de vêtements aux couleurs aussi criardes. — Prenez la résolution de réaliser ce que vous devez faire et exécutez ce que vous avez résolu. — Ne faites que des dépenses utiles pour vous ou pour les autres, c'est-à-dire ne jetez pas l'argent par les fenêtres. — Ne prenez pas ce train bien trop lent, choisissez plutôt l'avion. — Ne faites rien qui ne soit nécessaire. — Ne fumez pas dans les lieux publics. — N'employez pas ce marteau, utilisez plutôt cette pince.

779 Écris un court texte dans lequel tu t'adresseras à un cuisinier**, à** un postier**, à** un guide de musée**, à** une vendeuse**, à** un ami **pour demander quelque chose.**

Ex. : à une couturière → Choisissez un tissu rayé, prenez-en deux mètres et, à l'aide d'un patron, taillez la jupe.

780 Vocabulaire à retenir

le gâteau — le vêtement — la fenêtre — extrême — le goût — une bêtise
courir, le coureur, la course, le coursier, courant, parcourir, le courrier

125e leçon

Le présent du subjonctif

Il faut que nous terminions notre travail.

RÈGLES

1. Le subjonctif exprime une action voulue, désirée, souhaitée ou douteuse :

Il faut	**que**	nous terminions notre travail.
proposition principale (indicatif)		proposition subordonnée (subjonctif)

2. Les personnes du subjonctif sont presque toujours précédées de la conjonction de subordination **que**.

3. Au présent du subjonctif, tous les verbes (sauf **être** et **avoir**) prennent les mêmes terminaisons -e, -es, -e, -ions, -iez, -ent :

que je termine, que je finisse, que je relise.

Remarque :

Pour ne pas confondre le présent de l'indicatif et le présent du subjonctif, il faut penser à la 1re personne du pluriel ou remplacer le verbe employé par un autre verbe comme **prendre**, **venir**, **aller** pour lequel on entend la différence :

Il faut que je coure (que nous courions, que je vienne) → prés. subj.
Pendant que je cours (que nous courons, que je viens) → prés. ind.

chanter	bondir	être	avoir
que je chante	que je bondisse	que je sois	que j' aie
que tu chantes	que tu bondisses	que tu sois	que tu aies
qu' il chante	qu' il bondisse	qu' il soit	qu' il ait
que nous chantions	que nous bondissions	que nous soyons	que nous ayons
que vous chantiez	que vous bondissiez	que vous soyez	que vous ayez
qu' elles chantent	qu' elles bondissent	qu' elles soient	qu' elles aient

faire	aller	voir	prendre
que je fasse	que j' aille	que je voie	que je prenne
que tu fasses	que tu ailles	que tu voies	que tu prennes
qu' il fasse	qu' il aille	qu' il voie	qu' il prenne
que nous fassions	que nous allions	que nous voyions	que nous prenions
que vous fassiez	que vous alliez	que vous voyiez	que vous preniez
qu' elles fassent	qu' elles aillent	qu' elles voient	qu' elles prennent

venir	pouvoir	courir	écrire
que je vienne	que je puisse	que je coure	que j' écrive
que tu viennes	que tu puisses	que tu coures	que tu écrives
qu' il vienne	qu' il puisse	qu' il coure	qu' il écrive
que nous venions	que nous puissions	que nous courions	que nous écrivions
que vous veniez	que vous puissiez	que vous couriez	que vous écriviez
qu' elles viennent	qu' elles puissent	qu' elles courent	qu' elles écrivent

EXERCICES

781 Conjugue au présent du subjonctif.

Ex. : Il faut que j'éteigne la bougie ; il faut que tu éteignes la bougie.

préparer ses affaires — faire un effort — avoir l'espoir de gagner
nettoyer son vélo — aller à la poste — prendre son petit déjeuner

782 Écris les verbes entre parenthèses au présent du subjonctif.

Il faut que nous (être) en bonne santé. — Nous souhaitons que le champion (réussir) dans sa tentative contre le record du monde. — L'infirmière reste près du malade jusqu'à ce qu'il (prendre) ses cachets. — Didier doit être fatigué, il est temps qu'il (s'asseoir). — Je ne suis pas certaine que tu (vouloir) faire un bout de chemin avec moi.

783 Conjugue à la 2e et 3e personnes du singulier et à la 1re personne du pluriel du présent de l'indicatif et du présent du subjonctif.

battre les cartes — conduire prudemment — fuir à toutes jambes
joindre les deux bouts — prendre le temps — lire les instructions
suivre la piste — mettre le couvert — avoir de la patience

784 Écris les verbes entre parenthèses au temps convenable.

Le livre que je (parcourir) me paraît intéressant. — Il faut que je (parcourir) une longue distance pour aller au théâtre. — Nos parents disent que nous (gaspiller) notre temps à trop regarder la télévision. — Il ne faut pas que nous (gaspiller) la nourriture. — Il faut que le mécanicien (voir) où se trouve la panne. — Le chalutier que tu (voir) sortir du port breton part pour l'Islande. — Laissez la fenêtre ouverte pendant que vous (essuyer) les meubles ; il y aura moins de poussière.

785 Écris les verbes entre parenthèses au temps convenable.

Pour obtenir la moyenne, il faut que j'(avoir) une bonne note en anglais. — J'espère que vous (être) en pleine forme. — Je tiens à ce que vous (avoir) une récompense. — La nuit tombe, je crois qu'il (être) temps de rentrer. — Il importe que Manuella (avoir) quelques instants de tranquillité. — Pour que les vacanciers (être) bronzés, il faut que l'été (être) ensoleillé. — Pour que les arbres (avoir) de beaux fruits, il faut qu'ils (être) taillés avec soin.

786 Écris trois phrases dans lesquelles tu emploieras un verbe au présent de l'indicatif, puis trois phrases dans lesquelles tu emploieras un verbe au présent du subjonctif.

787 Vocabulaire à retenir

la panne, dépanner, la dépanneuse, le dépanneur
la note, la notation, noter, dénoter, notamment, annoter

L'imparfait du subjonctif

Il fallait que Camille terminât ce travail.

RÈGLES

1. L'imparfait du subjonctif est un temps très rare. On le rencontre seulement dans les textes littéraires, à la 3e personne du singulier essentiellement ; il n'est plus employé à l'oral.

2. Si le verbe de la principale est à l'imparfait, à un passé ou au conditionnel, le verbe de la subordonnée peut alors se mettre à l'imparfait du subjonctif :

Il fallait qu'il terminât ce travail.
Il a fallu qu'il finît ce travail.
Il faudrait qu'il relût ce travail.

Remarque :
Pour ne pas confondre la 3e personne du singulier du passé simple avec la même personne de l'imparfait du subjonctif qui prend un accent circonflexe, il faut penser à la personne correspondante du pluriel :

Il fallait qu'il terminât (qu'ils terminassent) → imparfait du subjonctif
Il termina ce travail (ils terminèrent) → passé simple.

		chanter			**bondir**			**lire**
que	je	chantasse	que	je	bondisse	que	je	lusse
que	tu	chantasses	que	tu	bondisses	que	tu	lusses
qu'	il	chantât	qu'	il	bondît	qu'	il	lût
que	nous	chantassions	que	nous	bondissions	que	nous	lussions
que	vous	chantassiez	que	vous	bondissiez	que	vous	lussiez
qu'	elles	chantassent	qu'	elles	bondissent	qu'	elles	lussent

EXERCICES

788 Conjugue au passé simple et à l'imparfait du subjonctif.

Ex. : Je pris le bus. Il fallait que je prisse le bus.

nager sur le dos — boire modérément — connaître la route
revenir de voyage — retenir son souffle — recevoir un appel

789 Écris les verbes entre parenthèses à l'imparfait du subjonctif.

Je souhaiterais que vous (tenir) vos promesses. — Les ouvriers voulaient que le directeur leur (accorder) une augmentation. — Les spectateurs regrettaient que le chanteur ne (continuer) pas son spectacle. — Il était nécessaire que vous (suivre) les instructions à la lettre. — Nous insistions pour qu'il (venir) à la fête avec nous.

790 Écris les verbes entre parenthèses à l'imparfait du subjonctif.

Les spectateurs déchaînés encourageaient le coureur pour qu'il (gravir) la côte. — Je lui donnai un mot pour qu'il (prévenir) son père. — Il aurait fallu qu'il (reconnaître) ses erreurs et surtout qu'il (être) capable de les corriger. — Le client attendait qu'on (ouvrir) la porte de la banque. — Monsieur Devaux voulait qu'on le (servir) plus rapidement. — Je désirais que vous (chanter) plus doucement. — Il était temps que ces enfants (apprendre) à distinguer le vrai du faux. — Je voulais qu'il (rapporter) ce livre. — J'aurais désiré qu'il (savoir) tenir sa langue et qu'il ne (dévoiler) pas mon secret.

791 Écris les verbes à la 2e et à la 3e personne du singulier et à la 3e personne du pluriel du passé simple et de l'imparfait du subjonctif.

Ex. : Tu attendis le métro. Il fallait que tu attendisses le métro.
Il attendit le métro. Il fallait qu'il attendît le métro.
Ils attendirent le métro. Il fallait qu'ils attendissent le métro.

peindre les murs du garage en jaune
agir avec plus de rapidité
percer la cloison
offrir des garanties
ranger ses affaires
soutenir son équipe favorite

792 Écris les verbes entre parenthèses au passé simple ou à l'imparfait du subjonctif.

Bien qu'il (paraître) fatigué, le promeneur continuait sa route. — L'apprenti maniait si mal son outil qu'il se (blesser). — J'étais très étonnée qu'elle (jouer) si bien du violoncelle. — Dès qu'il (avoir) un peu de temps, il (être) content de regarder une cassette vidéo. — L'élève reçut un livre qu'il (couvrir) avec soin. — Le lièvre se lança à la poursuite de la tortue qu'il ne (parvenir) pas à rattraper. — Les règles du jeu exigeaient qu'un même joueur ne (pouvoir) pas tirer deux fois la même carte.

793 Écris les verbes entre parenthèses au passé simple ou à l'imparfait du subjonctif.

J'aurais désiré que mon ami (venir) me voir. — Il acheta des bonbons qu'il (distribuer) à ses amis. — Bien que sa voiture (être) la plus rapide, le pilote (avoir) de la peine à gagner le Grand Prix. — Monsieur Laye resta dans le jardin jusqu'à ce qu'il (sentir) la fraîcheur. — Il tira si fort sur la corde qu'elle (casser). — Bien que le soleil (briller), le vent resta froid. — Il fallut qu'il (s'arrêter) pour reprendre haleine.

794 Rédige un petit texte ou tu t'efforceras d'employer des verbes conjugués au mode subjonctif, au présent et, si possible, à l'imparfait.

795 Vocabulaire à retenir

apprendre, l'apprenti, l'apprentissage — un outil, l'outillage, outiller

127e leçon

Les temps composés du mode subjonctif

Il faut que j'**aie** terminé ce travail ce soir.
Il fallait que j'**eusse** terminé ce travail ce soir.

RÈGLES

1. Le passé du subjonctif est formé du présent du subjonctif de l'auxiliaire **avoir** ou **être** et du participe passé du verbe conjugué :
   que j'**aie** terminé, que je **sois** arrivé.

2. Le plus-que-parfait du subjonctif est formé de l'imparfait du subjonctif de l'auxiliaire **avoir** ou **être** et du participe passé du verbe conjugué : que j'**eusse** terminé, que je **fusse** arrivé.

EXERCICES

796 **Conjugue au passé puis au plus-que-parfait du subjonctif.**
Ex. : Il faut que j'aie rendu le livre. Il fallait que j'eusse rendu le livre.
acheter des piles — partir à l'heure — se laver les mains — se lever avant six heures — arriver à temps — rincer des verres — se mettre à table.

797 **Écris les verbes entre parenthèses au passé du subjonctif.**
Il faut qu'ils (courir) bien longtemps et bien vite pour être ainsi essoufflés. — Je crains qu'il n'(recevoir) pas ma lettre. — Nous souhaitons qu'ils (se rendre) compte que son attitude n'était pas raisonnable. — C'est mieux que tu (partir) avant la fin du film ; c'était trop triste. — Bien que tu (prendre) un cachet d'aspirine, tu as toujours mal à la tête. — L'épicier, toujours très aimable, attend que j'(finir) mes achats pour fermer son magasin.

798 **Écris les verbes entre parenthèses au passé simple ou au plus-que-parfait du subjonctif.**
Pourquoi voulez-vous qu'il lui (arriver) un accident ? — Les gens se bousculaient autour de l'actrice sans qu'elle (bouger) d'un pouce. — Maman veut que Laurine (finir) de ranger son armoire avant de déjeuner. — Il valait mieux qu'il (revenir) sur ses pas. — Je doute que le prestidigitateur (réussir) à se libérer tant les liens étaient serrés.

799 **Vocabulaire à retenir**

l'œuvre, œuvrer, la main-d'œuvre, désœuvré, le désœuvrement
un accident, un accent, un accessoire, un accélérateur, une accession

Mode indicatif ou mode subjonctif ?

Le disque que j'**ai** écouté me plaît.
Il faut que j'**aie** le disque pour l'écouter.

RÈGLES

Pour ne pas confondre les formes de l'indicatif avec celles du subjonctif qui peuvent se prononcer de la même façon, il faut penser à la personne correspondante du pluriel :

Le disque que j'**ai** écouté (que nous avons écouté) → indicatif.
Il faut que j'**aie** le disque (que nous ayons le disque) → subjonctif.

EXERCICES

800 Écris à la 1re personne du singulier et à la 1re personne du pluriel du passé composé de l'indicatif et du passé du subjonctif.

Ex. : J'ai lu le livre. Nous avons lu le livre.
Il faut que j'aie lu le livre. Il faut que nous ayons lu le livre.

prendre ce médicament
arriver à dix heures
partir avant la nuit
réunir l'argent nécessaire

801 Écris à la 3e personne du singulier et à la 3e personne du pluriel du passé antérieur et du plus-que-parfait du subjonctif.

Ex. : Quand il eut rempli son stylo… Quand ils eurent rempli leur stylo…
Bien qu'il eût rempli son stylo… Bien qu'ils eussent rempli leur stylo…

perdre ses clés
atteindre l'objectif
rassembler mes vêtements
revenir à toute allure
arriver à la fin du livre
respecter les consignes

802 Complète les phrases de l'exercice précédent en mettant le verbe de la proposition principale (que tu choisiras) au temps qui convient.

Ex. : Quand il eut rempli son stylo, il commença à recopier son texte.
Bien qu'il eût rempli son stylo, il ne put recopier son texte.

803 Écris les verbes entre parenthèses au passé composé de l'indicatif ou au passé du subjonctif.

Le pays que j'(visiter) m'a beaucoup plu. — Si je veux utiliser mon cyclomoteur, il faut d'abord que j'(apprendre) le code de la route. — Le paysage que j'(peindre) est très réaliste. — Mes partenaires sont heureux que nous (gagner) cette partie.

804 Écris les verbes au passé composé ou au passé du subjonctif.

Mon correspondant attend que j'(brancher) le haut-parleur. — L'avion que j'(prendre) n'a pas décollé à l'heure prévue. — Bien que j'(tailler) les arbres, ils donnent peu de fruits. — Le touriste que j'(rencontrer) m'a demandé où se trouvait l'entrée du château. — Tu crains que je n'(fermer) pas la porte en partant et comme il pleut, il risque d'y avoir quelques dégâts. — Quoiqu'il (neiger), il ne fait pas froid et nous pouvons sortir sans bonnet.

805 Écris les verbes entre parenthèses au passé antérieur ou au plus-que-parfait du subjonctif.

Bien que monsieur Beaune (traverser) de nombreuses contrées, il ne parla jamais une autre langue que le français. — J'attendais qu'il (tirer) une carte pour en choisir une à mon tour. — Aussitôt qu'il (décharger) son camion, le routier prit la direction de Paris. — Dès que le soleil (se lever), il embrasa le ciel.

806 Écris les verbes entre parenthèses au passé antérieur ou au plus-que-parfait du subjonctif.

Je redoutais que Wilfried (aller) se baigner alors que le drapeau rouge flottait au mât du poste de secours. — Soit qu'il (partir) en retard, soit qu'il (musarder), il manqua l'autobus et dut faire le trajet à pied. — Sitôt que Larissa (arriver), on se mit à table. — Il eût été souhaitable que Valérien (se présenter) avec ses parents pour son inscription au club.

807 Écris les verbes entre parenthèses au temps convenable (passé antérieur ou plus-que-parfait du subjonctif).

Dès qu'il (boire), l'éléphant rejoignit la savane. — Aussitôt qu'il (se remettre) sur ses pattes, l'ours grogna. — Dès que le chanteur (achever) son dernier succès, les applaudissements retentirent. — Bien que Gloria (chanter) avec expression, elle ne devint jamais célèbre. — Monsieur Dupont se précipita dans la rue dès qu'il (entendre) le bruit de l'explosion.

808 Écris les verbes au temps convenable (passé antérieur ou plus-que-parfait du subjonctif).

Quoiqu'il (avoir) un ordinateur à sa disposition, Jean-Michel ne put effectuer le travail en temps voulu. — Je craignais que Maureen ne (se perdre) en chemin. — Lorsqu'il (se perdre) dans la brume, le navigateur tira une fusée de détresse. — Quand Olivier (décider) de s'orienter vers la réalisation de bandes dessinées, son père (se réjouir). — Il était possible que j'(oublier) de fermer le robinet d'eau chaude.

809 Vocabulaire à retenir

plaire, plaisant, la plaisanterie, déplaire, le plaisir, déplaisant
le succès — l'accès — le décès — le procès — l'excès

Le verbe à la forme pronominale

Je m'allonge sur mon lit pour me reposer.

RÈGLES

1. Un verbe à la forme pronominale se conjugue avec deux pronoms désignant la même personne, un pronom sujet et un pronom réfléchi complément :

   je m'allonge ; **tu t**'allongeras ; **nous nous** sommes allongé(e)s.

2. Aux temps composés, les verbes à la forme pronominale se conjuguent toujours avec l'auxiliaire **être** :

   elle s'était allongée ; vous vous êtes allongé(e)s ; ils se furent allongés.

Présent			Passé composé			
je	m'	allonge	je	me	suis	allongé(e)
tu	t'	allonges	tu	t'	es	allongé(e)
il	s'	allonge	il	s'	est	allongé
elle	s'	allonge	elle	s'	est	allongée
nous	nous	allongeons	nous	nous	sommes	allongé(e)s
vous	vous	allongez	vous	vous	êtes	allongé(e)s
ils	s'	allongent	ils	se	sont	allongés
elles	s'	allongent	elles	se	sont	allongées

verbes ne s'employant qu'à la forme pronominale			verbes pouvant s'employer à la forme pronominale		
s'accouder	s'emparer	s'ingénier	s'apercevoir	s'enrichir	se pencher
s'attarder	s'enfuir	s'insurger	s'apitoyer	s'entendre	se perdre
se blottir	s'envoler	se lamenter	s'asseoir	s'éteindre	se plaindre
se cabrer	s'évanouir	se moquer	s'atteler	se fatiguer	se plaire
se démener	s'évertuer	se repentir	s'avancer	se frapper	se quereller
s'ébattre	s'extasier	se soucier	se battre	se heurter	se risquer
s'écrouler	se fier	se tapir	se briser	s'inscrire	se salir
s'élancer	s'immiscer	se vautrer	se coucher	s'instruire	se taire

EXERCICES

810 Conjugue les verbes au présent et à l'imparfait de l'indicatif.

s'approcher du bord — s'étendre sur le sable — se mettre à l'abri
se protéger du froid — se blottir dans l'ombre — s'apercevoir de son erreur

811 Conjugue les verbes au passé simple et au futur simple.

s'asseoir dans l'herbe — se perdre dans la ville — se tenir debout
se fier à son intuition — se salir en bricolant — se couvrir de gloire

812 **Conjugue les verbes au passé composé et au plus-que-parfait de l'indicatif.**

s'accouder au balcon se rendre au marché se plier au règlement
se fatiguer vite s'évanouir de peur se divertir gentiment

813 **Emploie chacun de ces verbes dans une phrase. Le sujet sera féminin et le verbe conjugué au passé composé.**

s'asseoir — s'arrêter — s'affoler — s'endormir — se servir.

814 **Écris les verbes à la 3e personne du singulier, à la 1re et à la 3e personne du pluriel des quatre temps simples de l'indicatif.**

se ranger derrière les plus grands se moquer des réflexions blessantes
se distraire avec peu de chose s'agenouiller sur le coussin

815 **Écris les verbes à la 1re personne du singulier, à la 1re et à la 3e personne du pluriel du passé composé.**

nourrir les pigeons du quartier attendre la fin des cours
se nourrir uniquement de légumes s'attendre à une catastrophe

816 **Écris les verbes entre parenthèses au présent de l'indicatif.**

Les skieurs égarés (se blottir) près d'un rocher pour se protéger du vent. — Le spéléologue (s'avancer) au bord du gouffre et (se préparer) à descendre. — Les buées du matin (s'évaporer) sous l'ardeur du soleil. — Vous (se couper) de tous vos amis. — Tu (s'évertuer) à bien faire mais le résultat n'est pas encore parfait.

817 **Écris les verbes entre parenthèses au futur simple.**

Elle (se féliciter) du résultat inespéré. — Surpris par l'averse, les passants (se réfugier) sous le porche. — Je suis certaine qu'ils (se heurter) à un refus formel de la direction. — Au coup de sifflet final, les passions (s'apaiser) et la foule des supporters (se disperser). — La fusée (se séparer) lentement de la plate-forme de lancement.

818 **Écris les verbes entre parenthèses à l'imparfait de l'indicatif.**

Tous les quatre ans, l'équipe d'Italie (se qualifier) pour les phases finales de la Coupe du monde. — Au Moyen Âge, les seigneurs (s'assassiner) à qui mieux mieux ! — Au cours élémentaire, Zora (s'abonner) déjà à un journal hebdomadaire. — Les enfants (se lasser) très vite des jeux vidéo sans grand intérêt. — Les saltimbanques (s'installer) sur les places des villages et (entamer) sans tarder leur spectacle.

819 **Vocabulaire à retenir**

l'intérêt, intéresser, intéressant, le désintérêt
le trajet, la trajectoire, le jet, jeter — la tragédie, tragique, le tragédien

La forme négative

Il cherche ses lunettes.
Il a trouvé ses lunettes, il **ne** les cherche **plus**.

RÈGLE

Pour mettre un verbe à la forme négative, on l'encadre par une des négations suivantes : ne … pas   ne … plus   ne … jamais
ne … point,   ne … guère,   ne … rien :
il **ne** cherche **pas** ; il **ne** cherche **jamais** ; il **ne** cherche **guère**.

EXERCICES

820 Conjugue les verbes au présent et à l'imparfait de l'indicatif en employant ne … jamais**.**

détruire les preuves — répondre effrontément — déchirer ses livres
parler la bouche pleine — s'épuiser en vain — risquer sa vie

821 Conjugue les verbes au passé simple et au futur simple en employant ne … pas**.**

salir ses habits — désobéir aux ordres — taquiner le chien
achever son travail — signer sans regarder — se priver de pain

822 Conjugue les verbes au passé composé et au plus-que-parfait de l'indicatif en employant ne … pas**.**

comprendre le chinois — jouer avec le feu — refuser un service
regarder la télévision — s'attarder après minuit — parler l'argot

823 Écris les verbes entre parenthèses au présent de l'indicatif.

Je (ne pas bavarder) à tort et à travers. — Le violoniste (ne jamais jouer) sans s'accorder. — Tu (ne pas laver) les draps avec des tissus plus fragiles. — Nous (ne pas savoir) quelle route emprunter. — Je (ne jamais sortir) sans dire à mes parents où je (aller). — Vous (ne pas vérifier) et vous (commettre) des erreurs. — Nous (ne plus présenter) notre passeport.

824 Écris les verbes de ces phrases à la forme négative.

Émeric et Sandra partaient en vacances en Corse. — On écoutait les mauvais conseilleurs. — Tu déranges tes camarades. — Le dessinateur trace tous les traits au crayon à papier. — Tu éternues bruyamment.

825 Vocabulaire à retenir

le passeport, le passe-temps, le passe-partout, le passe-montagne

La forme interrogative

Dois-**je** arriver plus tôt ?
Le voyageur arrivera-**t-il** plus tôt ?

RÈGLES

1. À la forme interrogative, on place le pronom sujet après le verbe (ou après l'auxiliaire, dans les temps composés) et on le lie au verbe par un trait d'union : dois-**je** ? doit-**il** ?

2. Pour éviter la rencontre de deux voyelles, on place un **t** euphonique après un **e** ou un **a** à la 3e personne du singulier : arrivera-**t-**il ?

3. Lorsque le sujet du verbe est un nom, on répète le pronom équivalent du nom : Le voyageur arrivera-t-**il** plus tôt ?

4. Il ne faut pas oublier le point d'interrogation à la fin de la phrase interrogative.

5. Pour éviter la rencontre de deux syllabes muettes, on met un accent aigu sur le **e** muet final de la 1re personne du singulier du présent de l'indicatif des verbes en **-er** : chanté-je ?

Remarque : On peut aussi faire précéder le verbe à la forme affirmative de l'expression **est-ce que**... :

Est-ce que je dois arriver plus tôt ?
Est-ce que le voyageur arrivera plus tôt ?

On préférera ainsi : Est-ce que je chante ? à chanté-je ?

Présent	Futur	Passé composé	
chanté-je ?	chanterai-je ?	ai-je	chanté ?
chantes-tu ?	chanteras-tu ?	as-tu	chanté ?
chante-t-il ?	chantera-t-elle ?	a-t-il	chanté ?
chantons-nous ?	chanterons-nous ?	avons-nous	chanté ?
chantez-vous ?	chanterez-vous ?	avez-vous	chanté ?
chantent-elles ?	chanteront-ils ?	ont-ils	chanté ?

EXERCICES

826 Conjugue les verbes à la forme interrogative au présent et à l'imparfait de l'indicatif.
chanter en public — toucher les fils électriques — jouer aux cartes.

827 Conjugue les verbes à la forme interrogative au passé simple et au futur simple.
s'atteler au travail — balayer le couloir — venir à l'entraînement.

828 Conjugue les verbes à la forme interrogative au passé composé et au plus-que-parfait de l'indicatif.

partir en voyage — réussir un exploit — corriger son erreur.

829 Écris les verbes à la forme interrogative.

Le chômeur reçoit des réponses à ses lettres. — Violaine prépare son examen de trombone. — Les acteurs tournent un passage du film en studio. — Nous couperons la galette des rois. — Cet appareil-photo fonctionnait sans piles. — Les soldats ont marché au pas cadencé. — Vous avez lavé la voiture. — Tu apprécies le couscous. — Le joueur avait marqué le but. — Marine plongera dans cette eau glacée. — Les cyclotouristes s'engagent dans les sous-bois. — Jérôme pratiquait le karaté et le judo.

830 Écris les verbes à la forme interrogative.

Les contrebandiers échappent aux contrôles. — Nous calculons de tête ou à l'aide d'une calculatrice. — Je me livrerai à mon plaisir favori, les mots croisés. — Tu seras obligé de faire un détour pour traverser le quartier. — Martin ouvrait les boîtes de conserve à l'aide d'un simple couteau. — Les alpinistes se sont levés dès l'aube pour profiter de la fraîcheur matinale. — Vous découvrez cette région pour la première fois.

831 Écris les verbes à la forme interrogative.

Il rejoindra ses amis avant la fin de la promenade. — Nous écoutions les commentaires du guide. — Elles coururent pour nous rattraper. — Il est utile de prendre quelques précautions. — Il força l'allure et arriva fatigué. — Il y a des passages amusants dans ce feuilleton. — Il avait été récompensé de son effort. — Nous avons connu des moments difficiles. — Tu as visité l'atelier de montage des ordinateurs. — Le skieur s'est fracturé la jambe en sautant une bosse. — Tu prendras un verre de jus d'orange au petit déjeuner.

832 Écris les verbes à la forme interrogative.

Le malade a consulté un médecin et a pris des comprimés. — Le courant électrique avait été coupé pendant l'orage. — Vous avez lessivé les murs avant de les peindre. — Les ouvriers de cette usine ont été licenciés. — Les pirates ligotaient leurs prisonniers au mât de la grand-voile. — La chatte sort ses griffes. — Les sauveteurs ont localisé le navire en détresse. — Nous nous maquillerons pour aller au bal costumé. — Le coureur se fait masser les cuisses avant le départ de la course contre la montre. — Tu te méfies des zones marécageuses.

833 Vocabulaire à retenir

la prison, un prisonnier, emprisonner, l'emprisonnement
sauver, le sauveteur, le sauvetage, le sauveur, sauve-qui-peut

132e leçon

La forme interro-négative

Ne parles-tu **pas** l'anglais ?

RÈGLE

La forme interro-négative est la combinaison de la forme interrogative et de la forme négative : Tu **ne** parles **pas** l'anglais + Parles-tu l'anglais **?**
→ **Ne** parles-tu **pas** l'anglais **?**

EXERCICES

834 Conjugue les verbes à la forme interro-négative aux quatre temps simples de l'indicatif.
être de bonne humeur — répondre intelligemment — choisir un bon livre.

835 Écris les verbes à la forme interro-négative.
Au petit matin, Caroline avait les paupières lourdes. — Le gibier détale au moindre bruit. — La cassette est éjectée automatiquement. — Le mareyeur a ouvert trois douzaines d'huîtres en quelques minutes. — Les Grecs cuisinent beaucoup à l'huile d'olive. — Le conteur avait captivé son auditoire. — Le duc de Guise conspira contre le roi Henri III. — Vous convoitiez une place au premier rang, juste devant la scène.

836 Écris les verbes à la forme interro-négative.
Le soleil mettra la joie dans les cœurs. — Le Père Noël apportera des cadeaux à chacun. — C'était le début du printemps. — C'est un jeu amusant. — Nous apportons notre soutien au comité des fêtes. — Le pompiste remplira le réservoir avec de l'essence sans plomb. — Le poseur de moquette a relevé les dimensions de la pièce principale. — Le TGV Lyon-Paris était à quai. — Kamel a capté Radio-Duo avec son transistor.

837 Écris les verbes à la forme interro-négative.
Tu apprends à jouer du saxophone. — C'est toi qui as fait ce dessin. — L'employé de la compagnie des eaux a installé le compteur. — J'ai compris les instructions pour réaliser cette maquette. — Les plans auront été étalés sur la table. — Ce serait curieux que nous nous rencontrions à l'autre bout de la France. — Le routier rentre son camion tous les soirs. — Le mécanicien avoue son impuissance à réparer ce moteur.

838 Vocabulaire à retenir

un cahier — un papier — un casier — un métier — un levier
la mécanique, un mécanicien, mécanisé, le mécanisme, la mécanisation

Présent de l'impératif ou présent de l'indicatif à la forme interrogative

Prépare-toi un repas. Prépares-tu un repas ?

RÈGLE

Pour les verbes du 1er groupe (et les verbes comme **offrir**, **cueillir**, **ouvrir**...), il ne faut pas confondre le présent de l'impératif, qui n'a pas de sujet exprimé, avec le présent de l'indicatif interrogatif qui a un sujet :

dans : prépare-toi, **toi** est un pronom complément.

dans : prépares-tu, **tu** est un pronom sujet.

EXERCICES

839 Écris les verbes au singulier du présent de l'impératif et à la 2e personne du singulier du présent de l'indicatif, forme interrogative.

frapper à la fenêtre — offrir un cadeau — aller à la bibliothèque — se laver les mains — accueillir des amis — appeler les pompiers — se jeter à l'eau.

840 Écris les verbes au singulier de l'impératif présent (forme négative) et à la 2e personne du singulier de l'indicatif présent (forme interrogative).

s'arrêter — s'allonger — s'éloigner — se baigner — se taire — se baisser.

841 Écris la terminaison du présent de l'impératif ou du présent de l'indicatif selon le cas.

Va... à la gare chercher tes parents, dépêch...-toi, le train arrive dans quelques minutes. Y va...-tu oui ou non ? — Amus...-toi, profit... du beau soleil. — Prêt...-moi ton livre de géographie. — Te moque...-tu de nous ?

842 Écris les verbes à la 2e personne du singulier de l'impératif ou à la 2e personne du singulier du présent de l'indicatif.

(Arroser)-tu les plantes vertes de l'appartement ? — (Ne s'arrêter pas) au milieu du carrefour. — (S'aider), le ciel t'aidera. — Pourquoi (se tourmenter)-tu ?— Ne (se tourmenter) plus pour rien. — (S'abriter) sous l'auvent.

843 Vocabulaire à retenir

le vent, l'auvent, le ventilateur, l'éventail
la caresse, caresser, caressant — la paresse, paresser, paresseux

134e leçon

La voix passive

L'exposé **a été** préparé par notre groupe.
Il **sera** présenté par Alice.

RÈGLE

Pour conjuguer un verbe à la voix passive, il faut conjuguer l'auxiliaire **être** au temps demandé puis écrire à la suite le participe passé du verbe conjugué : il **a été** préparé → passé composé
il **sera** présenté → futur.

Présent	**Imparfait**	**Passé simple**	**Futur simple**
il est préparé	il était préparé	il fut préparé	il sera préparé
Passé composé	**Plus-que-parfait**	**Passé antérieur**	**Futur antérieur**
il a été préparé	il avait été préparé	il eut été préparé	il aura été préparé

EXERCICES

844 Conjugue au présent de l'indicatif, puis au passé composé.
être soigné à l'hôpital — être averti du danger — être freiné dans son élan

845 Conjugue aux personnes du pluriel de l'imparfait de l'indicatif.
attacher, s'attacher, être attaché à ses habitudes — servir, se servir, être servi par un maître d'hôtel — ouvrir, s'ouvrir, être ouvert à la discussion.

846 Écris à la voix passive.
Autrefois, les rois gouvernaient la France. — La tempête arrachait les tuiles des toitures. — Les fourmis avaient transporté de multiples brins de paille — Le plombier posa la tuyauterie du gaz. — L'enfant a usé les manches de sa veste. — Napoléon 1er a remporté la bataille d'Austerlitz. — La fusée emportera le satellite artificiel.

847 Écris à la voix active.
À la fin de l'enquête, tous les témoignages avaient été recueillis par les gendarmes. — La roche la plus dure aura été brisée par le gel. — L'atterrissage est retardé à cause du brouillard. — Les vallées des Pyrénées étaient noyées dans la brume. — Le pavillon noir fut hissé par les pirates.

848 Vocabulaire à retenir

un brin (de paille), une brindille — brun, brune
l'hôpital, hospitaliser, l'hospice, hospitalier, l'hospitalité
l'hôtel, l'hôtelier, l'hôtellerie, l'hostellerie, l'hôte, l'hôtesse

Le verbe à la forme impersonnelle

Il pleut, **il** neige, **il** fait froid. **Il** faut s'habiller chaudement.

RÈGLES

1. Un verbe à la forme impersonnelle est un verbe dont le sujet ne représente ni une personne, ni un animal, ni une chose définie.
2. Les verbes à la forme impersonnelle ne sont conjugués qu'à la 3e personne du singulier, avec le sujet **il**, du genre neutre : **il** pleut ; **il** faut.

Remarques :

1. Il y a des verbes qui sont toujours à la forme impersonnelle comme **pleuvoir**, **falloir**, **neiger**…
2. Certains verbes peuvent être employés à la forme impersonnelle :
   Paul **fait** ses exercices. → forme personnelle
   Il **fait** froid. → forme impersonnelle.

EXERCICES

849 Conjugue les verbes impersonnels aux temps simples de l'indicatif.

neiger en abondance — pleuvoir sans arrêt — geler à pierre fendre — tonner fort — falloir rattraper le retard — faire un temps superbe.

850 Transforme les phrases selon le modèle.

Ex. : Il circulait des rumeurs stupides. → Des rumeurs stupides circulaient.
Il arrivait du large des vagues énormes qui se brisaient sur les jetées. — Il ne faut pas croire tout ce qu'on raconte ici ou là. — Il sort une épaisse fumée du pot d'échappement. — Il se dégage du grille-pain une bonne odeur.

851 Écris au pluriel les mots en bleu et accorde comme il convient.

Le vent s'éleva soudain, secouant les portes, enlevant les cheminées ; il souffla avec rage toute la nuit. — Il existe un village qui n'est pas relié à la ville par une route goudronnée. — Il va arriver un malheur si vous continuez à prendre autant de risques. — Le ruisseau s'attarde dans la campagne, puis il va se perdre dans la rivière. — Il paraît que le malade ne doit pas sortir. — Le coureur s'arrête quelques instants, il paraît fatigué.

852 Vocabulaire à retenir

la jetée — la dictée — la portée — la pâtée — la montée
autant, pourtant, tant mieux, tant pis

Révision

853 Écris les verbes entre parenthèses au présent de l'indicatif.

Le renard (déguerpir) à la vue du chasseur qui l'(épier). — Tu (essuyer) la table. — Tu (étudier) les moyens de te sortir de ce mauvais pas. — Il pleut, Delphine (s'ennuyer). — Tu (appuyer) sur chacun des mots pour mieux te faire entendre. — Tu (construire) un cerf-volant. — Certains gaz (détruire) la couche d'ozone. — L'arrière (envoyer) le ballon entre les poteaux. — Je (voir) fondre mes économies. — Je (peindre) un paysage. — Je (pendre) un jambon dans la cave. — La mer (descendre) et nous (pouvoir) rejoindre l'île de Ré. — La jeune gymnaste (manier) les rubans et les ballons avec beaucoup de grâce. — Tu (nier) l'évidence.

854 Écris les verbes entre parenthèses au présent de l'indicatif.

Tu (éteindre) ton ordinateur. — Tu (étendre) les draps sur le lit. — Tu (tendre) un câble entre deux rochers. — Le coiffeur (teindre) les cheveux de la cliente. — Le voyageur (attendre) un taxi. — La tortue (atteindre) le but la première. — Tu (savoir) patienter ; c'(être) bien. — Tu (essayer) de réaliser un exploit. — On (se plaire) bien à la plage. — Le chien (aboyer). — Le guerrier gaulois (boire) une potion magique. — Tu (se frayer) un passage dans la foule.

855 Écris les verbes entre parenthèses au présent de l'indicatif.

On (devoir) respecter la nature. — Monsieur Abel (aller) au marché du quai Saint-Antoine. — Vous (faire) comme si vous n'aviez pas entendu la question. — Le joueur de tennis (vaincre) son appréhension et (remporter) le tournoi de Flacé. — Je (s'asseoir) sur une chaise bancale. — Vous (dire) toujours ce que vous (penser). — L'entreprise (achever) les travaux de réfection de la chaussée. — L'équipe de France (mener) deux à zéro devant l'Allemagne. — Nous (joindre) nos compliments aux vôtres.

856 Écris les verbes entre parenthèses au présent de l'indicatif.

Je (partir) en voyage. — Je (parer) le sapin de Noël de guirlandes. — La galette (dorer) dans le four. — Le chien (dormir) sagement dans sa niche. — Je ne (mentir) jamais. — Tu (sortir) de l'eau frigorifiée. — Je (sentir) une bonne odeur de caramel à travers l'appartement. — Je (mettre) la casserole sur le feu et j'(attendre). — La machine à laver (essorer) aussi le linge. — L'humidité (ressortir) toujours dans cette cave.

857 Conjugue à l'imparfait de l'indicatif.

enjamber le ruisseau	tuer les moustiques	tenir la barre
surgir à l'improviste	revenir de loin	ouvrir les fenêtres

858 Écris les verbes aux trois personnes du singulier et à la 3e personne du pluriel de l'imparfait de l'indicatif.

hocher la tête	courir ventre à terre	franchir le seuil de l'église
fredonner le refrain	enfiler des perles	offrir des brins de muguet

859 **Écris les verbes aux trois personnes du pluriel du présent et de l'imparfait de l'indicatif.**
appuyer sur le bouton-poussoir — rejeter une proposition — renvoyer l'ascenseur — cueillir des cerises — déblayer les graviers — avouer son impuissance — saluer la victoire des Français — s'asseoir sur le tapis — ne pas croire aux horoscopes — pâlir à la vue du sang.

860 **Écris les verbes aux trois personnes du singulier du présent et de l'imparfait de l'indicatif.**
appeler le médecin — démêler une affaire compliquée — s'inquiéter pour rien — fêter la fin du Ramadan — empiéter sur le bas-côté — regretter les dernières vacances — s'arrêter de parler — exceller en mathématiques.

861 **Écris les verbes entre parenthèses au présent et à l'imparfait de l'indicatif.**
Nous (oublier) notre tenue de sport. — Nous (plier) des journaux. — Nous (recueillir) les fruits de notre patience. — Nous (fouiller) dans notre cartable à la recherche d'un rapporteur. — Nous (essuyer) la table avant d'y poser les assiettes. — Nous (accompagner) des amis à la piscine. — Vous (nettoyer) les roues de votre bicyclette. — Vous (travailler) avec méthode. — Vous (cogner) sur les clous pour les enfoncer profondément. — Vous (trier) des timbres-poste. — Vous (envoyer) une lettre recommandée.

862 **Écris les phrases en mettant les verbes en bleu à la personne correspondante du singulier. Garde le même temps.**
Vous vous plaigniez du temps perdu en formalités inutiles. — Nous feignions d'écouter mais nous avions la tête ailleurs. — Vous éteignez le gaz sous la ratatouille. — Vous rejoignez vos parents au concert de musique. — Nous peignions la porte du cabanon en rouge. — Nous atteignons le rivage à la nage. — Nous craignions de vous déranger. — Nous contraignons les enfants à se laver les dents. — Vous craigniez d'être en retard. — Avec juste un peu de retard, vous rejoignez vos amis.

863 **Conjugue les verbes au passé simple.**
accourir au signal — vouloir une faveur — mourir de peur.

864 **Écris les verbes entre parenthèses au passé simple.**
Les bulldozers (ravager) les flancs de la colline. — Un orage (survenir) qui (briser) tout sur son passage. — Heureux de se retrouver, les amis (choquer) leurs verres. — Nous (évoquer) des souvenirs communs. — Les vrais gourmets ne (croquer) que du chocolat noir. — Vous vous (fatiguer) rapidement. — Avec l'arrivée des automobiles, les diligences (disparaître) des routes françaises. — L'ogre (regarder) le Petit Poucet et (froncer) les sourcils. — Nous nous (diriger) vers la gare en évitant le centre-ville. — Surprise par le froid, tu (claquer) des dents.

865 **Écris les verbes entre parenthèses à l'imparfait de l'indicatif et au passé simple.**

Le semi-remorque (atteindre) la sortie de l'autoroute avant la nuit. — Pour obtenir un texte lisible, tu (écrire) plusieurs brouillons. — Régis (mordre) à belles dents dans son sandwich. — Questionné par les policiers, le malfaiteur ne (répondre) pas franchement, personne ne le (croire). — Nous (s'asseoir) à la même table que la famille Duval. — Je (craindre) un refus de sa part, mais il n'en (être) rien.

866 **Écris les verbes entre parenthèses à l'imparfait de l'indicatif et au passé simple.**

Je (marcher) d'un bon pas. — Morgane (rougir) de plaisir en entendant les compliments. — Tu (réussir) à annuler ton rendez-vous et à nous rejoindre. — Tu (entendre) la sonnerie du réveil. — Tu (courir) à perdre haleine pour rattraper l'autobus. — Nous (venir) à l'improviste. — Nous (conserver) notre sang-froid. — Vous (résister) à la tentation. — Vous (perdre) des points. — Vous (retenir) votre souffle à la fin du film. — Les lions (rugir) à la grande frayeur des enfants. — Les candidats à l'examen du permis de conduire (apprendre) le code. — Les passants (lire) les affiches publicitaires.

867 **Écris les verbes entre parenthèses au présent, à l'imparfait de l'indicatif et au passé simple.**

Je (commencer) à comprendre comment additionner les fractions. — Le parachutiste (plonger) dans le vide. — Je (manger) avec appétit. — Je (m'appliquer) pour ne pas tacher les murs. — Tu (nager) la brasse et le crawl. — Marie-Béatrice (croquer) une tablette de chocolat. — Nous (lancer) le cochonnet. — Vous (changer) de tee-shirt. — Les jardiniers (élaguer) les tilleuls. — Les cascadeurs (risquer) leur vie.

868 **Écris les verbes à la 1re et à la 3e personne du pluriel du futur simple.**

trouer son pantalon — apprendre le solfège — hasarder une réponse — se fondre dans la foule — omettre de compter la retenue — demander un renseignement — évaluer les dégâts — commander par correspondance — attendre une décision — justifier une dépense.

869 **Écris les verbes entre parenthèses au futur simple.**

Vous (grincer) des dents quand vous (apprendre) les résultats du concours. — Les pigeons (arriver) de toutes parts quand on leur (lancer) des graines. — Le maçon (construire) le garage en quelques semaines ; il nous l'a certifié. — Privé de son gouvernail, le catamaran (dériver). — Au fil des années, ces artisans (acquérir) une habileté sans égale. — Tu (s'instruire) en lisant régulièrement cette revue documentaire. — Le soleil (luire) après la pluie et (sécher) les trottoirs.

870 **Écris les verbes entre parenthèses au passé antérieur.**

Quand les chauffeurs (conduire) les autobus au garage, ils revinrent à leur domicile. — Quand nous (éteindre) la lampe, nous nous endormîmes aussitôt. — Quand les bûcherons (abattre) le vieux chêne, ils l'ébranchèrent. — Lorsque Jules César (conquérir) la Gaule, le pouvoir s'offrit à lui.

871 **Écris les verbes entre parenthèses au futur antérieur.**

Quand nous (battre) les cartes, nous les distribuerons. — Dès que vous (répondre) au questionnaire, vous pourrez le poster. — Quand nous (atteindre) le col de la Ponsonnière, nous nous reposerons. — Quand ils (brosser) leurs vêtements, ils les plieront. — Lorsque les musiciens (entrer) en scène, le concert débutera.

872 **Continue chaque phrase à ta convenance.**

Si j'avais un an de vacances, … . — Si tu flânais dans les ruelles de ce vieux quartier, … . — Si Vanessa héritait d'une forte somme d'argent, … . — Si nous inventions un tournevis révolutionnaire, … . — Si vous réfléchissiez, … . — Si les poules avaient des dents, … .

873 **Conjugue les verbes au présent du conditionnel.**

ne pas croire aux charlatans — nettoyer l'intérieur de la voiture — construire un abri de fortune — appuyer l'échelle contre le mur — essuyer les plâtres — avancer en ordre dispersé — s'inscrire au tournoi de pétanque — descendre au fond du gouffre — ne pas décevoir ses amis — ne pas paraître en difficulté — souscrire une assurance.

874 **Écris les verbes entre parenthèses au passé du subjonctif.**

Il faut que tu (flâner) le long des rues pour arriver si tard. — Il faut que j'(faire) une imprudence pour m'être enrhumée aussi rapidement. — Tu crains qu'il ne (tomber) sur le pavé glissant. — Madame Claret attend que monsieur Malandier (garer) sa voiture pour sortir la sienne. — Il faut que le fournisseur (livrer) les meubles avant la fin de la semaine. — Lucas poursuivra son œuvre jusqu'à ce qu'il (atteindre) son but. — Avant qu'il (ouvrir) la bouche on le prie de se taire. — Puisqu'ils sont fâchés, il est préférable qu'ils ne (se rencontrer) pas.

875 **Écris les verbes entre parenthèses au passé simple ou à l'imparfait du subjonctif.**

Je doutais qu'il (se mettre) en route et qu'il (venir) par un temps pareil. — Malgré le mauvais temps, il (se mettre) en route et (venir) à l'heure convenue. — Il fallait que le tailleur (rectifier) le revers du pantalon et (déplacer) les boutons de la veste. — Éric se (verser) un verre de limonade qu'il (boire) d'un trait. — Il fallut forcer Marion pour qu'elle (boire) ce sirop. — Les feuilles tombaient sans qu'aucun souffle (agiter) les arbres.

Révision

876 **Écris les verbes entre parenthèses au passé simple ou à l'imparfait du subjonctif.**

Bien qu'il (avoir) de bonnes dents, il ne put manger cette viande. — L'imprudent se balança sur sa chaise jusqu'à ce qu'il (tomber). — Il n'aurait pas fallu qu'il (pleuvoir) avant la vendange. — À trente ans, il fallut que mon frère (étudier) l'anglais et qu'il (apprendre) la gestion. — Samuel (paraître) dans l'encadrement de la porte et (s'avancer) en souriant. — Malgré son âge, mon oncle (faire) comme nous, il (se jeter) dans la mêlée.

877 **Écris les verbes entre parenthèses au futur simple ou au conditionnel présent.**

Je (sortir) dès qu'on me le demandera. — Si je continuais à négliger mon entraînement, je (perdre) tous mes matchs. — J'(étudier) l'itinéraire, si tu me prêtes ta carte. — Si tu t'attardais en route, on (s'inquiéter). — Si le temps était favorable, j'(aller) à la pêche. — Si vous tirez sur le fil électrique, vous (provoquer) un court-circuit. — Si j'avais plus de loisirs, je (flâner) dans le quartier. — Luc (être) le premier à nous aider si le besoin s'en faisait sentir.

878 **Écris les verbes entre parenthèses au futur simple ou au conditionnel présent.**

Je (fixer) le jour de mon départ quand j'aurai reçu votre réponse. — Si j'avais assez d'argent, j'(acheter) ce blouson mais j'(attendre) la période des soldes. — Si je pars en voyage, je vous (prévenir). — Si j'avais de la farine et du beurre, je vous (faire) une tarte délicieuse. — Quand le pilote aura reçu son plan de vol, il (décoller) immédiatement. — Si le SAMU recevait un appel nocturne, l'ambulance (partir) sur les lieux de l'accident.

879 **Écris les verbes entre parenthèses à la 2e personne du singulier du présent de l'impératif ou au présent de l'indicatif à la forme interrogative.**

(Couper) l'eau. — (Couper)-tu l'eau ? — (Manger) des spaghetti. — Les spaghetti, les (manger)-tu avec de la sauce tomate ? — (Croquer) les noisettes. — (Croquer)-tu du nougat ? — (Écrire) une lettre à tes parents. — Tes parents, leur (écrire)-tu souvent ? — (Se baisser), la porte est basse. — (Accorder)-tu ton violon ? — (Chanter)-nous ce refrain. — (Se cacher) derrière ce rideau. — (S'arrêter) de parler, (écouter). — (Ne pas s'énerver), (rester) calme.

880 **Écris les verbes entre parenthèses au présent de l'indicatif ou au présent du subjonctif.**

La bête que j'(avoir) dans la main est une grenouille et non un crapaud ! — Je souhaite que tu (avoir) le temps de venir me voir. — Il faut absolument que j'(avoir) ce renseignement. — Il est regrettable qu'il (avoir) une mauvaise vue, il va devoir porter des lunettes.

Index
Annexe

Index

Difficultés de la langue française citées

Index

Les verbes conjugués

Difficultés orthographiques

abri
abriter
absous p. passé m.
absoute p. passé f.
accoler
coller
adhérant p. prés.
adhérent adj. et n. m.
adhérence
affluant p. prés.
affluent n. m.
affluence
affoler
affolement
follement
folle
Afrique
Africain
alléger
alourdir
annuler
annulation
nullité
nullement
attraper
attrape
trappe
trappeur
barrique
baril
basilic (le) n. m.
basilique (la) n. f.
bonasse
bonifier
bonne
débonnaire
bonhomme
bonhomie
bracelet
brassard
cahute
hutte
cantonnier
cantonal
ceindre
cintrer
chaos
chaotique
chaton
chatte
charrette
charroi
chariot
colonne
colonnade
colonel
confidence
confidentiel
cône
conique
consonne
consonance
combattant
combatif
côte
côté
coteau
courir
coureur
courrier
concourir
concurrent
concurrence
cuisseau (bouch.)
cuissot (gibier)
déposer
dépôt
déshonneur
déshonorer
déshonorant
détoner
détonation
tonner
tonnerre
diffamer
infamant
différant p. prés.
différent adj.
différence
différentiel
discuter
discutable
discussion
dissoner
dissonance
dissous adj. m.
dissoute adj. f.
donner
donneur
donation
donataire
égoutter
égoutier
émerger
immerger
équivalant p. prés.
équivalent adj.
équivalence
essence
essentiel
étain
étamer
excellant p. prés.
excellent adj.
excellence
exigeant
exigence
fabrique
fabricant
famille
familial
familier
fatiguant p. prés
fatigant adj.
infatigable
favori adj. m.
favorite adj. f.
fourmiller v.
fourmillement
fourmilier
fourmilière
fusilier
fusillade
fût
futaie
grâce
gracieux
jeûner
déjeuner
honneur
honorer
honorable
homme
homicide
imbécile
imbécillité
immiscer (s')
immixtion
intrigant adj. m.
intriguant p. prés
infâme
infamie
invaincu
invincible
jus
juteux
mamelle
mamelon
mammifère
mammaire
millionnaire
millionième
monnaie
monétaire
musique
musical
négligeant p. prés.
négligent adj.
négligence
nommer
nommément
nominal
nomination
nourrice
nourricier
nourrisson
nourrissant
patte
pattu
patiner
patin
patronner
patronnesse
patronal
patronage
pestilence
pestilentiel
pic (le) n. m.
pique (la) n. f.
pôle
polaire
précédant p. prés.
précédent adj.
préférence
préférentiel
présidant p. prés.
président n. m.
présidence
présidentiel
providence
providentiel
rationnel
rationalité
réflecteur
réflexion
résidant p. prés.
résident n. m.
résidence
salon
salle
siffler
persifler
sonner
sonnette
sonnerie
sonore
sonorité
souffrir
soufrer
souffler
essouffler
essoufflement
boursoufler
substance
substantiel
tâter
tâtonner
tatillon
teinture
tinctorial
vermisseau
vermicelle

Principaux mots invariables

ailleurs
ainsi
alors
après
assez
au-dessous
au-dessus
aujourd'hui
auparavant
auprès
aussi
aussitôt
autant
autrefois
avant
beaucoup
bientôt
cependant
certes
chez
d'abord
dans
davantage
dedans
dehors
demain
depuis
dès lors
dès que
désormais
dessous
dessus
devant
dorénavant
durant
envers
exprès
fois
gré
guère
hier
hors
jamais
loin
longtemps
lors
lorsque
maintenant
mais
malgré
mieux
moins
naguère
néanmoins
par-dessus
parfois
parmi
pendant
plus
plusieurs
pourtant
près
puis
quand
quelquefois
sans
selon
sitôt
sous
sus
tant
tant mieux
tant pis
tantôt
tôt
toujours
toutefois
travers
très
trop
un tantinet
vers
volontiers

Annexe

Vocabulaire à retenir

abaisser
abandonner
l'abîme
l'aboiement
l'abonnement
abonner
l'abordage
aborder
l'abri
l'absence
l'abus
un accélérateur
l'accent
l'accentuation
accentuer
l'accès
une accession
un accessoire
un accident
acclamer
accomplir
l'accord
accorder
un accueil
l'accueil
accueillir
accusateur
l'accusation
l'accusé
accuser
l'acrobatie
un adhérent
adhérer
l'adhésion
l'aérateur
l'aération
aérer
aérien
l'aéro-club
l'aérodrome
aérodynamique
l'aérogare
l'aéroglisseur
l'agence
l'aisance
un album
l'Allemagne
les Alpes
amaigrir
l'amaigrissement
un amas
amasser
l'ambition
amer/amère
amical
amplifier
un an
l'ananas
anglais
l'Angleterre
un animal
l'anneau
l'année
l'annexe
l'anniversaire
annoter
l'annuaire
annuel
annuellement
l'anorak
apercevoir
l'apéritif
l'appât
appâter
appétissant
l'appétit
apprendre
l'apprenti
l'apprentissage
l'aquarium
l'araignée
ardent
ardemment
l'armure
arrêter
l'arrivée
l'art
un artisan
artisanal
l'artisanat
l'ascenseur
l'assaut
assécher
assembler
asseoir
assister
associer
assombrir
assouplir
l'astrologue
un athlète
l'atmosphère
attabler
attacher
attaquer
atteindre
attendre
attendrir
l'attente
attentif
l'attention
attentionné
attentivement
atterrir
l'atterrissage
attirer
attribuer
au-dessous
au-dedans
au-dehors
au-delà
au-dessus
aussitôt
autant
l'authenticité
l'autorail
l'auvent
un aveu
la bâche
le bahut
la baisse
la balance
balayer
le balayeur
balbutier
le baptême
le bar
bas
la bascule
une basse-cour
la bassesse
le bateau
le bâton
la batterie
le batteur
battre
le bazar
la beauté
la bêche
bégayer
bénéficier
une bêtise
bicolore
la bicyclette
bientôt
le bifteck
le billet
bizarre
la blessure
boire
le bord
border
la bordure
la boue
le bougeoir
le bourgeon
la boussole
le boyau
la brassée
la brebis
la Bretagne
un brin
une brindille
le brouhaha
le brouillard
brouiller
le brouillon
le broyeur
brun/brune
le bûcheron
le câble
le cachet
un cadeau
le café
un cahier
cahin-caha
le cahot
le caillou
la calligraphie
le camp
camper
le campeur
le camping
le camping-car
le canapé
les canaux
le canevas
le canoë
les canots
le caoutchouc
le car
caressant
la caresse
caresser
la cargaison
le carnet
le carreau
un casier
la casserole
le catalogue
la catastrophe
une cathédrale
le caveau
celle
la cellule
cent
un cercueil
la cervelle
la chaise
la chance
la chandelle
chantonner
le chapeau
la chapelle
le charcutier
le chariot
charrier
châtain
le château
la chaussée
la chaussure
la chaux
un chef-d'œuvre
la cheminée
le chêne
un cheval
le chevreuil
un chien-loup
chimique
le chlore
le chœur
le choléra
la chorale
un choriste
la chlorophylle
chrétien
la chronique
le chronomètre
le cigare
cinquante
le clou
le cœur
un coffre-fort
la cohérence
coiffer
le coiffeur
la coiffure
combatif
le combattant
un compromis
le comptable
le compte
compter
le compteur
le comte
le concert
se concerter
le concertiste
le concerto
le conseil
conseiller
la console
le conte
contemporain
en contrebas
à contrecœur
un contretemps
le contrôle
contrôler
le contrôleur
le convoi
le coquelicot
le corbeau
un coton-tige
le cou
le coup
courant
le coureur
courir
le courrier
le cours
la course
le coursier
le coutelas
le couturier
craindre
la crainte
craintif
le crâne
la crêpe
la crête
le creusement
le cri
la criée
croire
le croquis
le cru
la crue
cruel
la cueillette
cueillir
le cycle
le cycliste
un cyclomoteur
le dahlia
le dauphin
débrouillard
débrouiller
décamper
décemment
décent
le décès
décevoir
décider
décisif
la décision
décoiffer
déconcerter
le défaut
le défi
le degré
dénoter
la dent
la dentelle
le dentifrice
le dentiste
la dentition
le dénuement
dépanner
le dépanneur
la dépanneuse
le départ
déplaire
déplaisant
le déraillement
dérailler
dernier/dernière
désarçonner
le désarroi
la descente
déshabiller
désherber
déshériter
le désintérêt
désœuvré

index *(vocabulaire à retenir)*

Achevé d'imprimer en France chez GIBERT CLAREY S.A. (n° 01100065)
Dépôt légal 16717 - collection n° 14 - Édition n° 1
11 6117 3